JN121880

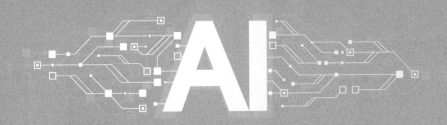

# AI
# ビジネスの基礎と倫理的課題

髙　巖・清水千弘〈共著〉

公益財団法人
モラロジー道徳教育財団

# はじめに

　オンライン書店で，「ＡＩ」または「人工知能」という言葉を打ち込んで検索にかけますと，「ディープラーニング」「シンギュラリティ」「データサイエンティスト」など，様々な用語を含む書籍が大量にリストアップされます。これだけ多くのものがあると，読者の皆さんは，いったいどれから読めばよいのか，迷ってしまうのではないでしょうか。

　特に「経営という視点から学びたい」と思っている経営者には，カタカナ用語が多いために，「難しい」と感じ，「やっぱり，部下に任せよう」となってしまうかもしれません。「これからのビジネスにはＤＸやＡＩが欠かせない」と感じながらも，入り口のところで，やる気を削がれれば，その経営者個人にとっても，またその会社にとっても大きな損失となるはずです。

　これは，大学で「経済・経営」を学ぶ学生たちにも言えることです。彼らも，多くは「理工系でなくても，ＡＩの仕組みや活用法は，またその限界は理解しておく必要がある」と思っています。ただ，理工系の学生向けに執筆されたテキストでは，経済・経営とのつながりはほとんど見えず，たとえ入門書であったとしても，興味を持つことができず，読み始めても途中で断念してしまうのではないでしょうか。

　さらに言えば，「ビジネスエシックス」（企業倫理）という視点から，ＡＩビジネスの問題に切り込みたいと考えている研究者も，同様の課題を抱えているはずです。ＡＩ技術に潜む倫理課題，ＡＩツール開発者の職業倫理，ＡＩツールを駆使してビジネスを展開するデジタルプラットフォーマーの倫理，デジタル時代における公正な競争・民主主義・自由意思のあり方，これらを考えるには，まずＡＩで利用される「論理や学習の仕組み」（アルゴリズム）がどのようなものであるか，どのような場面・局面においてそれが活かされるのかを理解しておく必要があります。それ抜きでの「倫理的視点からの研究」など，まずもってあり得ないからです。

　こうした問題意識から，筆者らは，経営者，学部生，研究者（社会科学

i

系の研究者）が，興味を持って読むことのできるＡＩビジネスの図書を執筆することにしました。読みやすいかどうかは読者の皆さんが決めることですが，筆者らは，少なくとも，本書が，ビジネス経験豊かな企業人が，経済や経営を学ぶ文系の学生が，そしてビジネスエシックスを志す若手研究者が抵抗なく読めるものになったと自負しています。おそらく，筆者らのいずれか１人だけで，これを執筆しようとしていたら，こうした著作にはならなかったと思っています。

　あらためて，著者らの学問的な背景を紹介しておきます。髙は「ビジネスエシシスト」として，認知科学的意思決定論，システム論，企業倫理，企業社会責任を研究し，信頼失墜した会社の立て直しなどに関わってきました。他方，清水は「データサイエンティスト」として，経済学，数理統計学，不動産価格予測などの研究を進め，企業向けＡＩツールの開発などに関わってきました。

　読者の皆さんは，このように全く異なる分野の２人が本書を著したわけですから，「２人の間で事前に担当章を決め，各章を別々に執筆した」と思われるかもしれません。しかし，読み進めばお分かり頂けると思いますが，「本書は，一人の執筆者の手によって書き上げられたもの」との印象を持つはずです。それは，それぞれの分野を互いが納得・理解できるまで議論を交わし，問題意識を昇華させ，推敲に推敲を重ねていったからです。

　経済発展の理論で有名なヨーゼフ・シュンペーターは，異なる要素がそれ以前には存在しなかった新たな形で結び付くことを「イノベーション」と呼んでいます。この定義に従えば，本書も「新結合」（イノベーション）の産物だと思っています。本来であれば，一緒になって研究や執筆を行うことのなかった２人が「ＡＩビジネスと倫理的課題」という関心を共有したことで，交流と議論（新たな結び付き）が生まれ，本書を上梓することになったからです。

　ただ，本当の意味での「イノベーション」は，本書そのものではなく，

これを読み終わった後に，読者の皆さんが起こすアクションにあると思っています。筆者らは，最終章などにおいて，ＭＤＰ（主要なデジタルプラットフォーマー）が抱える倫理的課題に触れますが，それは，読者自らが次なるアクションを起こすためのヒントとなっています。

　例えば，プラットフォーム運営者は，そのプラットフォーム上で取引するサードパーティに対抗し，独自の商品を販売してはならない，という基本原則があります。この原則に立ち返れば，アマゾン型のＭＤＰとは全く違うビジネス・モデルが見えてくるはずです。つまり，筆者らは，読者の皆さんが，本書を読み終えた後に構想するビジネスに，着手するアクションに，切り開く研究領域に，「新結合」が生まれるものと思っているのです。

　さて，本書を上梓するにあたり，筆者らは，多くの関係者に謝意を表さなければなりません。まずこれまで多くの機会を通じて知的な刺激を与えてくださった同僚の先生方，原稿の段階で建設的なコメントを頂いた先生方に，お礼を申し上げたく思います。先生方との率直な意見交換や議論がなければ，この企画が生まれることも，また執筆に至ることもなかったと思っています。

　加えて，筆者それぞれの恩師に対しても，ここであらためて感謝の気持ちを伝えたく思います。髙は，ハーバード・Ａ・サイモン先生（1975年チューリング賞受賞，1978年ノーベル経済学賞受賞）とトーマス・ダンフィー先生（ペンシルバニア大学ウォートンスクール教授）に衷心より拝謝申し上げます。サイモン先生には，髙の最初の出版図書（『Ｈ・Ａ・サイモン研究：認知科学的意思決定論の構築』）に対し，光栄にも巻頭の辞をいただき，またダンフィー先生には，企業倫理という新たな研究分野に導いていただきました。故人となられた2人への敬意と感謝の気持ちは，今でも変わることはありません。

　清水は，陰に陽にご指導いただいたアーウィン・ディワート先生（ブリティッシュ・コロンビア大学教授），西村清彦先生（元日本銀行副総裁・東大名誉教授），浅見泰司先生（東京大学工学部教授）に対し，謝意を表したく思って

ります。一橋大学に大学院ソーシャル・データサイエンス研究科が新設され，またそこで教鞭を執る機会を得たことも，先生方あってのことと感謝するばかりです。

　最後になりましたが，本書出版の社会的・倫理的意義をご理解頂きましたモラロジー道徳教育財団に心よりお礼を申し上げます。本書の企画・出版にあたっては，財団出版部の外池 容様に，並々ならぬご協力をいただきました。とりわけ，図表の作成・校正については，相当のご負担をおかけしたものと思っています。できるだけ読者の皆さんに分かりやすい図表を準備したいという気持ちで，妥協することなく仕事を進めて頂きました。ここに深謝申し上げ，お礼の言葉に代えさせていただきます。


2022 年 8 月 8 日
著者を代表して
髙　巖

# 目　次

装丁　(株) クリエイティブ・コンセプト

## どのような流れで学ぶか

　2020 年 5 月，ＧＡＦＡＭ（ガーファム：Google，Amazon，Facebook，Apple，Microsoft の頭文字）の時価総額が東証 1 部上場会社（約 2170 社）の時価総額合計（530 兆円）を超過しました。グーグル，アマゾン，フェイスブック，アップル，マイクロソフトというビッグテック 5 社だけで，日本の主要企業約 2000 社の時価総額を悠に超えてしまったのです。2021 年に社名を「メタ」に変更したフェイスブックなどは，2022 年に入り，勢いを失いつつあるものも，GAFAM 全体としての勢いは軽視できません。

　本書では，ＧＡＦＡＭに代表される「主要なデジタル・プラットフォーマー」（Major Digital Platformers）を略して「ＭＤＰ」と呼ぶことにします。それは，これら 4 社に限らず，他にも市場より高い評価を受けてきたデジタル・プラットフォーマーが相当数存在しているためです。このままでは，従来型の日本企業（本書では「既存企業」と略します）は，束になってかかっても，ＧＡＦＡＭなどのＭＤＰには，全く太刀打ちできないということになるかもしれません。

　では，なぜこれだけの違いが生まれたのでしょうか。なぜ市場はここまでの高い評価をＭＤＰに与えてきたのでしょうか。色々と理由はあるかもしれませんが，突き詰めれば，それは「データドリブン」と「パーソナライゼーション」というＭＤＰの戦略・経営姿勢にあると言えます。

## データやＫＰＩを使う経営

　近年「データドリブン（データ駆動）」や「データドリブンによる経営」という言葉が聞かれるようになりましたが，これは，経験や勘に頼っていた判断を，データの力を最大限に生かし，合理的に物事を判断するという経営を指します。もっとも，データを見ないで経営などできませんから，日本企業も，過去，何らかのデータを使って経営上の判断をしてきたはずです。例えば，1990 年代後半，日本企業は，ＫＰＩ（Key Performance Indicator）という言葉をよく使うようになりました。

これは，経営にとっての重要な指標を選択し，それを判断の過程にビルトインし，合理的に意思決定しようとするものでした。しかし，ＫＰＩとして設定した指標はあくまでも参考指標に過ぎませんでした。最終的な決断とそれに基づくアクションは，結局，人間によるしかなかったのです。また，そもそもＫＰＩの選定そのものが恣意的となりがちで，それが本当に事業の先行指標として適切であったかは，十分に確認できていませんでした。

## データドリブンと業務効率の改善

　ＭＤＰの評価を高めた「データドリブン」とは，その先を行くものです。これは，ＫＰＩそのものも，ＡＩ（Artificial Intelligence）などのツールを用いて選定し，経営者や事業本部などが行っていた決断の一部を機械やＡＩに置き換えていくものと言ってよいでしょう。

　これまで多くの企業は，現場にある情報を上へ集め，それを元にトップが決断し，さらにその決断を各部・各課に落とし込んできました。これに対し，ＭＤＰは，組織内の意思決定ポイントを現場に近づけ，あるいは現場にいるスタッフが意思決定ツールを簡単に利用できるよう改善を続けてきました。

　本来，情報は，また広い意味でのデータは，現場レベルに付属し蓄積されるものです。そうすると，理論上，経営層よりも，現場の方が事態をより正確に捉え，的確かつ迅速に判断ができるわけです。ただ，多くの組織は，現場レベルに重要な判断を任せたりしません。担当者それぞれの観察力や判断力に違いがあるため，それを各自に委ねれば，企業としての統一性が損なわれ，組織がバラバラに動き出してしまうからです。それゆえ，意思決定ポイントを現場にシフトできれば，あるいは現場スタッフが精度の高い意思決定ツールを利用できれば，組織構造上の制約は大幅に緩和されることになるわけです。

　通常，それは，業務効率の改善という形で現れてきます。例えば，企業間取引では，取引条件（見積り）を迅速に発注側に示す必要があります。営業担当者が自身の経験や勘に頼って，仮の見積もり書を作成し，それを

上司が承認するという形をとっていれば，返答に時間を費やし，チャンスを逃してしまうかもしれません。これをデータドリブンで対応すれば，どうでしょうか。企業は，過去の取引実績，販売価格，適用割引率などに基づき，取引条件を瞬時に割り出すことができるようになります。言うまでもなく，これは会社側が実装したＡＩツールに基づく判断ですから，担当者は，再度，上司の承認など仰ぐ必要もなくなるわけです。それは，結果的に，成約率の向上に繋がっていくはずです。

## パーソナライゼーションとマーケットイン

　ＭＤＰの評価を高めるもう１つの戦略は「パーソナライゼーション」です。データドリブンによる自動化は，既述のような業務効率の改善だけを目的としているわけではありません。さらに，顧客や利用者の期待や嗜好を把握し，各自に応じた情報や商品を提供することも射程に入れています。これをデータドリブンによる「パーソナライゼーション」と呼びます。これに関しては，第８章で「顧客対応」として詳しく解説しますが，ここでは要点のみ紹介しておきます。

　従来型事業者は，商品やサービスの販売において「プロダクトアウト」に陥る傾向にありました。「自分が作れるもの，自分が提供できるものを販売する」というマーケティング・スタイルを採っていたわけです。これに対し，ＭＤＰは，プロダクトアウトとは真逆の「マーケットイン」を実践しようとしてきました。消費者・利用者一人ひとりの行動履歴・検索履歴などのデータを最大限に活用し「相手が欲するもの，相手が探しているもの」を特定し，その観点より商品やサービスを提供してきました。市場は，この「パーソナライゼーション」という戦略を高く評価しているわけです。

## ＤＸとＡＩツール

　では，データドリブンとパーソナライゼーションは，いかにして可能となるのでしょうか。これを技術的に支えるのが，「ＤＸ」であり，そのデジタル基盤の上で稼働するのが「ＡＩツール」です。

ここで，これらの用語について簡単に整理しておきます。まずＤＸとは「デジタルトランスフォーメーション」の略称で，2004 年にスウェーデン・ウメオ大学のエリック・ストルターマン教授が提唱した考え方です。定義・解釈は論者によって異なっていますが，ビジネスとの関係で言えば，「企業がデジタル技術を駆使して事業の進め方，あり方，対象範囲などを変更すること」と規定されます。

　このチャレンジにおいて中核をなすのが「ＡＩツール」です。市販のＡＩソフトを使う場合には，社内の「ＩＴインフラ」（デジタル基盤）から独立した形で利用できるかもしれませんが，通常，これは，変化・蓄積するデータを材料として稼働しますので，本書では，ＩＴインフラに連動するものと捉えておきます。

## 動き出した日本企業であるが

　さて，データドリブンとパーソナライゼーションの背景に，デジタル基盤の整備とＡＩツールの導入があったわけですから，ＤＸへの動きが遅れた日本企業も，今，その整備やツールの開発・活用に動き出しているわけです。ただ，多くは，ＡＩが採用するアルゴリズムやＡＩツールの開発手順などに馴染みが薄いため，またそうした企業の経営者は，時として基本的なことを誤解しているため，その導入がなかなかうまく行かないというのが実情です。一例として，ある会社のトップの言葉を引用しておきましょう。

　「世の中ではＡＩが注目されている。我が社でも導入しないと，後れを取ってしまう。ライバル企業では，社内のビッグデータや新しいテクノロジーを使って生産性を上げようと，ＤＸ推進室を立ち上げた。我が社でも，未来への投資と考え，ＤＸ推進室を立ち上げることにする。ついては，理系出身のＹ部長に担当してもらおう」

　事実，この会社では，ＤＸ推進室が新設され，Ｙ氏が部長に就任しました。ただ，理系出身ということで，同室を任されたＹ部長は，何をやった

らよいのか分からず，コンサルタントなどの助言も受けていますが，結局，1年近く試行錯誤を続けています。Ｙ氏が大学に在籍していた30年前，ＡＩやＤＸに関する講義など，一切ありませんでした。それだけに，具体的なイメージを持てないわけです。

## 本書の狙いは

　本書の狙いは，狭く言えば，Ｙ部長やこの人事を進めたトップの理解を助けることです。また，広く言えば，ＡＩなどに馴染みのない「従来型の日本企業」で働く役員，管理職，一般社員，さらには大学で学ぶ学生達に，ＡＩの基礎を理解してもらい，これをビジネスに繋げてもらうことです。

　本書を通じて筆者らが強く感じていることは，ＡＩツールをビジネスに活かすには，「これを使う人が，ビジネスをよく理解していなければならない」ということです。実務が分かっていなければ，ツールはツールのままで何の価値も生みません。例えば，データドリブンを実現するには，企業の中にどのようなデータが存在するのか，そのデータの発生プロセスはどうなっているのか，それはどこに格納されているのか，そしてそれらが実際の業務とどのように関係しているのか，これらを押さえておかなければなりません。使えるデータがなければ，また業務との連動が分からなければ，統計手法や機械学習の技術は活かされず，有効なＡＩツールも開発・導入できません。それゆえ，まずは，実務経験豊かな企業人に対し，とりわけ，ＡＩに馴染みのない経営者や一般社員に対し「実務に通じていることがいかに大切であるか」を再認識してもらいたいのです。また学生達にも，ツールを活かすために，実務もしっかり学ばなければならないことを訴えておきたいのです。

　以上を念頭に置き，筆者らは，本書を次のような流れで展開していくことにします。

## 本書の構成

　まず第1章では，企業がＡＩツールを導入する際の基本的な事項を整理

します。ツールを導入・活用する企業にはどのようなタイプがあるのか，ツールを導入する目的は何なのかなどを見ていきます。その上で，経営者は導入にあたり，どのようにリーダーシップを発揮すべきか，また具体的な導入作業を進めるタスクフォースは何をすべきかについて基本を示します。

第2章〜第4章は，ビジネスそのものからいったん離れ，「AI」に関する基礎知識を押さえておきます。ここでは，企業人が知っておくべきことを分かりやすく説明していきます。まず第2章では，AIの歴史と現在の応用分野を概観します。これにより，読者は「AIの限界と可能性を決定づけるものが何であるか」を理解できるはずです。それが分かれば，「自らが関わるビジネスにAIは活かせるか」も，おおよそ見えてくるはずです。

第3章と第4章では，AIの心臓部にあたるアルゴリズムについて解説します。経営者であっても，どのような論理でAIが動いているかを知っておくことは大切です。基本的なことが分かれば，どの業務のどのプロセスを自動化するか，新規事業のどこにどのようなアルゴリズムを活用するかなどもイメージできるようになるからです。

アルゴリズムは，大別して「演繹的アプローチ」と「帰納的アプローチ」に分けられますが，現在の主流は帰納的アプローチとなっています。そこで，第3章と第4章では，ニューラルネットワーク，強化学習，回帰モデルなどのアルゴリズムを取り上げ，その特徴を分かりやすく解説することにします。

第5章〜第7章では，以上のAIに関する基礎知識を前提として，AIツールをビジネスの現場にどのように導入するかを，個別事例などを参照しながら学んでいきます。まず第5章では，一般論として，デジタル基盤整備やAIルール導入に関する各社の経験の違いに応じて，経営者はどのようなリーダーシップを発揮すべきかを整理し，その上で，AI導入を進める際の「組織的対応」を見ていくことにします。AI導入は「構想フェーズ」「業務・システム要件定義フェーズ」「設計・開発フェーズ」「稼働フェーズ」の4つの段階を経て進められますので，各フェーズにお

ける留意点を押さえておきます。

　第6章では，構想フェーズで最も重要となる「課題抽出の4つのステップ」に焦点を絞り，3つのAIツール導入事例を見ていきます。これらは，いずれも「既存業務の効率」を改善するためにAIツールを導入し，成功した事例です。最初に比較的分かりやすいキュウリ農家の事例を取り上げ，その後，精密部品の検査業務向けにツールを開発した武蔵精密工業のケースを紹介します。そして最後に，会社全体としてデジタル基盤の整備を進め，その上に様々なAIツールを導入してきたトラスコ中山の事例を見ていきます。これらに学ぶことで，読者は，どのような業務に，またどのようなプロセスを経てAIツールを導入すればよいか，理解できるはずです。

　第7章では，資生堂の取り組みを取り上げますが，これは第6章で見る3つのケースとは2つの点で異なっています。第1に，資生堂は「既存業務の改善」ではなく「新たな事業の創出」（一人ひとりの肌に合った化粧水の提供）を目指しツールの導入を試みました。第2に，この新規事業は，失敗に終わってしまいました。読者は，成功事例からだけでなく，失敗事例からも多くを学ぶことができるはずです。

　第8章と第9章では，新規事業の立ち上げで成功を収めてきたMDPを取り上げます。まず第8章では，日本株全体の時価総額を超過するほどの業績を上げてきたMDPとは，いったいどのような特徴を持っているのか，何がMDPを競争優位に立たせてきたのかを整理します。その上で，第9章では，アマゾンの事例を取り上げ，同社が新規事業を立ち上げてきた経緯に追っていきます。一般に，アマゾンのようなMDPは，過去の事業に縛られず，非連続的に「新たなビジネスモデル」を構想し，「新規事業」を練り上げてきたと思われがちですが，それは美化し過ぎた誤解です。M&Aを除けば，過去からの連続の上に新たな事業を起こしてきたというのが実態です。その事実から，読者は，新規事業を成功させる上での知恵を得ることができるはずです。

　第10章では，以上の内容を踏まえ，既存企業は，今後，どのような点に留意し，デジタル基盤の整備やAIツールの開発・導入を進めていった

らよいのかについて，4つの提言を行います。

　　第1は，既存業務の効率を改善するため，ツール開発の経験を積み上げること，第2は，新規事業を本格始動する前の段階で，事業そのものの実現可能性を十分にテストすること，第3は，新規事業が「社会課題の解決」に資するものであるかどうかを確認すること，そして，最後はMDPが生み出した「社会課題」につき，市場で解決可能なものについては，既存企業こそがイニシアチブをとって解決していくべきということです。

　　MDPは，現在，日本企業が束になってかかっても太刀打ちできない相手かもしれません。しかし，彼らが作り出した社会課題を解決することができれば，それは，将来の市場における力関係を大きく変質させる可能性も秘めているのです。

# 第1章

# ＡＩツール導入に関する基本事項


　本章では，出発点としてＡＩツールの導入を理解する上で必要となる基本事項を整理しておきます。具体的には，(1)「ＡＩツールを活用する企業にはどのようなタイプがあるのか」，(2)「その際のＡＩツール導入目的は何なのか」，(3) 導入にあたり，「経営者はどのようにリーダーシップを発揮すべきなのか」，(4) 導入を具体的に進める「タスクフォースは構想フェーズで何をすべきなのか」という4つの事項に関し，順を追って説明していくことにします。


## 第1節　ＡＩツールを活用する企業には
## 　　　　どのようなタイプがあるか


### ＩＴベンチャーが実装化を支援する

　現在，ＡＩに関連する企業が社会で注目を集めていますが，その中には新しいＡＩ技術を開発し，その技術をもって起業するチャレンジャーもいます。その数は極めて僅かですが，基礎技術の研究に取り組む大学発ベンチャーなどがこれに当たります。ただ，新規のロジックやＡＩツールを開発することは極めて困難であり，かつ時間を要するため，多くは，既存のＡＩ技術をかき集め，自組織内で活用し，他企業への実装化を支援するビジネスを展開しています。本書では，これらのＩＴベンチャーを総称して「ＡＩツール実装化を支援する企業」と呼ぶことにします。

　ＡＩに関連する企業は，支援する側だけではありません。当然，支援を

受ける側も，ＡＩ関連企業と位置付けられます。これを「ＡＩツールの活用を目指す既存企業」としてまとめ，ＤＸとＡＩ導入を進めている企業及びそのアクションを本格化させていない従来型事業者の双方を含む概念とします。

　本書では，基本的に，支援する側については，既存技術応用型のＩＴベンチャーを念頭に，また支援を受ける側については，「アクションを本格化させていない従来型事業者」を念頭に，説明することにします（図表1-1）。

```
┌─────────────────────────────────────┐
│ I. AI ツール実装化を支援する企業          │
│ （1）基礎技術研究型                      │
│ 　　　大学発ベンチャーなど               │
│ （2）既存技術応用型　AI ツールを提供する企業 │
│ 　　　①ゼロベース開発型 IT ベンチャー      │
│ 　　　②売り込み型 IT ベンチャー          │
└─────────────────────────────────────┘

┌─────────────────────────────────────┐
│ II. AI ツールの活用を目指す既存企業        │
│ 　　DX と AI 導入を進めている企業         │
│ 　　アクションを本格化させていない従来型事業  │
└─────────────────────────────────────┘
```

図表1-1　ＡＩに関連する企業の分類

　さて，既存技術応用型ベンチャー（ＡＩツールを提供する企業）は，さらに2つのタイプに分けられます。第1は，依頼を受けた企業のために，それまでの実装化の経験を活かしながら，依頼元企業とともにゼロベースから，その会社に合致したＡＩツールを開発する新興企業です。現在，この種のベンチャー企業が急速に増えています。

　第2は，自社において開発した特定のＡＩツールやアプリを，依頼元企業の要請に沿って手を加え，導入・支援する企業です。この種のベンチャー企業は，基本的に過去に開発したＡＩツールを，あるいはその応用

バージョンを様々な企業に売り込んでいきます。このタイプのＩＴベンチャーは，ゼロベース開発型よりも総じて歴史が長く，規模も大きくなります。

　売り込み型ベンチャーとして，例えば，物流効率化を支援するハコブ株式会社があります。同社は，配送トラックの待機時間を短縮するための予約システム「ムーボバース」，配送車両をリアルタイムで把握するための動態管理システム「ムーボフリート」などのツールを開発し，物流部門を抱える企業などに売り込みをかけています。

　ただ，物流の世界では，個社だけの効率化は物流全体の非効率を生む可能性もありますので，ハコブは，次のステップとして，これらツールを通じて取得するデータを，ハコブの物流情報プラットフォーム「ムーボ」に収集・蓄積し，より高いレベルにおける物流効率化を図ろうとしています。もっとも，社会的な視点からの効率化は，売り込み型ベンチャーよりも，東大発の「ロケーション・マインド」というベンチャー企業の方が先行しているように見えます。ハコブが開発済みのＡＩツールを横展開するのに対し，ロケーション・マインドは（短期での売り込みを視野に入れていないため），携帯電話などの位置情報を有効活用し，社会全体の物流最適化を図るためのＡＩツールの開発を進めています。

　海外の売り込み型ベンチャーとして，シンガポールの新興企業タイガーをあげておきましょう。同社は，法務部門や経理部門で必要となる書類の確認作業を支援するＡＩツールを開発し，これを金融機関などに売り込んでいます。タイガーのビジネスは，書類中に出てくる単語や文章の意味を予め学習したツールを提供するもので，ＡＩツールとしては，それほど複雑なものではありませんが，確認精度が高い上，導入企業側における作業負担も少ないため，大量の書類を扱う企業の間で導入が進んでいます。

　本書では，ゼロベースで開発を進める新興企業と，売り込み型の新興企業を併せ，単純に「ＩＴベンチャー」と呼ぶことにします。ちなみに，ＡＩツールを開発する企業の中には，他企業の支援にとどまらず，自らの事業のために，ＡＩツールを開発・駆使し，新規事業を創出する会社もあります。典型は，ＧＡＦＡ（ガーファ）と呼ばれる「主要デジタル・プラッ

トフォーム」（ＭＤＰ）の運営主体である巨大テック企業です。これらＭＤ
Ｐは，ここにいう「ＩＴベンチャー」が成熟・巨大化したものと言えます
が，本書の前半では，他企業支援を主目的としたＩＴベンチャーを念頭に
置いて，ＡＩツール導入のプロセスを見ていくことにします。

## デジタル・トランスフォーメーション（ＤＸ）を急ぐ既存企業

　ＡＩに関連する企業として，実装化の支援を受ける側にも注目する必要
があります。図表1-1に示した第2の範疇の企業群がこれに当たります。
これは，ＡＩツールを自身の事業活動に導入し，ビジネスのあり方を変革
しようとする企業です。本書では，この第2の範疇に属する企業をまとめ
て「既存企業」と呼ぶことにします。それは，社内のデジタル基盤を整
え，その上にＡＩツールを実装化しようとする事業者で，その業種は，金
融，建設，製造，流通，教育，農業，畜産，水産など多種多様となりま
す。

　日本企業の中でも先進的な事例として，農業機械メーカーの株式会社ク
ボタを挙げることができます。作業効率の向上や省力化などの課題が山積
する農業分野では，スマート農業への移行が急務となっていますが，クボ
タは，外部の知恵を活用しながら，ＡＩツールを駆使し「農機の自動化・
無人化による省力化」「データ活用による精密農業の普及」を進めていま
す。現在は，米国エヌビディア（NVIDIA）が提供するＡＩプラットフォー
ムを導入し，エッジデバイスである農機の自動運転レベル向上を図ってい
ます（エッジデバイスとは，インターネットに接続された末端機器を指し，クボタの
場合はトラクターなどの農機がそれに当たります）。本書前半では，こうした既
存企業がツールを導入する際のプロセスを中心にＡＩとビジネスの関係を
見ていきます。

　ちなみに，上述のＭＤＰは，ほとんどが数十年前に設立されており，既
存企業の一類型であると見ることもできます。しかし，ＭＤＰは，既存の
業界の枠を超えてビジネスを行い，しかも既存の業界秩序を破壊しながら
成長を続ける事業体がほとんどです。このため，本書ではＭＤＰを「既存
企業」には含めず，それとは次元を異にするプレイヤーとして扱うことに

します。


## 第2節　ＡＩツール導入の目的は何か

### 既存の業務を改善する

さて，既存企業がＡＩツールを開発・導入する目的ですが，それは「データドリブンな組織を構築すること」に尽きます。すなわち，従業員や役員の経験や勘に頼るのではなく，データに基づいて判断を下すこと，データに基づいて業務の効率を上げること，データに基づいて新規事業を軌道に乗せることなどがツール導入の狙いとなります。ＡＩツールそのものはあくまでもデータドリブンを進めるための「手段」ですので，それが適用されるビジネスモデルやビジネス・コンテキストにおいて，ツールは既存の決定・業務プロセスの改善に役立つこともあれば，価値の創出・拡大に貢献することもあります。

ＩＴベンチャーが行う支援では，一般的に，既存業務の効率改善に関するものが多くなっています。特に，日本企業の場合は，次に掲げる3つの経営課題を，あるいはそのいずれかを抱えているため，その解決を期待してＡＩツールを導入しようとするからです。

課題の第1は「労働力不足」です。これは「現在，経験豊富な従業員はいるが，彼らも既に60歳を過ぎている」「彼らが退職するまでに，何とか技術やスキルを若手に伝えたい」「ただ，若手の確保そのものが，年々，難しくなっている」といった悩ましい現実から出てくる課題です。

第2は「高コスト体質」です。すべての企業がこの課題を抱えているわけではありませんが，歴史の長い業界であればあるほど，「業界横並び」といった競争制限的な秩序ができあがっているものです。そうした業界では，市場の圧力が弱いこともあり，多くの企業が高コスト体質となっています。営業利益率が小さな企業は，この経営課題を抱えていると言ってもよいでしょう。

もっとも，第1の課題と第2の課題は，短期的に見れば，トレードオフ

の関係にあります。労働力不足を解消するために，ＡＩツール開発・導入を進めれば，投資が膨らみ，稼働後の維持費も膨らむことになります。このため，高コスト体質の企業の中には，ＡＩ導入を躊躇し，労働力不足という構造的課題の解決を先送りしてしまうところもあります。

　課題の第3は「市場のレッドオーシャン化」です。特に参入障壁の低い業界にあっては，また規制緩和が進む業界にあっては，次々と新たなプレイヤーが参入してきます。小売業界にあっては，アマゾンや楽天などのデジタル・プラットフォーマーが市場参入し，リアル世界だけで事業を行なってきた従来型小売業者は苦戦を強いられています。また，半導体をはじめとする電子部品の製造や，株式や保険などの金融商品販売も，想像を超える数の企業が参入し，競争は激化の一途をたどっています。こうした市場で企業が生き残るには，「従来のやり方やパターンの変更」が避けられなくなっているのです。

　多くの場合，ＡＩツールは，会社全体の業務フローを大転換させるものではなく，業務（意思決定プロセスも含む）の一部を，これに代替させ，効率改善を図るものとなっています。ＡＩ導入で一気にすべてを変革できれば，それに越したことはないのですが，現実には，そう簡単ではありません。まずは既存業務の中で不効率と思われる「タスク」を特定し，この部分にＡＩツールを導入するというのが定石です。

## 特定タスクへの適用

　例えば，スーパーやコンビニなど，生鮮食品を扱う小売店では，夕刻，値札の貼り替え作業を行なっていますが，どのタイミングで，どれくらいの割引率で，いずれの商品についてそれを行うか，常に難しい判断が求められています。それは，売上と利益に直結する重要な判断ですが，担当者の経験や勘に頼っているのが現状です。扱う生鮮食品が僅かであれば，経験や勘だけで対処できるかもしれませんが，その数と種類が増えていけば，時として的外れな判断をしてしまうかもしれません。

　そうした場面で，ＡＩツールを導入すれば，そのタスクを含む業務は大幅に改善されます。この例であれば，ＡＩは，過去データと照らし合わせ

ながら，来店者数の動向，イベント，天候，対象商品，在庫数，他店における販売価格などを確認し，貼り替えのタイミング，割引率などを瞬時に提案してくれます。もちろん，ＡＩの判断が常に正しいわけではありません。人間と同じように判断を誤ることもあります。ただＡＩの強みは，利用すればするほど，失敗も成功も学習し，着実に判断精度をあげていく点です。このため，多くの企業が，既存業務の改善を目的としてＡＩツールを導入しているのです。

## 新たな価値創出に貢献する

　新規事業や新規サービスを推進する上でも「データドリブン」は欠かせません。既述の通り，ＡＩツールは「手段」ですので，それが新たなビジネスモデルにおいて活用されれば，「ツールは価値創出に貢献した」と言えます。よって，ツールそのものが「業務改善用ツール」「価値創出用ツール」などに分かれるわけではありません。業務改善にも価値創出にも，同種のＡＩツールが使われることがあるからです。

　なお，新たな価値は，業務効率の改善を通じてでも，新規事業の立ち上げを通じてでも創出されます。ただ，本書では，「価値創出」という言葉を，特に大きな売上や利益を生み出す場合と規定しておきます。より正確に言えば，既存の売上・利益構成を変えるような収益源を作り出す場合としておきます。

　では，どのような時にＡＩツールは価値創出に貢献したと言えるのでしょうか。それは，新たな事業の中にＡＩツールが組み込まれ，その事業の成長（売上や利益の増大）を後押しする時となります。通常，これには，2つの形があります。第1は「自社で開発したＡＩツールを新たな商品として売り出す場合」です。典型は，先に触れたハコブやタイガーなどによるＡＩツールの販売です。それが新たな収益源を生み出すため，これをもって「ＡＩツールが価値創出に貢献した」と言うことができるわけです。

　第2は「新たなビジネスモデルや新規事業の中でＡＩツールが応用・活用される場合」です。その典型は，アマゾンの例で言えば，融資事業など

における活用となります。詳しくは第10章で説明しますが，同社は，2011年に「マーケットプレイス」（ECサイト）のテナント（出店事業者）に対し運転資金の融資を始めています。その際，開発済みのＡＩツールやアルゴリズムを利用し，融資の提案・審査・実施・回収すべてのプロセスを自動化しました。

　既存企業がＡＩツールを価値創出に役立てるのは決して容易なことではありませんが，「新たなビジネスモデル」が市場のニーズを的確につかみ，またそのモデルの中に「適切なＡＩツール」が組み込まれれば，成功の確率は確実に高まります。ただ，既存企業にとって大切なことは，最初のステップとして，ＡＩツール開発・導入の経験を積んでいくこと，これに関するノウハウや技術を蓄えていくことです。それが増えれば増えるほど，構想するビジネスモデルも，練り上げられる新規事業も一層の広がりと深みを持ってくるからです。

　例えば，前述のクボタですが，ＡＩツールを活用してきた過去の経験の上に，今，新たな価値の創出へと動き出しています。農機メーカーから出発したものの，現在，目指しているのは，「農業のトータルソリューションカンパニー」です。とりわけ，地球温暖化により，世界各地で農産物被害が深刻化する中，クボタは，作付け分析ドローンやデータ解析技術を磨き，グローバル・レベルで農業を支援する新事業を軌道に載せようとしています。これも，過去の導入経験の積み上げがあったからこそできる，ビジネスモデルの拡張であり，技術の戦略的応用なのです。

## ＡＩツール導入の経験が価値創出のチャンスを広げる

　ＭＤＰの１つであるアマゾンについても，同じことが言えます。詳しくは第9章で触れますが，同社は，1994年創業当時，単なる書店に過ぎませんでした。その販売はネットを通じて行われていましたが，ビジネスそのものは注文が入ると取次店に発注し，これをユーザーに配送するという単純なものでした。それが，消費者向けやテナント向けのＡＩツールを開発・導入していくうちに，巨大なプラットフォームを運営する企業となっていったのです。さらに言えば，様々なＡＩツールを開発していくうち

に，発想は一層柔軟になり，上述の金融事業だけでなく，テナント支援事業（FBA），クラウドサービス事業，実店舗事業などの着想が次々と膨んでいったわけです。

　ＩＴベンチャーにしても，既存企業にしても，最終的に目指すところは，新たな価値や新たな事業の創出・定着かもしれませんが，既存企業にあっては，まずはあせらず「業務改善を目的とした取り組みから始めるべき」と強調しておきます。これなしの飛躍は極めて難しいからです。

　では，業務改善目的で導入を考えている既存企業は，特にそのトップは，どのような点に留意し，ＡＩツールを開発すればよいのでしょうか。詳細については第5章で触れますが，ここでは，2点について基本的なことを押さえておきます。第1は，導入にあたり「どのようにリーダーシップを発揮すべきか」，第2は，導入で中心的な役割が期待される「タスクフォースは構想フェーズで何をすべきか」です。


## 第3節　経営者はどのようにリーダーシップを発揮すべきか

### 中長期的な視点に立って組織全体の方向性を示す

　ＡＩツールの導入は，通常，トップがリーダーシップを発揮することで動き出します。ただし，それは掛け声だけで具体化するものではありません。トップの本気度を示すためにも，経営者は，次頁の（図表1-2）の3つの柱を中心に行動を起こす必要があります。

　第1は，組織が進むべき方向を示すことです。それには「中長期的な視点に立って進むべき方向を示すこと」と「データドリブンな組織をデザインすること」の2つが含まれます。

　まず「中長期的な視点に立って方向を示す」というのは，当たり前のように聞こえるかもしれませんが，経営者は，とりわけ，上場会社のトップは，その成果が数年後に現れるような投資判断について，躊躇してしまう可能性があります。自身が在任中に投資を決断したとしても，その成果は将来刈り取られるわけで，しかもＡＩツールの場合には，稼働後，直ちに

予測精度は上がらず，逆に売上を減少させることもあるからです。また投資額が大きくなれば，短期的にはキャッシュフローは悪化し，十分なリターンを得るまでに，相当の歳月を費やすことになるからです。

　しかし，こうした戦略的な判断を下すことができるのは，いずれの組織においてもトップしかいません。他の誰かがこれを代行することはできないのです。ですから，経営者は，中長期的な視点に立って，組織全体の進むべき方向を示し，それに則ってＡＩツール導入のアクションを起こす必要があります。仮に，経営者自身に迷いがあれば，ＡＩツールの導入は，行きつ戻りつを繰り返し，最終的には頓挫してしまうかもしれません。

---

**1. 組織全体の方向性を示すこと**
中長期的な視点に立って進むべき方向を示すこと
データドリブンな組織をデザインすること

---

**2. 組織内の利害を調整すること**
開発・導入・稼働の各フェーズで利害対立は表面化
コミットメントを示す絶好の機会と捉えること

---

**3. タスクフォースを設置すること**
プロジェクト全体の責任者を決めること
構想フェーズに特化したタスクフォースを設置すること

---

図表１-２　リーダーシップが求められる３つの柱

## 組織をデザインすること

　これに加え，経営者は「データドリブンな組織をデザイン」する必要があります。細かな設計は経営企画などが案を練ればよいわけですが，基本の方針は経営者の責任において明確にしておかなければなりません。と言うのも，多くの既存企業が「既に KPI などを用いてデータドリブンな組織を作ってきた」と思い込んでいるからです。

　通常，企業における意思決定は現場に近いところで行われる方が，より正確かつ迅速に組織を動かすことができます。情報を上にあげればあげるほど細かな部分は省略され，経営層に届く頃には実態が見えなくなる可能性が高くなります。場合によっては都合のよい情報だけが抽出・報告され，それに基づいて経営層が誤った判断をすることもあります。そもそも，変化のペースが速い事業環境では，意思決定に要する時間は会社にとって希少な資源です。それゆえ，意思決定は可能な限り現場に近いところで正確かつ迅速に行われるよう，組織をデザインする必要があるのです。

　ただ，その際，ネックとなるのが決定者の「権限」と「責任」です。これまでも多くの企業で「権限委譲」の必要性が謳われてきたわけですが，その権限には常に「責任」が付いていました。もちろん，「責任は俺がとるから，お前は思いっきりやれ」と指示を出す肚の座った上司の下では，権限委譲も十分に機能したかと思います。しかし，多くの企業や職場では，委譲は期待されたほどには機能しませんでした。「権限」を付与された現場担当者が，自身の経験と勘に基づいて判断を下し失敗すれば，その責任を負わされていたからです。

## 組織をデザインする際の４つの柱

　こうした状況では，僅かでもリスクがあれば，現場担当者は，自己防衛のため，判断を課長などの上司に仰ぐこととなります。またその課長も自身の上司に判断を仰ぐことになります。その結果，組織の意思決定は，屋上屋を架す「不効率な承認の連鎖」となり，結果的に「責任の所在」も曖昧にされていました。それは，データドリブンからはほど遠い組織だったわけです。これを抜本的に改めるため，経営者は「意思決定」「権限」「責任」に関し，基本の方針を明確に示し，組織を再設計する必要があるのです。その基本方針は，次の４つが柱となります。

　第1は，ＡＩツールを導入した方が合理的な判断が可能となる職場や業務をリストアップする，第2は，そのリストに優先順位を設け，ＡＩツールの開発を計画的に進めていく，第3は，一定額以下の支出・投資であれ

ば，その職場の担当者にＡＩツールの予測に従って判断する「権限」を与える．第4は，その予測に従って判断を下す限り，決定プロセスに瑕疵（かし）がなければ，「結果」に関し担当者の「責任」は問わない，ということです．

　この方針をもってＤＸを進めていけば，組織として様々な好循環が生まれてきます．とりわけ，現場担当者が迅速に動けるようになるだけでなく，中間管理職も，経営層も，より多くの時間と資源を，全社的・戦略的な意思決定に投入できるようになっていきます．これは総じて組織の競争力改善にも繋がっていきます．それゆえ，経営者は，組織の舵を預かる者として「中長期的な視点に立って進むべき方向」を示し，また組織資源を効率的・合理的に動員するファシリテーターとして「データドリブンな組織」をデザインする必要があるのです．

## 組織内の利害を調整する

　第2は，組織内におけるコンフリクトを調整することです．ＡＩツールの導入にあたっては，トップのコミットメントを明確に示すことが鍵となります．いずれの企業でも，開発・導入・稼働の各フェーズで大なり小なりの利害対立が表面化してきます．例えば，ＡＩツール導入に伴って発生する新たな作業について，押し付け合いが起こるかもしれません．場合によっては，主導権を誰が握るかということで，縄張り争いが起こるかもしれません．

　ＡＩツールの開発にあっては，業務の中に蓄積されているデータを資源化すること，個人の経験やスキルをデータ化することなどが求められますが，「仕事を奪われたくない」と思う社員は，自己防衛のため，非協力的になってしまうかもしれません．また，一時的には，データ化のための新たな作業が増え，業務負荷が増すため，あるいは，従来の業務フローを変更する必要に迫られるため，関係者より不満の声があがるかもしれません．

　こうした利害対立が起こらぬよう，事前説明をしっかりやっておく必要があるわけですが，実際に対立が起こった場合には，特に現場レベルで対処できないような事態となれば，経営者自らが調整に動くしかありませ

ん。そもそも，役員・社員，その他関係者は，トップの対処の仕方を見ることで，またその際の言葉を耳にすることで，トップの本気度を推し量るものです。よって，仮に経営者が利害対立から目を逸らし，部下だけに対応を押し付けてしまえば，開発推進派のモラール（士気）はガタ落ちとなってしまいます。

　もっとも，トップは，利害対立を組織的なマイナス事象と見なす必要はありません。むしろ，こうした時こそ，自身のコミットメントを示す絶好の機会だと捉え，事態に対処すべきでしょう。これができれば，ＡＩツール導入は，多くの関係者の支持と協力を得て，順調に進んでいくことになるはずです。

## タスクフォースを設置する

　第3は，ＡＩツールを開発・導入するためのタスクフォースを設置することです。ＡＩツールを稼働させるには，第5章で詳述する通り，4つのフェーズを経る必要があります。本書でいうところの「タスクフォース」とは，その最初のフェーズ（構想フェーズ）で中心的な役割を担う活動グループを指します。また，すべてのフェーズに亘って責任を負う会議体は，本書では「ＡＩプロジェクト」と呼ぶことにします。

　さて，組織として，ＡＩツールの導入を成功させるには，経営者は誰が「ＡＩプロジェクト全体の責任者」になるのかを明確にしておかなければなりません。企業の規模や業態などで形式は変わってきますが，4つのフェーズ全てに亘って全体を調整していくことが求められるわけですから，慎重に責任者・推進者を決める必要があります。

　また，ＡＩプロジェクトのメンバーが相当数となる場合には，あるいはそれが各部署への連絡を主目的とする会議体となる場合には，これとは別に「タスクフォース」を設置する必要があります。その中でも特に重要なタスクフォースは，最初のフェーズで行動を起こし，一定の成果を出すことが求められるチームです。このタスクフォースの責任者には，中堅以上の社員で，業務内容を，さらには企業のどこに情報が蓄積されているか，そうした情報が生成される流れなどをよく心得ている者を充てることを勧

めます。当然，経営者は，タスクフォースの運営などに関し，いちいち口を挟まず，その責任者に全幅の信頼を寄せなければなりません。

　ただ，どんなに有能で業務をよく理解した人物でも，また全面的に権限を委譲された人物でも，職位・職責上，他の役員や幹部などよりも弱い立場に置かれることがあります。それゆえ，トップは，タスクフォースの責任者と緊密にコミュニケーションをとり，必要な場合には会議にも出席し，責任者を支援する必要があります。その意味で，経営者は，タスクフォースの最終承認者となっておくことが肝要です。


## 第4節　タスクフォースは構想フェーズで何をすべきか

### 構想フェーズにおける3つの作業

　さて，タスクフォースを設置すれば，このチームが中心となり，ＡＩツールの導入を進めていくことになります。構想フェーズでは，「構想内容」について，Plan, Do, See を行います。すなわち，(1)「課題抽出」，(2)「PoC（概念実証）の実施」，(3)「再検討」の3つの作業を繰り返し，内容を固めていきます。仮に「再検討」を行った段階で，扱うべき課題や課題解決に使うデータなどに問題ありとの結果が出れば，再度，「課題抽出」に戻り，同じプロセスを繰り返すわけです。

　これを「手戻り」と言いますが，何度かの手戻りを経て，問題なしとなれば，構想フェーズを終えることができます。単純に言えば，これが終了すれば，ＡＩプロジェクトは，第2フェーズの「業務・システム要件定義フェーズ」へと進むことになります。

　さて，構想フェーズでは，(1)「課題抽出」，(2)「PoC の実施」，(3)「再検討」の3つの作業を行なうと述べましたが，さらにその中でも重要なのが，最初の「課題抽出」です。これについては，第6章と第7章で，具体例をあげながら詳しく解説しますが，ここでは「課題抽出」における4つの基本ステップだけ説明しておきましょう。

## 基幹システムの構築や更新

　「基幹システム」とは，主要な業務を遂行するために使用される業務システムを指します。例えば，生産管理システム，販売管理システム，在庫管理システムなどがそれに当たります。ただ，最近では，それらの個別基幹システムを統合した「統合基幹業務システム」(ERP) などが普及していますので，ここでは，これらを総称して「基幹システム」と呼ぶことにします。

　さて，既存企業の中には，ＡＩツールの開発・導入を「基幹システムの開発・導入」と同じようなものと捉える経営者もいます。それは，多くの企業が，これまで，取締役会の決定事項として「基幹システム」の構築・保守などに莫大な資金を投じてきたからです。

　金融機関であれば，「基幹システム」とは，口座や融資残高の管理，預金や融資に対する金利計算などを行なう「勘定系システム」を指します。物流事業を中核とする企業であれば，売上・債権管理などに加え，在庫・倉庫管理，受発注管理，商品情報管理，輸配送管理などを実行する統合システムがこれに該当します。

　通常，こうしたシステムでは，顧客マスタ（顧客コード：名前・住所など），取引先マスタ（取引先コード：企業名など），商品マスタ（商品コード：商品名・単価など），部門マスタ（部門コード：部門名など）などのマスタ・データを設定します。基幹システムは，このマスタ・データと各種基幹業務を紐付け，一貫した形で会社全体の経営をサポートするわけです。

　これまで多くの企業が，社内に汎用コンピュータ（メインフレーム）を設置し，あるいはデータセンターを設け，外部ＩＴベンダー（日立，NTT データ，富士通，NEC，IBM など）の支援を受けながら，基幹システムを構築してきました。最近では，その「基幹システムの更新」に関しても戦略的な判断が迫られるようになっています。

　さて，基幹システムの構築にしろ，基幹システムの更新にしろ，その窓口となって対応してきたのは，各社とも，社内情報システム部門やシステム子会社でした。このため，社内でＡＩツールの開発・導入の話が出ると，多くの経営者は「基幹システムの構築・更新」の延長線上でこれを理

解してしまう可能性があるのです。

## ＡＩツールの開発は基幹システムの構築とは大きく異なる

仮に経営者がそのように捉え，システム部門の担当者を，プロジェクト全体の推進者に，あるいはタスクフォースの責任者に任命したらどうなるでしょうか。既述の通り，それは誤った人員配置となってしまいます。システム部門が重要な役割を担うのは，最初の「構想フェーズ」ではなく，むしろ，その後に来る「システム要件定義フェーズ」となるからです。

基幹システム更新の例で考えれば，更新する目的は最初からおおよそ決まっているからです。つまり，「課題は抽出済み」なのです。よって，そこから先は，サーバを社内に残すのか，クラウドへの移行を進めるのか，SAP S/4 HANA（基幹管理業務から，人事，経費精算，プロジェクト管理などを一元的に管理するERPパッケージ）への移行を進めるのか，Oracle EBS（米オラクル社による類似パッケージ）などのソフトを導入するのか，基盤システムを開発する言語をどうするのか（COBOLからJavaへ），どのＩＴベンダーに仕事を外注するのか，などを決めていけばよいわけです。

これに対し，ＡＩツール導入における「構想フェーズ」では，状況は全く異なってきます。このフェーズでは，そもそも「何をやるべきか」が定まっていないため，システム担当者よりも，実務・業務に詳しいスタッフが議論をリードする必要があるのです。仮にこの点（構想内容）を明確にせず，業務・システム要件定義フェーズに進めば，ＡＩツール導入を目的としたプロジェクトは，予算だけを浪費し，解散してしまうことになるでしょう。

もちろん，「要件定義フェーズが重要でない」「システム担当部門は重要でない」などと言っているわけではありません。特に，本格的なＡＩ導入を進める際には，基幹システムの更新と同様，投資額は大きく膨らみます。このため，専門知識を持ったシステム部門のリーダーシップは不可欠となります。また，要件定義フェーズでは，ＡＩ導入で追加される業務を理解し，これをシステム要件として整理し，さらに新たなシステム機能を，既存の基幹システムなどと連携させていく必要があります。それゆ

え，要件定義フェーズでは，さらに言えば，開発プロセスのマネジメント，投資予算の管理と執行，ＡＩを含むシステム全体が支障なくローンチされるまでのすべてのフェーズで，システム部門は重要な役割を担うことになります。

　ただ，業務・システム要件定義フェーズでは「課題抽出」という作業は，基本的に行いません。それは，構想フェーズで実施する作業であって，業務に詳しい人間が，またデータの所在に詳しい人間が，責任者となって進めるべき作業なのです。その点は強調しておかなければなりません。

## 課題抽出で議論すべきこと

　では，「課題抽出」では何をやるのでしょうか。それは，「誰のために，何を，どのように進めるか」を議論し，ＡＩ導入の方向性・実現可能性を探ることです。

　通常，課題抽出は２つに分けられます。第１は，既存事業の中でＡＩツールの開発・導入を構想するものです。これは，既存事業を大幅に変更することなく，業務プロセス上の課題を検討し，ＡＩツールの活用を考えるものです。第２は，新規事業を練り上げ，その中でＡＩツールの開発・導入を進めるものです。例えば，新たな消費者グループに対し，新規サービスを提供する場合などがこれに該当します。第２の課題抽出では，新規事業の具体的な形まで整理する必要が出てきますので，またその前提となる「ビジネスモデル」についても構想する必要がありますので，第１の課題抽出よりも，その作業は複雑かつ難解なものとなります。

　ただ，いずれの課題抽出であっても，課題抽出のステップは両者とも酷似しています。既存事業の中でＡＩツールの開発・導入を検討する際でも，既存事業の業務内容を一切見直すことなく，ツール導入を図ることなど，実際にはあり得ないからです。とりあえず，話を単純化するため，ここでは，第１の課題抽出を念頭に置き，４つの基本ステップを解説しておきましょう（図表1-3）。

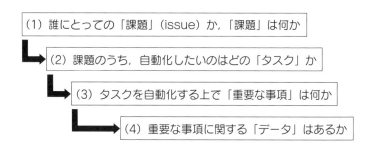

(1) 誰にとっての「課題」（issue）か，「課題」は何か

(2) 課題のうち，自動化したいのはどの「タスク」か

(3) タスクを自動化する上で「重要な事項」は何か

(4) 重要な事項に関する「データ」はあるか

**図表1-3　課題抽出における4つの基本ステップ**


## 過剰労働問題に対処するためのAIツール

　今，会社Xの「配送トラック運転手」が，毎日のように過剰労働を強いられているとします。この場合，第1のステップとして，配送トラック運転手の過剰労働を解決することが，会社Xの「課題」となり，運転手にとって解決してもらいたい「課題」となります。

　第2のステップとして，会社Xは，この課題を解決するためのタスクを列挙します。そして，いずれのタスクを自動化するかを考えます。過剰労働を減らすには，労働基準法の遵守を徹底するための教育訓練も必要となるでしょう。そこで，この教育訓練（タスク）を自動化するという案が出てくるかもしれません。しかし，会社Xは，労働時間の適正化を図る上で最も効果的な方法として，「配送前に運転手一人ひとりの配送時間を予測計算し，超過労働とならないよう，各自の配送件数を決めること」とするかもしれません。仮にこの結論に至れば，自動化したいタスクは「配送に要する時間の予測計算」ということになります。

　第3のステップとして，会社Xは，この計算を自動化する上で重要な事項は何かを検討します。この場合，X社は，その事項として，配送エリアの広さ，荷卸時間，配送件数，配送ロット数，車種，道路混雑状況などを挙げるはずです。

　最後のステップとして，X社は，これら事項に関するデータはあるか，データとして取得できるかを検討します。仮に「社内の配送管理データと

外部の道路混雑状況データを組み合わせれば可能」ということになれば，課題抽出はこれで終了となります。逆に，社内データは整理されていない，データがあってもその情報はほとんど信頼できないということになれば，このタスクの自動化を進めるべきかどうかを再検討することになります。もちろん，第4ステップまで進み，ＡＩ導入の方向性が定まり，実現可能性が見えたとしても，既述の通り，その先の「PoC（概念実証）」や「再検証」でつまずき，見直し，手戻りということは起こり得ます。

## 新規事業における課題抽出はより複雑になる

　以上が，業務改善目的でＡＩツールを導入する際の最初の段階，すなわち，「課題抽出」において通過しなければならない4つのステップとなります。新規事業においてＡＩツールを導入・活用する場合も，基本は同じですが，その作業は一段と複雑なものとなってきます。一般論として言えることですが，複雑になる分だけに，新規事業絡みのＡＩツール開発は，構想フェーズのみならず，それ以降においても「手戻り」が発生する可能性が高くなります。タスクフォースは，この点も自覚しておく必要があります。

　なお，既存企業よりＡＩ導入の仕事を受託するＩＴベンチャーにあっては，これらの点を含め，依頼元企業に対し積極的に意見を述べていく必要があります。特に業務を受託する際には，社内にＡＩプロジェクトやタスクフォースを設置すること，タスクフォース・メンバーには実務に詳しい社員を入れること，タスクフォースの責任者に求められること，プロジェクトでは手戻りの発生を念頭に置いてスケジュールを組むことなどを伝えておく必要があります。ＡＩツール導入にあっては，ＩＴベンチャーは，待ちの姿勢で臨んではいけないということです。これは，既存企業がパートナーとしてＩＴベンチャーを選ぶ時の重要な基準でもあることを強調しておきます。

　第1章では，企業がＡＩツールを導入する際の基本的な事項を見てきました。(1) ツールの導入支援を行うＩＴベンチャーと導入を進める既存企

業の状況を見た上で，(2) 企業がツールを導入する目的が既存業務の効率改善にあり，また新たな価値の創造にもあることを確認しました。(3) 導入にあたっては，特に組織全体の方向性を示すこと，組織内の利害を調整すること，タスクフォースを設置すること，これら3つにおいて，経営者がリーダーシップを発揮する必要があることを説明しました。そして最後に (4) 構想フェーズにおいて，タスクフォースが「課題抽出」「PoC の実施」「再検討」の3つの作業を行うこと，中でも最初の「課題抽出」が重要なことを確認しました。

　続く第2章〜第4章では「ＡＩ」に関し，企業人が知っておくべき基本を分かりやすく説明します。ただ，話の流れからすれば，第1章で指摘した基本事項がビジネスの現場でどのように展開されるのかを先に見ておきたいという読者もいるでしょう。その場合には，先に第5章に進み，内容を理解した上で，再度，第2章に戻ってくることを勧めます。読者の関心に応じて，その順序は自由に変えてください。

# 第2章

# 歴史を通して「ＡＩの基本」を学ぶ

　前章では「ＡＩ」そのものを説明することなく，「ＡＩツール」をビジネスに導入する際，どのような点が重要となるか，基本事項について整理しました。そこで，本章では，いったん，ビジネスやマネジメントの話題から離れ，「ＡＩの基礎」を整理することにします。誤解があってはいけませんので明確にしておきますが，本書でいう「ＡＩ」とは，鉄腕アトムやドラえもんのような，自らの意思で決定・判断し，人間と同じように，あるいはそれ以上のパワーをもって行動する自立型ＡＩやロボットではありません。

　それらは「汎用型ＡＩ」（強いＡＩ）と呼ばれますが，本書で中心的に取り上げるＡＩは「特化型ＡＩ」（弱いＡＩ）と呼ばれるものです。それは，私たちの日常生活を快適にしてくれる，無人工場，無人レジ，自動運転，自然言語処理などの背後にある「要素技術」（製品を構成する要素の技術で，とりわけ，その根幹をなす技術）で，より狭く言えば，これを動かす「アルゴリズム」を指します。

　あらためて身の回りを眺めてみてください。日進月歩，秒進分歩で生活は便利になっています。欲しいモノや必要な情報，見たい映像，聞きたい音楽などは，自宅にいたまま，また横になったまま入手できるようになっています。感動したこと，知らせたいことも直ちに仲間と共有できます。さらに，この何気ない私たちの日常の行動を踏まえ，各自の関心や嗜好に合った「商品，情報，映像，音楽」などをリコメンドしてくれるようにもなっています。家庭生活は当然のこと，働き方も大きく変化しています。こうした社会の変化を作り出しているのが「特化型ＡＩ」なのです。

また，本書では，特化型ＡＩが持つ機能の中でも，特に「分類（判別）」と「予測」に着目することにします。ＡＩが物事を判断する際には，最初に事態を認識（分類）し，次に将来起こるであろうことを予測するからです。

　さて，以上（特化型ＡＩ，分類・予測機能を発揮するＡＩ）を前提として，本章では，過去60年の間に2度のブームを経験した「ＡＩの歴史」と，その経験の上にある「現在及び近未来のＡＩ」を学んでいくことにします。ここでの説明を通じて，読者は，過去の課題を解決するために新たなＡＩ技術が生まれ，その技術の集積が現在のＡＩを生み出し，さらにそれが近未来のＡＩに繋がっていくという流れを理解できるはずです。

　その全体像を浮き彫りにするため，次の5つの問いをたて，一つ一つに答えていくことにしましょう。第1は「ＡＩの歴史を見る上での重要な視点は何か」，第2は「第1次ＡＩブームとその終焉は何を意味したか」，第3は「第2次ＡＩブームとその終焉は何を意味したか」，第4は「第3次ＡＩブームはどのようにして訪れたか」，そして最後は「現在，そして近未来，ＡＩはどのような分野で利用・応用されるのか」の5つです。

## 第1節　ＡＩの歴史を見る上での重要な視点は何か

### 過剰な期待が落胆を大きくする

　ＡＩという言葉は，テレビや新聞などで頻繁に使われ，既に私達の日常生活の一部となっています。現在は，ＡＩブームであると言われていますが，このような盛り上がりは，過去にも，二度，ありました。このため，今回のそれは「第3次ＡＩブーム」と呼ばれています。「ブーム」という言葉を使うと，それは一時的な流行で，すぐに終焉を迎えるとイメージされがちですが，果たして現在のブームも，これまでと同様，やがて水泡のように消えてしまうのでしょうか，それとも，普及のペースは落ちても，社会にしっかりと根付いていくのでしょうか。

　そもそも，過去「ブーム」が生じたのは，ＡＩに対する期待が膨らみ過

ぎたためでした。期待が異常に膨らんだため，それを満たすだけの成果が追いつかず，失望に変わってしまった，というのが過去の経験です。過剰な期待を生み出した原因として「研究機関による成果の誇張」「ＡＩに関する過熱報道」「政府や民間財団によるＡＩ研究助成の大規模化」などが挙げられますが，現在のブームについては，これらに加え，もう１つ別の要因が関係しています。

## 無責任な発言と倫理を巡る問題

　それは，ＡＩを売り込む側が，とりわけ第１章で特定した「売り込み型ＩＴベンチャー」などが，これまで以上に強く「既存企業に対しＡＩの可能性をアピールしていること」です。それが合理的な範囲にとどまっていれば，問題はないのですが，残念ながら，度を越してアピールするＩＴベンチャーや自称データサイエンティストがいることも事実です。特に経験の少ないデータサイエンティストほど，仕事欲しさから，謙虚さを失い，「出来ないこと」まで「出来ます」などと言ってしまう傾向があります。そうしたケースでは思ったほどの成果が得られず，支援を受けた企業も，落胆とともにプロジェクトを終了させています。これを放置すれば，現在のＡＩブームもやがて過去と同様，一気に萎んでいくかもしれないのです。

　加えて，ＡＩを巡る倫理的な問題が，消費者・利用者の間で今後より一層強く意識されるようになれば，ブームの終焉は早まることになるでしょう。ＡＩを開発する上で最も重要な資源は「データ」です。しかも，そのデータの多くは利用者が意識することなく提供された一人ひとりの個人情報です。より幸福を感じられる形で，各自のデータが利用されるのであれば，データの活用は許容されるかもしれませんが，それが意図せぬ形で使われ，私たち一人ひとりに，そして社会に不利益をもたらすとすれば，ＡＩ開発はブレーキをかけられることになるはずです。

　それゆえ，ＡＩを社会の中に根付かせ，豊かな生活の実現に繋げていくためには，まずＡＩを売り込む側において，現在のＡＩに「出来ること」と「出来ないこと」をはっきり区別して説明する必要があります。そし

て，ＡＩの研究者・開発者・導入事業者においては，個人情報を各利用者がコントロールできる形に保つこと，また個人を特定できない形でデータを利用する仕組を維持・強化していくことが求められるのです。

## ＡＩの実用性を決める３つの要因

　既述の通り，過剰な期待さえ持たなければ，落胆は生まれません。つまり，合理的な期待にとどめておけば，ブームに翻弄されることなく，ＡＩとうまく付き合っていけるわけです。ただ，ＡＩが今後も持続的に発展するかどうかは，撹乱要因の「ブーム」とは，基本的に関係ありません。それは枝葉の話です。それが持続的に発展するかどうかは，最終的に「ＡＩがどれだけ実効性あるものとして進化し続けるか」にかかっています。それゆえ，その実効性を決定する３つの要因をしっかり押さえておく必要があります（図表2-1）。

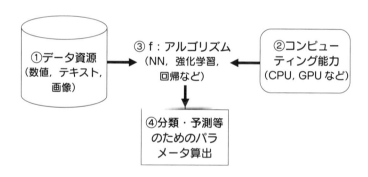

図表2-1　ＡＩの実効性を決める３つの要因

　既に，ＡＩツールの基本機能は「分類（判別）」と「予測」と言いましたが，その機能を発揮するには，第１に「①データ資源」を用意しなければなりません。これ無くして，ＡＩは機能しませんから，データ資源が，ＡＩの実効性に影響を及ぼす第１要因となります。次にこのデータ資源は図表2-1の中央にある「③アルゴリズム」（プログラム）にインプットされます。ここでデータが処理されるわけですから，アルゴリズムが第２要因と

なります。

　そして，このアルゴリズムが「最終ステップ」でアウトプットを産出します。ここにいう「アウトプット」には，判断対象を「Aか，Bか」「犬か，猫か」「男性か，女性か」などと分類すること，「正しい，正しくない」「実施する，実施しない」「儲かる，儲からない」などに判別すること，「とても良い，良い，普通，悪い，とても悪い」などと順序化すること，これらが含まれます。また今後の需要を予測すること，類似品の価格を予測することなども「アウトプット」となります。例えば，住宅Aの価格が3000万円であるならば，それよりも少し新しい住宅Bは3300万円になるといった予測がアウトプットとなるわけです。もう一歩踏み込んで，最終ステップを定義するとすれば，こうした分類や予測を可能とする「パラメータ」を算出することが「アウトプット」となります。

　以上をまとめると，人間の意思決定や決断を支援・代替するためのAIツールを構築する上で，「①データ資源」と「③アルゴリズム」の2つが鍵を握るということです。ただ，図表2-1の通り，ここにはもう1つ忘れてはならない重要な要因があります。それが右側の「②コンピューティング能力」です。コンピューティング能力とは，蓄積したデータを合理的な時間内で処理する能力を指します。それは，一台のコンピュータによる処理能力にとどまらず，周辺機器や通信インフラまで含めた処理能力全体を指します。この能力がなければ，たとえデータが揃ったとしても，またアルゴリズムを用意したとしても，実効的な分類・予測マシンは作れません。それゆえ，これも重要な要因となるのです。

　以上の3つの要因を念頭に置き，AIの歴史を見ていけば，そのブームの波も，また今後の行方もおおよそ理解できるはずです。

　なお，①どのようなデータ資源を集め，②どれくらいのコンピューティング能力を準備し，③どのアルゴリズムを使うかは，「④最終ステップ」でどの程度の分類や予測を実現するかによって大きく変わってきます。それゆえ，アウトプットの精度や性能に対し，利用者が著しく高い水準を要求すれば，3つの要因のうち，いずれかが「制約」に変わり，AIツールはその実効性を失ってしまうかもしれません。

## 第2節　第1次ＡＩブームとその終焉は何を意味したか

### ダートマス会議の開催

　さて，ＡＩ研究の原点まで遡りましょう。半世紀以上も前になります
が，1956年7月～8月にかけ，アメリカのダートマス大学に在籍してい
たジョン・マッカーシー（John McCarthy）が発起人となり，ＡＩに関する
会議が開催されました。これは一般に「ダートマス会議」と呼ばれていま
す。この時，初めて公式に「人工知能」という言葉が使われたと言いま
す。「議論の多くは白熱したが，ほとんどが同意に至らなかった」と伝え
られていますが，この会議がきっかけとなり，第1次ＡＩブーム（1950年
代後半～60年代）の到来となりました。中でも，先駆者となって，この
ブームを牽引したのが，後に「ビッグ・フォー」と呼ばれることになる
ジョン・マッカーシー（John McCarthy），マービン・Ｌ・ミンスキー（Marvin
Lee Minsky），アレン・ニューウェル（Allen Newell），ハーバート・Ａ・サイ
モン（Herbert Alexander Simon）の4人でした。

　ダートマス会議では「計算理論」「コンピュータ」「自然言語処理」
「ニューラルネットワーク」などが注目される分野として取り上げられま
した。ただ，当時のＡＩ研究は「計算理論」を使い，人間の思考を再現す
る機械あるいはそれ以上を遂行する機械（コンピュータ）を製作するものが
主流となっていました。このため，会議ではまず「計算理論」「コン
ピュータ」が主なテーマとして取り上げられたわけです。その上で，人間
の言葉を理解し，それに応える機械ができれば，その技術は様々な分野に
応用できると考えられたため，「自然言語処理」がテーマに入りました。
最後の「ニューラルネットワーク」は，計算理論とは大きく異なるアプ
ローチでしたが，人間の脳内における情報処理を模する研究も進んでいた
ため，テーマの1つに加えられました。

## アルゴリズムに関する２つのアプローチ

　人間が行う情報処理と同じように，情報（言葉など）をインプットとして受け取り，その意味を理解し，アウトプットを出すには，どのようなシステムを構築すればよいのでしょうか。こうした問いを立てれば，当然，こうした情報処理を可能とする「プログラム（アルゴリズム）」はどのようなものでなければならないか，という議論が出てくるはずです。当時，アルゴリズムに関しては，大別して２つのアプローチがありました。わが国人工知能研究の第一人者である長尾真氏が「人間の頭脳によるパターン認識」という視点より，それぞれのアプローチを説明していますので，その要点をここに紹介しておきましょう。

　長尾氏によれば，人間の頭脳はあるパターンを認識する際，２つのアプローチを採っており，ＡＩ研究もその異なるパターン認識に合わせて進められてきたと言います。第１は「トップダウン」というアプローチです。このアプローチでは，最初に対象が有する特徴を「知識」として受け取り，次にその「知識」を対象物と照合し，これを識別します。古代ギリシャの哲学者であるプラトンの「イデア論」（イデアとは，現象として見えているモノの背後にある実在）に倣い，長尾氏は，これを「プラトン的」と呼びました。

　第２が「ボトムアップ」というアプローチです。このアプローチでは，逆に実際に現れている多数の事象を観察し，その中に潜んでいる「特徴」を抽出します。その上で，抽出した特徴を使い，事象を似たもの同士にまとめ，識別します。プラトンの弟子であるアリストテレスは，イデア論を否定し，本質は事象そのものの中にあるとしました。その点を踏まえ，長男氏はボトムアップ・アプローチを「アリストテレス的」と呼びました。

　本書では，この分類法に倣い，それぞれを「演繹的アプローチ」（プラトン的），「帰納的アプローチ」（アリストテレス的）と定義することにします。

　前者の「演繹的アプローチ」の典型が，ダートマス会議で注目された「計算理論」となります。それは，取り組むべき課題を，一度，「一般的な記号」に置き換え，その記号を数学的に処理するというものだったからです。例えば，計算理論では，パズルを解こうとする人間の思考は「要素の

集合Ｐを前提として，ある特徴を持ったＰの部分集合Ｓを発見すること」
「パスの集合から成る迷路の中で，始点 $A_{00}$ から $A_{ij}$ を通ってあるプラス
の報酬が保証される終点 Amn までの一連のパスを発見すること」など
と，一般的な記号に置き換えられ，プログラム化されていました（図表2-
2）。

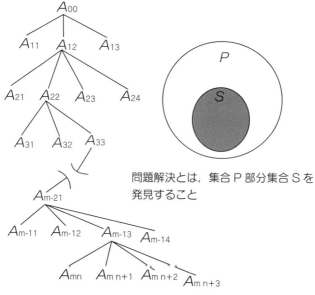

問題解決とは，集合Ｐ部分集合Ｓを
発見すること

問題解決とは，$A_{00}$ から $A_{mn}$ に至るパスを発見すること

・高 巖（1995）『Ｈ．Ａ．サイモン研究：認知科学的意思決定論の構築』文
眞堂，p.124 より許可を得て転写。

**図表2-2　問題解決のイメージ**

　このため，演繹的アプローチでは，コンピュータ・システムが「課題そ
のもの」を理解することはありませんでした。覆面計算やハノイの塔など
のパズルも，チェスも，数学の定理証明も，すべて「一般的な記号」に転
換した上で，形式的に問題を解決していたわけです。
　後者の「帰納的アプローチ」の典型は，ニューラルネットワークや回帰

モデルとなります。ニューラルネットワークについては，次章で詳しく説明しますが，「脳内における情報処理の特性」を模倣しようとする手法です。既述の通り，当時のAI研究者の多くは，演繹的アプローチを重視していましたので，第1次ブーム中に（そして第2次ブーム期間においても），ニューラルネットワーク研究が脚光を浴びることはほとんどありませんでした。

## 大きな期待と落胆によるブームの終焉

ダートマス会議に関わったAI研究者達は，人類の知を超えることに強い憧れを持っていました。それゆえ，計算理論，コンピュータ，自然言語処理，ニューラルネットワークなどの研究分野における議論だけでなく，AIがゲームなどで人間に勝つことも期待していました。例えば，1950年代終盤に，ニューウェル＝サイモンは「10年以内にAIはチェスの世界チャンピオンに勝つ」「10年以内に新しい重要な数学の定理を発見し証明する」などと楽観的な見通しを立てていました。

ただ，1970年代を迎える頃には，AI研究者達も「簡単な問題は解けても，複雑な問題は容易に解けない」と実感するようになっていきました。それは，先に挙げた「3つの要因」すべてにおいて限界が見え始めていたからでした。

## AIが世界チャンピオンに勝てなかった理由

では「10年以内にAIはチェスの世界チャンピオンに勝つ」とした見通しは，その後，どうなったのでしょうか。結論から言えば，10年経過しても，世界チャンピオンに勝つことはできませんでした。「3つの要因」という視点より，その理由を整理しておきましょう。

第1に，データ資源（第1要因）が不足していました。当時，プログラムを構築する際，まず問題を解決しようとする個人に「状況をどのように捉えているか」「どのように考えて，その判断をしたか」などいちいち尋ねる必要がありました。その言葉（発話プロトコル）を元にプログラムを作っていたのです。逆を言えば，「言葉にならない思考プロセス」はデー

タとして収集できなかったのです。またその情報を分析可能なデータに加工する技術や構造化する技術も，まだ十分には確立されていませんでした。つまり，アルゴリズムに投入できるほどのデータ資源は揃っていなかったのです。チェスとの関連で言えば，プロ棋士の思考に関するデータは圧倒的に不足していたわけです。

　第2に，AIの頭脳となる「アルゴリズム」（第2要因）に問題がありました。当時，一般的に使用されていたアルゴリズムは「しらみ潰し戦法」（すべての可能な手を産出し評価していく戦略）を採るもので，しかも「最適解」を探し出そうとするものでした。チェスとの関連で言えば，「単純な局面」における一手であれば，しらみ潰し戦法も何とか機能しましたが，より「複雑な局面」では，次の一手を考えるのに時間ばかりを費やし，決して実用的ではなかったのです。

## コンピューティング能力が不足していたこと

　第3の理由は，当時のコンピュータの処理能力（第3要因）が不足していたことです。演繹的アプローチを用いてチェスを行うには，コンピュータは，様々な「手」を検討し，次の一手を決める必要がありました。どこにどの駒を進めるかは，対戦者が次にどのような手を打ってくるかで変わってくるわけですから，膨大な選択肢の中から一手を選択する必要がありました。仮にプロ棋士に勝つことを目指すのであれば，AIが次に採る一手だけでなく，これに続いてプロが採るであろう「天文学的な数の反撃パターン」をすべて予測・計算する必要があったのです。当時のコンピュータに，これを計算させようとすれば，同じく天文学的な時間を費やすことになったわけです。

　仮に当時，「ニューラルネットワーク」（例えば，ディープラーニングなどのアルゴリズム）が技術的に確立されていたとしても，そのアルゴリズムが機能することはあり得ませんでした。1970年代の段階では，コンピューティング能力が圧倒的に不足していたからです。

## しらみ潰し戦法の修正

　その後，コンピュータの処理能力が向上したことで，1997年，IBMが開発したチェス専用AI「ディープ・ブルー」が，世界チャンピオンに勝つことになりますが，その時のプログラムも基本的に「しらみ潰し戦法」を採用していました。それは，機械的な計算を超高速で行っただけで，プロ棋士の直感的な思考に倣うものではありませんでした。その意味で，1990年代においても「世界チャンピオンに勝つ」（人の思考に勝つ）は実質的には実現していなかったのです。

　そもそも，生身の人間であれば，天文学的な数のパターンを一つ一つ隈なく精査することはありません。結局，何らのルールを決め，検討すべき「選択肢の数」を圧縮し，その中で合理的な一手を選び出すしかありません。この人間の行動特性を踏まえ，ニューエル＝サイモンは「限定合理性」「満足化原理」「ヒューリスティックス」などの概念を持ち込み，しらみ潰し戦法を改良していきましたが，「情報を圧縮するためのルール」を組み込もうとしたこと自体が，つまり，「人間による割り切り」が必要であると認めたことが，結果として，当時のAIの限界を示すことになりました。

## 自然言語処理におけるコンピューティング能力

　コンピューティング能力（第3要因）の制約は，当然「自然言語処理」を進める上での障害にもなっていました。自然言語を処理するには，相手の言葉を認識し，その後，返すべき文章を用意しなければなりません。例えば，テキストデータとして「bill」という言葉を与えられた時，AIは，それが「請求書」「法案」「紙幣」「広告」「くちばし」のいずれを意味するのかを文脈より判断（確率的に予測・分類）しなければなりません。会話になると，これがさらに難しくなっていきます。音声データを認識し，その後，テキストに転換するというステップまで追加されるからです。

　相手の言葉を聞きながら（分類しながら），正確なテキストに変え，同時に先を考えながら（予測しながら），次に発すべき言葉の流れを組み立てること，しかも，この一連の動作を途切れることなく，瞬時に行うこと，こ

れらを合理的な時間の中で同時並行的に処理する力など，当時のコン
ピュータにはなかったのです。


# 第3節　第2次ＡＩブームとその終焉は何を意味したか

## プロダクションシステムの応用

　1970年代，第1次ＡＩブームは終わり，冬の時代を迎えますが，1980
年代に入ると，「エキスパートシステム」の実用性が評価され，演繹的ア
プローチは再び脚光を浴びることになります。ある特定分野の専門家が
持っている知識や経験を一般化し，プログラム化すれば，専門的な業務は
自動化できると考えられるようになり，第2次ＡＩブームが到来したので
す。

　通常，人間の多くの意思決定や行動は「もしこのような場合には」(If：
条件部)，「次のように実行せよ」(Then：行為部) という「振る舞いに関す
るIf＝then規則」によって成り立っています。ＡＩ研究者の間では，こ
のIf＝then規則は「プロダクション」と呼ばれ，またそれら規則群より
構成されるＡＩは「プロダクションシステム」と呼ばれていました。

　過去，第1次ＡＩブームの時には，このプロダクションシステムによっ
て「汎用型ＡＩ」も構築できるのではないか，との期待が膨らみました。
しかし，汎用型ＡＩを構築するには，膨大な数のプロダクションを用意し
なければならず，しかも各プロダクションの条件部と行為部を明確に規定
する必要があったため，「曖昧さの残る日常的・汎用的な領域」では，プ
ロダクションシステムは不向きであると考えられるようになっていきまし
た。

　その理解は，逆を言えば，プロダクションの数を一定規模に絞ることが
でき，さらに条件部と行為部を明確に規定できれば，プロダクションシス
テムは依然として有力なツールになり得ることを示していました。それゆ
え，開発者・研究者達は，1980年代に入ると，これを可能とする応用分
野を特定し，その「狭い分野」に特化したエキスパートシステムを次々と

開発していったのです。

## 過去の制約はどうやって解消したのか

　既に第1次AIブームが3つの制約（3つの要因が足枷となったこと）により終焉を迎えたと説明しました。第1はデータ資源が不足していたこと，第2はアルゴリズムに問題があったこと，そして第3はコンピューティング能力が不足していたことでした。単純化して言えば，研究者・開発者達は，エキスパートシステムに照準を絞ることで，それら3つの制約を解消していったのです。今一度，説明しておきましょう。

　まず，エキスパートシステムでは「考慮すべき範囲」を狭く限定しました。この絞り込みが，結果として，第1のデータ資源（第1要因）問題を解消したわけです。例えば，医者の業務を支援するエキスパートシステム「MYCIN」は，初期バージョンで言えば，医師が血液疾患の診断・治療に使う600のルールだけでプログラムを作ることができたのです。

　既述の通り，専門家が活動する領域では，条件部と行為部はかなり明確に規定されていました。MYCINの例で言えば，患者の症状と検査結果に関する因果関係はほとんど確定していたわけです。それゆえ，確率的な推論を用いて，If=then規則を診断に応用することができたのです。言い換えれば，エキスパートシステムに特化することで第2のアルゴリズム問題も必然的に解消されました。

　最後のコンピューティング能力（第3要因）についても，対象範囲が限定されたことで，用意すべきプロダクションの数は大幅に削られました。合理的な時間の中で結果を出すことが求められるエキスパートシステムですが，プロダクション数の圧縮が，結果として，計算処理上の負荷を軽減することになったのです。こうして，3つの要因すべてが揃ったことで，エキスパートシステムの開発に火がつき，第2次AIブームを迎えたわけです。

　ちなみに，第2次AIブーム中の1986年に，過去のニューラルネットワークが抱えていた学習問題を解消する方法が提案されています。デビッド・ラメルハート（David E. Rumelhart），ジェフリー・ヒントン（Geoffrey E.

Hinton）らによる「誤差逆伝播法」が，英語名で言えば「バックプロパゲーション」（Backpropagation）がそれです。この学習法に関しては，次章で詳しく説明することにします。

## 大きな期待と落胆によるブームの終焉

　第2次ＡＩブームは10年ほどで終わりを迎えます。それが行き詰まったのは，結局，開発者・研究者達が「狭い専門分野」ではなく，「より現実に近い複雑な専門分野」において機能するシステムを開発しようと動き出したためです。

　つまり，エキスパートシステムが，医療，製造，金融，不動産など様々な分野で使われるようになると，企業側からの要望もあり，開発者たちは，より高度なエキスパートシステムの構築を目指すようになっていきました。また研究者自身も，各自の知的関心から，より複雑なエキスパートシステムや問題解決システムを構築しようと動いていきました。例えば，ある特定分野の科学法則を発見するシステムではなく，他分野の科学法則も併せて発見できるシステムを開発しようとのめり込んでいったのです。こうしたチャレンジが，既に解消されたはずの3つの要因を，ＡＩの実効性を阻む「制約」に変えていきました。その経緯は次の通りです。

　1980年代に盛り上がってきた要望や期待に応えるには，結局，より多くの「データ資源」（第1要因）を用意する必要がありました。しかし，当時は，インターネットなどの情報インフラは整っておらず，大量のデータ資源を用意することはできませんでした。

　「アルゴリズム」（第2要因）についても，一定の確率を根拠として正解らしきものを示すことはできましたが，実際の決定や判断をシステムに移管できるほどの精度はありませんでした。そもそも，エキスパートシステムが扱う専門分野では，それまでになかった新たな事象が一定の頻度で発生していました。このため，新事象が発生する度に，開発者は，エキスパートシステムを書き換える必要（新たなプロダクションの追加や全体の再編など）に迫られ，それが結果として書き換えコストを膨らませていきました。加えて，プロダクション（If = then）の作成・追加にあたっては，依然

として，専門家が発する言葉（発話プロトコール）を頼りに思考プロセスを再現しようとしていました。これでは，プロが暗黙のうちに行っていた判断・情報処理をプログラム化することはできなかったのです。

　もちろん，これらの制約があったとしても，開発者・研究者達の機能強化に向けた意欲は高く，しかも社会のＡＩに対する期待も大きかったため，エキスパートシステムを高度化するというチャレンジは一定期間続けられることになりました。ただ，チャレンジを続ければ続けるほど，無数の例外や変則事項をシステムに書き込まなければならず，エキスパートシステムは膨大な数の「if」（条件部）を処理する「重いシステム」となっていきました。こうして「More "ifs"」による複雑化がコンピューティング能力（第3要因）を超過していったわけです。以上を一言でまとめれば，ＡＩの実効性を決定する3つの要因すべてが「制約」に変わり，第2次ＡＩブームは終わりを迎えたということです。

## 第4節　第3次ＡＩブームはどのようにして訪れたか

### データマイニング研究とパーソナルコンピュータの普及

　ただ，ブームの終わりは「社会の期待」が萎んだということであって，研究者の開発意欲までがここで削がれてしまったということではありません。特に1990年代〜2000年代初頭にかけては，多くの研究者が「データマイニング」という新たな分野にリソースを集中させていきました。データマイニングとは，できるだけ多くのデータを集め，またデータの形式も揃え（クレンジング，データ加工），そこから「新たな知識」を発見（採掘）するという研究分野でした。その影響は世界に広がり，2000年11月には，日本でも，統計学会がデータマイニングに関するシンポジウムを開催しています。

　これと併せ，この頃，パーソナルコンピュータが大学や研究機関に普及し，インターネットも着実に広がり始めていました。こうした変化が起こったことで，研究者は「ニューラルネットワーク」などのツールをより

簡単かつ安価に利用できるようになり，2000年以降には，ウェブ上の文字を扱う研究が進み，パターン認識・機械学習の技術も磨かれていきました。第3次AIブームで注目される「深層学習」技術は，そうした環境変化があって初めて開花するものだったのです。

## ディープラーニングの実用化とアルファ碁の衝撃

　第3次AIブームは2006年に始まります。この年，誤差逆伝播法の提案者の一人であったトロント大学のジェフ・ヒントン（Geoffrey Everest Hinton）がニューラルネットワークを多層に積み重ねる手法を提唱し，さらに2012年，この手法を実装したトロント大学チームが，画像認識の誤差率（正解率）を争う競技会で大きな勝利を収めることになります。当時，画像を認識するためには「機械学習」を用いること，そして機械学習では予め人間が注目すべき「データの特徴」を決めておくことなどが常識となっていました。AIの分野では，この注目すべき「データの特徴」を量的に表したものを「特徴量」と呼びますが，特徴量の選び方次第で，画像認識の精度が決まるという状況にあったわけです。その中で，ヒントンらは，特徴量をコンピュータ自身が抽出する「深層学習」（ディープラーニング）という技術を駆使し，その実効性と有用性を証明してみせたのです。この技術に関しても，次章で詳しく説明することにします。

　さて，第3次AIブームは，言い換えれば，3つの制約（要因）が再び解消されたことで到来しました。第1のデータ資源（第1要因）問題は，インターネットの完全普及により解消されました。いわゆる「ビッグデータ革命」の恩恵を受け，研究者達は，データ資源を安価かつ簡単に使えるようになったのです。第2のアルゴリズム（第2要因）問題も，上述のディープラーニング技術により，データ資源の縮減（特徴量への集約）が可能となり，ほぼ解消されることになりました。そして，最後のコンピューティング能力（第3要因）も，半導体の集積率が急速に高まったことで，制約は解消されていきました。それ以降も，計算能力は向上し続け，現在では，量子コンピュータが登場し，またクラウドサービスの普及で，より多くの組織が手頃なコストでコンピューティング能力を入手できるように

なっています。

　以上，3つの制約が解消されたことで，第3次ＡＩブームは幕開けしました。その後，2016年3月，グーグルの子会社であるディープマインド社の囲碁プログラム「アルファ碁」が世界的なプロ棋士の李世乭（イ・セドル）に勝利するという奇跡が起っています。第1次ＡＩブームでは「10年以内にＡＩはチェスの世界チャンピオンに勝つ」と言われたわけですが，ここに来て，チェスとは比較にならないほど複雑なゲームである「囲碁」において，プロ棋士に勝つという快挙を，ＡＩは成し遂げたのです。しかも，単純な「しらみ潰し戦法」ではなく直観的な探索機能を駆使し，さらに自ら学習するというアプローチもとって，勝利を収めたのです。その事実は，世界中の研究者・開発者に，また社会全体に大きな衝撃を与えることになりました。これを可能とした技術については，次章であらためて説明することにします。

## 分類や予測の精度もブームの終焉に影響する

　さて，以上の通り，ＡＩはブームの到来と終焉を繰り返しながら，現在に至っています。進行中の第3次ＡＩブームもやがて終りを迎えるのではないかと考える読者も多いでしょう。既述の通り，「どのようなデータ資源を集め，どのようなアルゴリズムを用意し，またどれくらいのコンピューティング能力を準備するか」は，回り回って，どのような分類や予測を行うか（④最終ステップ）によって決まってきます。

　図書を推薦するというリコメンデーション機能であれば，それほど厳格な精度は要りません。しかし，自動運転に求められるＡＩツールであれば，道路上の事象を正確に把握（分類）し，その後に起こる変化や動きを高い精度をもって，しかも瞬時に予測しなければなりません。よって，完全な自動運転技術（レベル5）を実用化するには，膨大なデータ資源，先端的なアルゴリズム，超高速のコンピューティング能力（通信速度も含む）が不可欠となってきます。しかもそれは合理的なコストで実現できなければなりません。これらの条件のうち，1つでも欠ければ，完全自動運転は実用化しないわけです。

これと同じ理屈で，もし社会全体が，ＡＩに対しあまりにも高い精度（高度な機能）や高度な自動化を求めるのであれば，３つの要因は直ぐに制約と変わるかもしれないのです。そうなれば，現在のブームも，過去のブームと同じ運命を辿ることになるでしょう。

## 第5節　ＡＩはどのような分野で利用・応用されているのか

### ＡＩ課題とＡＩ技術のマップ

　しかし，筆者らは，現在のＡＩブームが直ちに終焉を迎えるとは考えていません。「社会やビジネスを変革する強力なドライバー」として，ＡＩはその研究・応用分野を広げており，仮に１つの方向（例えば，完全自動運転）において壁にぶつかったとしても，そこで研究・開発された基幹技術は他の分野において利用・流用されると解しているからです。事実，ＡＩを支える技術は互いに影響を与え合い，様々な分野に広がり続けています。

| 課題分類（系統） | 課題範疇 | AI技術（マップC） |
|---|---|---|
| 予測・制御系 | 数値予測，確率予測，制御 | 機械学習，画像音声メディア処理，言語メディア処理，ロボティックス，知識工学，論理・推論など |
| 認識・推定系 | 状態推定，異常検知，センサデータ認識 | |
| 生成・対話系 | 音声対話，知識整理，アドバイス | |
| 分析・要約系 | 数値データ分析，言語データ分析，因果推論 | |
| 設計・デザイン系 | スケジューリング，配置・設計，パーソナライズ | |
| 協働・信頼形成系 | 順番付け・選択，調整・参謀 | |

・人工知能学会「AIマップβ 2.0：AI研究初学者と異分野研究者・実務者のための 課題と技術の俯瞰図」，p.13の一覧表を簡略化し作成。

**図表2-3　ＡＩ課題マップとＡＩ技術マップ（C）**

　では，現在の，そして近未来のAIはどのような分野で利用・応用されていくのでしょうか。この問いには，AIが，どのような課題を解決しようとしているのか，どのような応用分野があるのかを見ていくことで答えることができます。

　もっとも，「AIの広がりは十分に分かっている」という読者は，この最終節を飛ばし，第3章に進んでもらっても構いません。仮に本書を読み進むうちに，改めて「AIの広がりを確認する必要性あり」と感じた場合には，再度，本節に戻り，目を通してもらえればと思います。他章において，AIツール導入の具体例を取り上げていきますが，それらの事例がいずれの課題系統に入り，また課題範疇に属するのかが分かってくれば，AIに関する理解もさらに深まるはずです。

　さて，本節では，2019年に人工知能学会が作成した「AIマップ」（$\beta$ 2.0版）に依拠して，AIの現在と近未来を説明することにします。これは「AIにはどのような課題があるのか」「その課題の解決にどのような技術が利用されているのか」などを可視化した俯瞰図となっています。ただ，AIマップそのものもかなり細かな内容を含んでいますので，ここでは，それをさらに簡略化した次の一覧表を使うことにします（図表2-3）。

　この図表では，左の縦軸に6つの「課題系統」を並べ，横軸に「課題範疇」「応用例」「AI技術（マップC）」の3つを掲げています。AIの広がりを理解する上では，基本的に6つの「課題系統及び範疇」を順に見ていき，必要に応じて応用事例を取り上げれば足りると思います。もちろん，技術や理論を列挙する「AI技術」の内容も重要ですが，技術の詳しい説明は本書の域を超えるため，専門書に譲ることにします（基本的なアルゴリズムの説明は，続く第3章，第4章で学習します）。とりあえず，読者は，ほとんどの課題系統において，機械学習，画像音声メディア処理，言語メディア処理，ロボティックス，知識工学，論理・推論などの類似した技術が頻繁に取り上げられていることだけ，押さえておいてください。

　さて，以下では，6つの「課題系統」に沿って，AI課題はどのような「範疇」に分類されるのか，その応用例はどうなっているのかを見ていくことにします。なお，学会が作成したAIマップでは，協働・信頼形成系

（この系統は２つの範疇のみ）を除くすべての系統がそれぞれ５つ前後の「範疇」を持つとしていますが，本節では，その中より，各系統で代表的なものを３つだけ取り出し，解説することにします。それでも，現在及び近未来のＡＩの広がりを十分に理解することができると考えるからです。

## 予測・制御系
（数値予測，確率予測，運転・制御）

まず，第１の「予測・制御系」においては，ＡＩ課題は「数値予測」「確率予測」「運転・制御」などの範疇に分けられます。

最初の (1) 数値予測とは「少し先の未来の数値を当てること」を目的とした範疇となります。応用例（具体的な課題例）として，電力需要，列車遅延，病院待ち時間などの予測が挙げられます。これと類似した範疇の (2) 確率予測では「少し先の未来の出来事の発生確率を当てること」が目的となります。配達可能確率，混雑率，気象予測などが応用例として挙げられます。

さらに (3) 運転・制御は「機器を目的にあうように自動で動かすこと」を狙いとしており，航空機，工作機械，船舶，フォークリフトなどの自動制御が応用例となります。ＥＣビジネスでは，通常，搬送ロボットやピッキング・ロボットなどを駆使して，受注した商品（複数商品）を庫内の棚から取り出しコンベアに乗せ，１つの箱に梱包していきます。これら一連の作業も，庫内に配置された機械やロボットを「運転・制御」することで可能となります。

## 認識・推定系
（状態推定，異常検知，センサーデータ認識）

第２の「認識・推定系」においては，ＡＩ課題は「状態推定」「異常検知」「センサーデータ認識」などに分類されます。

まず (1) 状態推定とは「品質や健康など対象の見えない内部状態を推定すること」を目的とする範疇です。機械，患者，インフラ設備の監視などが応用例となります。例えば，橋梁やトンネルなどの社会インフラは，

目視しただけではその強度は正確には分かりません。竣工後，何年経過しているか，鉄筋やコンクリートの状態はどうなっているか，打音データはどうなっているか，などの観察結果を多面的に分析することで，倒壊・崩落リスクなどを推定することになります。第7章で，睡眠，体内リズム，外的要因に関するデータを元に「肌の状態」を推定するという資生堂の試みを取り上げますが，これも状態推定の一例となります。

　この範疇に近いものとして，⑵ 異常検知があります。これは「通常の範囲や，許容できる範囲を超えて変なものを見つけること」を目的としています。機械，製造現場，自然現象，人体，商品，履歴データ，取引データなどが応用例となります。第6章では，AIツールを使った不良品検出の事例を見ますが，これも異常検知に関わる応用の1つです。

　またこの課題範疇は，品質検査にとどまらず，消費生活や金融取引などの分野でも活用可能となります。例えば，リフォーム詐欺は，訪問営業などで独居老人に近づき，言葉巧みに工事を行い，高額な支払いを請求する悪質商法です。さすがにこうした詐欺を未然防止することはできませんが，顧客口座の支払履歴などを分析すれば，異常な資金の流れ（支出）は直ぐに検知されます。その情報を活用できれば，金融機関は，警察や消費生活センターなどと連携し，被害の拡大を抑えることもできるわけです。

　以上2つの範疇は，いずれも何らかの兆候を把握できなければ，内部状態を推定することも異常を事前検知することもできません。このため，兆候把握の範疇として，⑶ センサーデータ認識がここに入ってきます。その目的は「センサーデータから対象が何か（ヒトかモノか，カラスかクレーンかなど）を認識すること」で，応用例は超音波センサー，温度センサー，振動センサー，生体センサーなどとなっています。通常，センサーデータ認識関連技術は，異常検知関連の技術と合わせて活用されますが，第9章において取り上げるアマゾンの異常検知システム「モニトロン」もその典型と言えます。

## 生成・対話系

（音声対話，知識整理，アドバイス）

　第3の「生成・対話系」では，ＡＩ課題は「音声対話」「知識整理」「アドバイス」などの範疇に分けられています。

　最初の (1) 音声対話は「自然言語・イントネーションや表情など（パラ言語）から人の意図をくみ取り，適切に対応すること」を目的としています。窓口対応，コールセンター，Web サービス，高齢者支援などの業務が応用例・活用例となります。

　続く (2) 知識整理は「適切な知識を引き出せるように文書から意味を理解・構造化すること」を目的とする範疇です。FAQ（頻繁に尋ねられる質問）作成，Web 検索，情報検索などが応用例として挙げられます。曖昧な質問や検索であっても，使用される単語の出現率などを算出することで，より適切な回答や検索結果を導き出すわけです。

　最後の (3) アドバイスとは「専門的な知見や複雑な影響を考慮してユーザーにフィットした候補を提示すること」を目的とした範疇を指します。ファイナンス，ヘルスケア，法律相談，生活相談など様々な分野に活用例があります。なお，生成・対話系においては，ＡＩを活用する際，「音声対話」「知識整理」「アドバイス」という3つの範疇すべてを揃えて対応するのが一般的です。コールセンター業務（電話での応対）がその典型例と言えますので，同業務に即して，3つの範疇相互の関係を説明しておきましょう。

　現状，ＡＩを用いたコールセンター業務では，最初に (a) ＡＩは，オペレータと顧客の対話を同時並行的にテキスト化していきます。次にテキスト化したデータを使い，(b) 問い合わせ内容を整理していきます。そして最後に (c) その整理に基づき，データベースより回答に必要となる適切な製品サービス情報を抽出し，オペレータ向けの画面に，これを表示します。特に多くの商品を扱う会社であれば，また頻繁に商品サービスを改定する会社であれば，製品サービス情報の迅速な抽出は，対応業務に携わるオペレータにとって不可欠の支援となっています。この (a) (b) (c) の3つが，それぞれ，音声対話，知識整理，アドバイスに当たるわけです。

　もっとも，この説明は現在の一般的な活用事例であって，近未来では，さらに顧客のイントネーション，リズム，ポーズ，声質などの言語以外の情報（パラ言語）もインプットとして取り込み，最良の回答内容や回答方法（しゃべり方）などまで助言・支援するようになると期待されています。

## 分析・要約系
（数値データ分析，言語データ分析，因果推論）

　第4の「分析・要約系」においては，AI課題は「数値データ分析」「言語データ分析」「因果推論」などの範疇に分類されます。

　まず (1) 数値データ分析は「大量かつ多様な数値データを調べて人に分かりやすく分析結果を知らせること」を目的としています。事業経営における応用事例としては，売上高，生産量，入出荷記録，利用者数，来店者数などの様々なデータを使って，売上や顧客の傾向を整理することなどが挙げられます。

　これと類似した範疇が (2) 言語データ分析であり，「大量かつ多様な文字データを調べて人に分かりやすく分析結果を知らせること」を目的とするものです。典型例としては，Web データ，SNS，メール，アンケートなどのデータを使い，トレンドを読んだり，関連する事項を特定することなどがあります。上述のコールセンター業務では「顧客の質問を理解し，必要となる情報をデータベースより抽出する」と説明しましたが，これも言語データ分析に該当する機能となります。

　もう1つの (3) 因果推論とは「データから因果関係を探索し，何かを変化させたときに，何が変わるかを予測すること」を目的とした範疇です。これは，既に，疫学，経済学，企業経営，化学，睡眠障害などの多様な分野で活用されています。第1章で触れましたが，「小売店における生鮮品の値札は，どのタイミングで，どれくらいの割引率で張り替えるのが合理的か」といった問いに答えるのも，因果推論の範疇に入ります。

## 設計・デザイン系
### (スケジューリング，配置・設計，パーソナライズ)

　第5の「設計・デザイン系」では，ＡＩ課題は「スケジューリング」「配置・設計」「パーソナライズ」などに分類されます。

　最初の (1) スケジューリングは「何をどの順番でやるとよいかを決めること」を目的としています。応用分野（具体的な課題）としては，配達や人員計画などがあります。運送事業者が商品・荷物を配送する際，合理的な経路や順番を割り出すのも，この範疇に入ります。続く (2) 配置・設計は「決められた条件に合うように複雑な置き方や組み合わせを提案すること」を目的とします。スケジューリングが時間軸上の合理的な順序を決定する範疇となるのに対し，配置・設計は，空間軸上の合理的な配置を決定する範疇となります。

　配置・設計の応用例としては，生産計画，調達計画，人員計画，配置計画，配置最適化などが挙げられます。第6章で「在庫ヒット率」（注文があった商品を自社在庫として保有している比率）を一貫して向上させてきたトラスコ中山の事例を取り上げますが，これも配置・設計の応用例と言えるものです。

　最後は，一人ひとりに合わせる (3) パーソナライズという範疇です。これは「個々のユーザーの（隠された）嗜好などに合うように提示内容をカスタマイズすること」を目的とした範疇です。応用例として，ニュース記事，映像配信，広告配信などがあります。第8章では，伝統的なマスコミと対比する形で，メディア型ＭＤＰ（グーグルやフェスブック）の優位性を説明しますが，両者を分けた決定的な相違点は，まさにこのパーソナライズ機能にあったと結論づけることができます。

## 協働・信頼形成系
### (順番付け・選択，調整・参謀)

　第6の「協働・信頼形成系」では，ＡＩ課題は「順番付け・選択」と「調整・参謀」の2つに分類されます。

　最初の (1) 順番付け・選択とは「適切な選定基準や順番の作成，選定

候補を提示すること」を目的とする範疇です。スクリーニングや選定，そしてそれに基づくリコメンデーションなどが応用例となります。例えば，不動産のポータルサイトに希望する住まいの条件（家賃，家族構成，広さや間取り，駅からの距離など）を入力すると，ロボアドバイザーがその条件に合致する物件を，順番を付けてリコメンドしてきます。当然，条件を変更したり，新たな条件を追加すれば，最初にリストアップされた物件順位も変わっていきます。周知の通り，こうしたロボアドバイザーによるリコメンデーションは，金融商品分野でも多用されています。

　もう１つの (2) 調整・参謀は「公平な合意形成を支援し，倫理的問題についてアドバイスすること」を目的としています。応用例としては，投票，合意形成，意見集約などがありますが，この範疇で最も分かりやすいのは「議論のファシリテーション」ではないでしょうか。例えば，大規模合意形成支援システム D-Agree を開発した事業者によれば，同システムは，参加者よりできるだけ多くの意見を引き出し，（議論を解析した上で）構造化・集約し，さらにそれを次の意見を引き出すための材料として活用していきます。意見が割れる「倫理的問題などの難しいテーマ」を取り上げる必要性は，今後，益々，大きくなるものと予想されるため，こうした課題範疇が注目されているわけです。

　以上，６つの「課題系統」に沿って，ＡＩ課題とその応用例を見てきました。これで「現在・近未来のＡＩの広がり」はおおよそ理解できたのではないでしょうか。


　本章では，ＡＩの実効性を決める「３つの要因（制約）」という視点より，ＡＩの歴史を見てきました。これまでの２つのＡＩブームがこれによって引き起こされ，また現在のＡＩブームも，これに制約されることを確認しました。そして最終節では，現在及び近未来において，ＡＩがどのような広がりを持って課題解決に貢献できるかを概観してきました。これで，読者は「ＡＩの基本」を押さえることができたはずです。

　そこで，続く第３章及び第４章では，図表２-１で示した「アルゴリズム」に焦点をあて，特に第３次ＡＩブームを支える代表的な「帰納的アプ

ローチ」(ニューラルネットワーク，回帰モデルなど) を取り上げ，それらがど
のような仕組みで動いているのかを学ぶことにします。

# 第3章
# ニューラルネットワークと深層学習

　本章及び次章では，ＡＩツールの中核を成す「アルゴリズム」がどのようなものなのかを学んでいきます。アルゴリズムには，現在でも，エキスパートシステムのような「演繹的アプローチ」も利用されていますが，主流は，ニューラルネットワーク，強化学習，回帰モデルなどを含む「帰納的アプローチ」となっています。特に第３次ＡＩブームでは，ニューラルネットワークの研究・開発が進み，様々な深層学習アルゴリズムが登場してきましたので，良し悪しは別とし，ＡＩと言えば，深層学習関連のツールが直ちに連想されるようになっています。

　さて，前章ではＡＩツールの「実効性」を決定する３つの要因を確認しましたが，本章及び第４章では，さらに企業がビジネス実務という視点で「実用性のあるＡＩツール」を構築するには，どのような視点をもってアルゴリズムを評価すべきなのかを整理することにします。その前提として，ここでは少し専門的になりますが，ニューラルネットワーク，強化学習，回帰モデルなどについて基本的なことを解説します。

　もっとも「アルゴリズムの内容よりもビジネスに強い関心がある」という読者は，とりあえず本章第１節の「誤差逆伝播法によるパラメータの最適化」というところまで目を通しておいてください。そこまでの説明が分かれば，残りの第２節と第３節の内容もおおよそ推測がつきますし，また続く第４章で展開される「回帰モデルとの比較」も理解できるからです。ただ，本章はかなり分かり易く解説していますので，時間に余裕のある読者は，進化し続けるアルゴリズムの世界も覗いてみてください。

　本章の構成を整理しますと，第１節では，ニューラルネットワークを理

解する上での鍵となる「パーセプトロン」と「誤差逆伝播法」に焦点を当て，その構造とメカニズムを説明します。その後，第2節では，第3次ＡＩブームに火をつけた深層学習アルゴリズムの代表格である「CNN」（畳み込みニューラルネットワーク）を取り上げ，その仕組みと特徴を解説します。そして最終節では，その他の主要なアルゴリズムやプログラム（RNN，強化学習，アルファ碁など）について説明を加えます。本書の各章で取り上げるＡＩツールの導入例を理解する上で，本章での解説は助けとなるはずです。

## 第1節　ニューラルネットワークとは

### ニューロンを模した「パーセプトロン」

　まず図表3-1を見てください。「機械学習」として SVM，Ｋ平均法などの手法が例示されています。これらは，ビッグデータ革命以降，扱うことのできるデータが増えていく中で，分類などに用いられた比較的簡単な手法と理解してください。

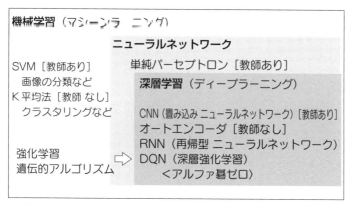

・「教師あり」とは教師データを使って事前に学習・訓練するアルゴリズムを指し，「教師なし」はその逆です。また「アルファ碁ゼロ」は強化学習と深層学習の2つを駆使して構築されたプログラムです。

**図表3-1　機械学習とニューラルネットワークの相互関係**

　図表には，それと並ぶ形で「ニューラルネットワーク」が記載されてい
ます。これが機械学習の新たな分野となります。さらにニューラルネット
ワークの中に「単純パーセプトロン」と，その発展型である「深層学習ア
ルゴリズム」（CNN，オートエンコーダ，RNN，DQN など）が挙げられています。
本章は，ニューラルネットワークと深層学習を理解することに重きを置き
ますので，その前提となる「単純パーセプトロン」の解説から話を始める
ことにしましょう。

　パーセプトロンとは，1950 年代終盤に，心理学者であったフランク・
ローゼンブラット（Frank Rosenblatt）が「脳内ニューロンによる情報処理」
から着想を得て提唱した情報処理モデルです。第 2 章で，ダートマス会議
において注目される研究分野の 1 つとして「ニューラルネットワークが
あった」と説明しましたが，その典型がこのパーセプトロンだったわけで
す。

　脳内ニューロンによる情報処理は，通常，次の 5 つの特徴を持っていま
す。(1) ニューロンは電気的・化学的信号を他のニューロンに伝えるこ
と，(2) 送信される信号は加算され，一定の「値」（閾値と言います）を超え
ると，受信側のニューロンを発火（活性化）させること，(3) 発火した
ニューロンは新たな信号を出力し，これを別のニューロンに伝えること，
(4) ニューロンとニューロンの間には「シナプス間隔」と呼ばれる隙間が
あるため，ニューロン間の繋がりには強弱が発生すること，(5) この強弱
に応じて，ニューロンからの入力信号は重み付けされることです。

　図表 3 - 2 a を見てください。これが以上の 5 つの特徴を模した単純
パーセプトロンのモデルです。今，左側より，5 つ（$X_1 \sim X_5$）の信号
（ニューロンからの電気信号）が入ってきたとします。各々の入力信号は重み
付けされ，中央にある出力層に集まります。重み付けされた信号の総計が
出力層において「閾値」を超えると，出力層は活性化（発火）され，そこ
から新たな出力信号が発せられます。図表 3 - 2 a のモデルでは，出力値
は「5 以上であれば 1 を，それ未満であれば 0 を」という条件が記されて
いますが，出力形式をこのように転換するものを「活性化関数」と呼びま
す。

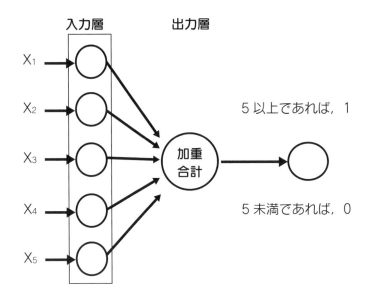

入力層　　　出力層

X₁

X₂

5 以上であれば，1

X₃　　　加重
合計

X₄

5 未満であれば，0

X₅

図表3-2a　単純パーセプトロンの仕組み

## パーセプトロンによる学習プロセス

　次に図表3-2bを見てください。ここでは，$X_1 \sim X_5$ の入力値を仮に
「2, 4, 3, 1, 3」としました。これらの値を使えば，合計は「13」となりま
すが，それぞれから入ってくる値は「重み付け」（$W_1 \sim W_5$）されますの
で，「2 × 1, 4 × 1, 3 × −1, 1 × 1, 3 × −1」となり，加重合計（u）は「1」
となります。出力値を決める活性化関数（ステップ関数と呼ばれる活性化関数）
は，同じく「5以上であれば1を，それ未満であれば0を」となっていま
すので，ここでの出力は「0」となります。なお，方程式の最後にある定
数項（b）は「バイアス」を意味します（数式 3-1）。

　$u = W_1 X_1 + W_2 X_2 + W_3 X_3 + W_4 X_4 + W_5 X_5 + b$
　$u \geqq 5 = 1 \quad u < 5 = 0$ 　　　　　　　　　　　　　　　　数式 3-1

　仮にこのパーセプトロンが，手書き文字「A」を判定する装置（A判定器）であるとすれば，出力は，その文字の画像が「Aであるか，Aでないか」となり，ここでの加重合計（u）は5未満ですので，「Aでない」との結論を出すことになります。

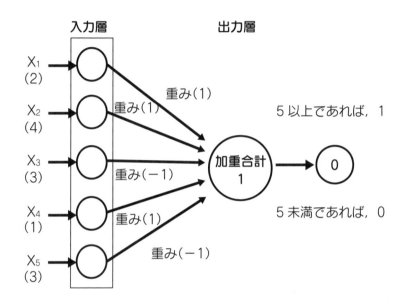

図表3-2b　単純パーセプトロンの仕組み

## 教師あり学習とは

　さて，ローゼンブラッドの最大の貢献は，このモデルを用いて「パーセプトロン学習アルゴリズム」を設計したことにあります。機械学習の分野では，通常，学習方法は「教師あり学習」「教師なし学習」「強化学習（行動による学習）」の3つに分類されます。そのうち，ローゼンブラッドが提示した学習アルゴリズムは，正解であるかどうかのラベルを付された「訓練データ」（教師データ）を使いますので，第1の「教師あり学習」に分類されます。

　A判定器の例で言えば，まず様々なクセのある「A」という手書き文字

を大量に用意し，これをパーセプトロンに判定させます。当然，最初のうちは何度も判定ミスを繰り返しますが，パーセプトロンは失敗する度にミスの原因を微修正し，言わば学習し，それ自体の判定精度を上げていくことになります。

　今一度，図表3-2bを見てください。X₃の重み（W₃）は「−1」，そして閾値は「5」となっていますが，これらの重みと閾値を使った結果，パーセプトロンが答えを間違えたとします。つまり，与えられた文字が「A」であるにもかかわらず，「Aでない」と判定したと仮定します。この時，パーセプトロンは，その判断に使った「重み」と「バイアス」を，また「閾値」を変更することになるわけです。例えば，図表3-2cのように，X₃の重み（W₃）については「−1」を「1」に変更するなど，修正を加えていくわけです。

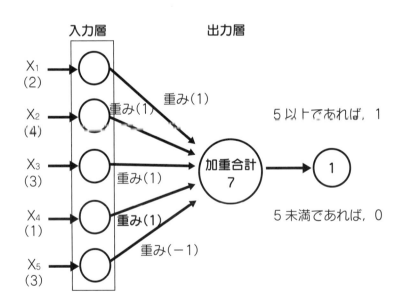

図表3-2c　単純パーセプトロンの仕組み

　そうした作業を繰り返すことで，パーセプトロンは，理論上，どんな入

力データでも，やがて正しく判断できるようになると考えられたのです。ただ，1960年代のパーセプトロンは単純なタスクしか扱えませんでした。パーセプトロンを高度化・多層化すれば，原理上，より複雑なタスクも学習できると考えられていましたが，結局，訓練の難しさから，また正しい「重み」を探し当てる「汎用的なアルゴリズム」の不在から，「多層パーセプトロン」（ニューラルネットワーク）への進化は，着想のレベルに止まることになりました。

## ニューラルネットワークとしての多層パーセプトロン

　それでも，認知心理学者達は研究を続け，第2章で述べた通り，1986年，デビッド・ラメルハート，ジェフリー・ヒントンらが「誤差逆伝播法」と呼ばれる「多層パーセプトロンを訓練するための学習アルゴリズム」を提唱することになります。これがパーセプトロンの「学習問題」を解決する鍵となりました。

　これを理解する前提として，まず「多層パーセプトロン」の構造を確認しておきましょう。単純パーセプトロンには，図表3-2aの通り，入力層と出力層の2つしかありませんでしたが，「多層パーセプトロン」（A判定器）では，入力層と出力層との間に「中間層」が入ってきます。話を単純にするため，この図表には2つの中間層しか描いていませんが，理論的には，その数はいくらでも増やしていくことができます。この中間層は「隠れ層」とも呼ばれていますので，本書では2つの中間層をそれぞれ「隠れ層1，隠れ層2」と呼ぶことにします。

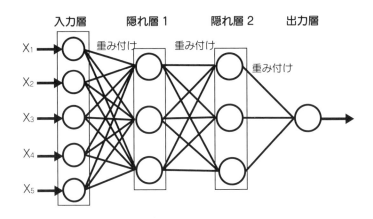

入力層　　　　隠れ層1　　　隠れ層2　　　出力層

$X_1$
$X_2$
$X_3$
$X_4$
$X_5$

重み付け　　　　重み付け

重み付け

図表3-3a　多層パーセプトロンの仕組み

　図表3-3aを見てください。それぞれの層（入力層，隠れ層，出力層）において，入力情報は「ノード」（ユニット）と呼ばれる箇所（丸印のところ）に集まってきます。すべてのノードは，前後にある層のすべてのノードと繋がっており，ある種のネットワークを形成しています。このため，多層パーセプトロン以降のアルゴリズムは，パーセプトロンという言葉よりも「ニューラルネットワーク」（NN）という用語が使われるようになっているわけです。

## 多層パーセプトロンと順伝播

　さて，このネットワークで忘れてならないのは，単純パーセプトロンの場合と同様，それぞれの繋がりに対し，異なる「重み」（W）が付されていることです。各ノードで行われる処理は基本的に同じですので，図表3-3bで「枠囲いしたノード」だけを取り出し，その処理を説明しておきましょう。

　この「隠れ層2」には，3つのノードがありますが，枠囲いした「1番上のノード」に入ってくる情報は3つとなっています（$X_{11}$, $X_{12}$, $X_{13}$）。それぞれが重み付けされるため（$W_{11}$, $W_{12}$, $W_{13}$），その加重合計（u）は「$W_{11} X_{11} + W_{12} X_{12} + W_{13} X_{13}$」となります。

　この（u）を「活性化関数」で処理すれば，次の出力層に送られる値（y）が決まることになります。

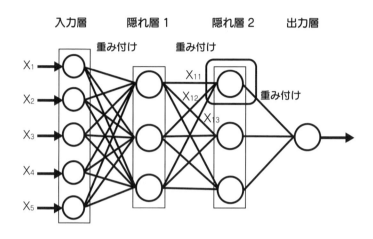

図表3-3b　多層パーセプトロンの仕組み

　なお，このモデルでは「閾値」を使わず，「0〜1の幅を持つ確率」で値（y）を出力する「活性化関数（f）」（シグモイド関数）を使うことにします。多層パーセプトロンでは，活性化関数は層と層の間の信号伝播を調整する役割を担うため，ここでは仮の措置としてこのような変更を加えておきます。以上を方程式で表せば，次のようになります（数式 3-2）。

$$u = W_{11} X_{11} + W_{12} X_{12} + W_{13} X_{13}$$
$$y = f(u)$$

数式 3-2

　この方程式は，活性化関数の変更を除けば，単純パーセプトロンの方程式（数式 3-1）とほぼ同じです。ただ，ネットワーク全体の情報の流れを見れば，両者は大きく異なっています。図表3-3bから分かる通り，多層パーセプトロンの場合，1つのノードで行われる処理と計算結果がそのノードで完結せず，次の層の複数のノードに送られていきます。

その流れを左側から辿れば，まず入力層の情報が重み付けされ，隠れ層1に送られます。「隠れ層1」では，その情報が活性化関数を通じて新たな情報に転換され，さらに重み付けされ，「隠れ層2」に送られます。これを繰り返し，最終的に重み付けされた情報が出力層（右側）に集められます。出力層においては，別の「活性化関数」（例えば，クラス分類などを行う関数）を使うこともありますが，ここでは，手書き文字が何パーセントの確率で「A」であるかを判定する関数としておきます。この情報の流れは右へ右へと向かうため，「順伝播」と呼ばれています。

## 誤差逆伝播法によるパラメータの最適化

ただ，この順伝播だけでは「多層パーセプトロンを訓練するための学習アルゴリズム」は構築できません。それと真逆の「誤差逆伝播法」を使う必要があるのです。この誤差逆伝播法とは，文字通り「誤差」（ギャップ）から出発し，例えば，手書き文字の画像が「A」であるにもかかわらず，40％程度の確率でしか，Aと判定できない場合，この誤差を小さくするため，左へ左へと逆流しながら，各層における「重み」と「バイアス」（この両者をパラメータと呼びます）を修正していく手法です。

分かりやすくするため，図表3-4に矢印でその流れを示しておきました。まず誤差が確認されれば，出力層に直結する「隠れ層2」に戻ります。最初に出力層に入っている「重み」（W）を修正し，必要があれば，隠れ層2の活性化関数の閾値を修正します。それでも不十分であれば，さらにその先の「隠れ層1」に戻り，同様の修正を繰り返していきます。言わば，判断ミスの責任を後方（左側）から前方（右側）へと逆流させ，ネットワーク内の「重み全体」（パラメータ）を修正していくわけです。これがパーセプトロン・モデルの抱えていた「学習問題」を解決する仕組みとなったのです。

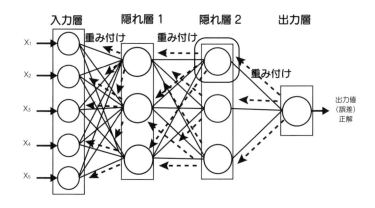

図表3-4　誤差逆伝播法によるパラメータの修正

## 補足：誤差逆伝播法に係わる2つの課題

　ここまで理解できれば，読者は，本章の残りの解説を飛ばし，第4章に進んでもかまいません。これでニューラルネットワークの大枠を押さえたことになるからです。ただ，本章冒頭でも説明しましたが，時間に余裕のある読者は，少し専門的になりますが，以下の内容にもチャレンジしてみてください。仮に難しいと感じた場合でも，本書を読み終えた後，再度，ここに戻ってくることを勧めます。改めて，この「補足」以降を読み直せば，以前には気づかなかったことも見えてくるからです。

　とりあえず，このまま読み進めるとしましょう。その際，出発点として，読者に理解してもらいたいのは，誤差逆伝播法を用いたパラメータ修正は，これを実際に行う場合には，いくつかの課題をクリアしなければならないということです。

　課題のうち，(1) 各層における「重み」を算出するにあたり，そのパラメータ値が「局所最適解」に陥ってしまう可能性があること，(2)「各層の重みを更新する上で必要となる情報（勾配）」が出力層から前の層へと遡る過程で小さくなってしまうこと，この2つが代表的なものとなります。(1) は「局所最適解問題」，(2) は「勾配消失問題」とそれぞれ呼ばれています。

この他にも，過剰にネットワークが学習した場合，分類・予測などの精度が落ちてしまうといった課題（過学習）もありますが，ここでは，この2つを取り上げ，それぞれの課題にどのように対処するのか，補足しておきます。

## 局所最適解問題と学習率の変更

ニューラルネットワークにおける「学習」は，出力と正解との間の誤差を表す「誤差関数」（損失関数とも呼びます）という物差しを使い，「既に使用している重み」（パラメータ）を軽くした方が誤差は小さくなるのか，重くした方が小さくなるのか，その変化量をチェックしながら，つまり，「微分」（正確には偏微分）を繰り返しながら，進めていきます。ただ，その場合，調整すべきパラメータが膨大な数にのぼるため，解析的な方法ではなく，誤差関数の勾配（接線の傾き：微分値）に沿って，パラメータ値を小刻みに探索するという手法が採られます。これは「勾配降下法」と呼ばれ，数式 3-3 で表すことができます。

$$w^{(t+1)} = w^{(t)} - \alpha \nabla E \quad (\alpha > 0) \qquad 数式 3-3$$

$w^{(t)}$ は現在の重みを，$w^{(t+1)}$ は更新した後の重みを，$\nabla E$ は誤差関数を重みで微分して得られる勾配をそれぞれ表します。勾配 $\nabla E$ の前にある $\alpha$（アルファ）は，この後，説明しますが，勾配に沿ってどれくらい降りるかを表すもの（学習率）です。言い換えれば，勾配降下法とは，数式 3-3 の計算を繰り返しながら，最適なパラメータを探索的に求めていく手法となります。

これは便利な学習アルゴリズムですが，例えば，勾配曲線が複数の波を描いていれば，本来の最適解（大域最適解）ではなく，見せかけの最適解に過ぎない「局所最適解」に行き着くリスクも抱えています。勾配降下法だけでは，それが見せかけの解かどうかは分からないのです。仮に局所最適解に至り，袋小路に陥れば，ツールの精度は改善されず，結局，学習も行き詰まることになります。この課題を解決するため，ネットワーク構築に

あたっては，上記の「学習率（α）」を変更するなどの措置を採ることになります。

　イメージ的には，誤差関数の勾配に沿って「一度に降りる度合い」を調整すること，あるいは重みを更新する際の「歩幅」を変えること，これが「学習率の変更」という措置に当たります。歩幅を広げれば，早いペースで学習は進みますが，広げ過ぎれば，勾配曲線中の「大域最適解」を通り越してしまうかもしれません。逆に狭くすれば，異常に多くの時間を学習に費やし，しかも勾配曲線中の「局所最適解」に迷い込んでしまうかもしれません。

　それゆえ，実務では，学習の進捗に応じて，学習率（歩幅）を変更するという措置が採られるわけです。例えば，学習の前半では，局所最適解を飛び越えることができるよう，学習率を高く（歩幅を広く）設定し，まず勾配曲線の大枠を捉え，その後の学習段階で，学習率を下げ（歩幅を狭くし），本来の最適解に向けて重みを調整していくというアプローチなどが採られます。

## 勾配消失問題と活性化関数の変更

　既に，ニューラルネットワークにおける「学習」では，現在のパラメータを軽くした方が誤差は小さくなるのか，重くした方が小さくなるのか，その変化量をチェックしながら進めると説明しました。誤差逆伝播法とは，この修正作業を，出力層に近いところから始め，左へ左へと隠れ層を遡りながら，入力層に向かっていく学習アルゴリズムです。

　出力層に近い隠れ層では「誤差関数（損失関数）が小さくなる方向を目指してパラメータを更新するというこの作業」も，比較的に容易に行うことができますが，隠れ層を左に遡る毎に，活性化関数（シグモイト関数やTanh関数〈双曲関数〉などの場合）の微分が掛け合わさっていくため，損失関数の勾配情報はどんどん小さくなり，ゼロに近づいていきます。

　この傾向に対し何の措置も講じなければ，層が深くなればなるほど，誤差を逆伝播する際の勾配は消失し，多層ニューラルネットワークにおける学習は行き詰まってしまいます。誤差逆伝播法を用いたパラメータ修正で

は「活性化関数は微分可能でなければならない」という条件があるからです。この「勾配消失問題」を解消するため、現在では、伝統的な活性化関数（シグモイト関数やTanh関数など）に替え、微分を行ってもその微分値が小さくならない別の活性化関数（ReLU関数、Leaky ReLU関数など）を利用するようになっています。

　以上、2つの課題とそれへの対処法について説明しましたが、これは、第4章第4節で取り上げる「ハイパーパラメータをチューニングするコスト」の問題と繋がってきますので、ここでの論点は覚えておいてください。

## エポック、バッチ、イテレーション

　さて、誤差逆伝播法による学習（パラメータ修正）について説明してきましたが、ニューラルネットワークでは、こうした学習作業を「用意した訓練データ」すべてで行うことになります。データセットすべてを使った学習を「1エポックの訓練」と言いますが、実務では、これを何エポックも繰り返します。

　なお、学習用のデータは膨大となるため、通常、すべてのデータをコンピュータに一括して読み込ませることはしません。データをいくつかに分割し、これを少しずつ与えていきます。分割されたデータの塊は「バッチ」と呼ばれ、例えば、訓練データが2000個あり、これを4つに分ける場合には、バッチサイズは500個となります。

　よって、このケースでは、1エポックを完了するのに、入力作業を4回「反復」（イテレーション）することになります。このエポックを幾度も繰り返すことで「重み」というパラメータを一定の数値に収束させていくわけです。これにより、パラメータが最適化されれば、学習は完了となります。これ以降、A判定器は、どのような手書き文字の「A」を与えられても、ほとんど間違えることなく、高い確率で「A」を識別できるようになるわけです。

# 第2節　畳み込みニューラルネットワーク（CNN）とは

## CNNの飛躍的発展

　図表3-1を今一度参照してください。ニューラルネットワークという大枠の中に「深層学習」という別の範疇があります。その中にCNN，オートエンコーダ，RNN，DQNなどの代表的なアルゴリズムが列挙されています。これらは，簡単に言えば，多数の隠れ層を持っているため，つまり，深い層を持っているため，すべて「ディープラーニング」（深層学習）という範疇で括られるわけです。

　現在のAIブームを牽引してきたのは，画像認識の分野でその性能を発揮してきた「CNN」（畳み込みニューラルネットワーク）というアルゴリズムです。実は誤差逆伝播法と同様，CNNの基本的な仕組みも，既に1980年代には構想されていました。ただこれが飛躍的に発展し実用化されるには，同じく「ビッグデータ革命」を待つ必要があったのです。

　第2章において，画像認識を競う2012年の競技会で，トロント大学チームが大きな勝利を収めたと説明しましたが，それ以前は「サポートベクターマシーン」（SVM）という手法を用いて，2つのクラスを識別する境界線などを求め，それを言わば「クラス分類の特徴量」として利用するのが一般的でした。

　トロント大学チームは，従来のこうしたやり方を採用せず，全く新たな「処理を行うネットワーク」（CNN）を開発し，高い正解率を達成してみせたのです。CNN以前は，画像のどこに注目すべきかを開発者が事前に決めてプログラムを開発していましたが，CNNでは，何処に注目し何を検出すべきかをシステム自身が学習し，高い正解率を叩き出すようになったのです。それゆえ，本節では，このエポックメイキングなCNNに注目し，その特徴を整理しておくことにします。

## 画像認識における基本

　第1節では，手書き文字「A」を判定するアルゴリズムについて解説しましたが，ここからは，物体認識を行うアリゴリズムを想定することにします（手書き文字でも理屈は同じですが）。物体は「人」「自動車」「飛行機」でも良いのですが，多くの解説書で「犬」「猫」が取り上げられますので，本節もこれに倣い，「犬と猫」を分類する深層学習アルゴリズムを想定することにします。

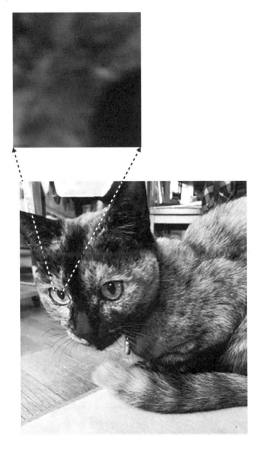

図表3-5　猫の写真と拡大部分

　今，犬と猫をデジタルカメラで撮ると，それらは2次元のデジタル情報

に変換されます（図表3-5）。それは，何百万個の「ピクセル」と呼ばれる小さなドットの集まりとなります。これが白黒写真であれば，各ドットの情報は，濃淡255の階調で表されることになります（0〜255の画素値）。真っ黒のドットは「0」，真っ白なドットは「255」，灰色のドットは「127」などと数値化されるわけです。

　この数百万個に分割された画像情報を処置する判定器を図示すると，図表3-6のようになります。ここでは，最後のドット（300万個目のドット）を「3m」と表記しておきます。図表の左側に「入力 $X_{001}$」「入力 $X_{002}$」「入力 $X_{1m}$」「入力 $X_{2m}$」「入力 $X_{3m}$」などと記載していますが，これが，300万個に分割されたドットからの入力情報を表すとします。ここにすべての情報の流れを示すことはできませんので，とりあえず，このようなイメージ図にしておきます。従来の多層パーセプトロンであれば，左から入ってくる画素値情報を「入力層」で受け取り，それぞれ固有の「重み」（$W_{001}$〜$W_{3m}$）を付け，次の「隠れ層」に結果を伝え，最終的に「出力層」より「猫であるかどうかの確率」を出力することになります。

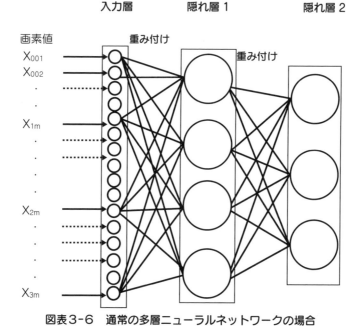

図表3-6　通常の多層ニューラルネットワークの場合

ただ，画像の場合，一つ一つの画素値だけでなく，縦横斜めなどの位置関係や配列関係が極めて重要な情報となってきます。それを考慮せず，画素値を単純に300万個のドットに分解し，独立した情報としてネットワークに与えると，画像が持っていた「二次元の関係情報」は失われてしまうことになります。そこで考えられたのが「畳み込み処理」という手法です。

## ＣＮＮの全体像

　図表3-7を見てください。これがＣＮＮ（Convolutional Neural Network）の仕組みを図示したものです。一言で表せば，それは前工程で「特徴量」を抽出し，後工程（全結合層・出力層）で，抽出した特徴量を使って，画像の分類・判定・予測を行うアルゴリズムです。後工程では，出力層の左側に並ぶ各層のノードが次の層のすべてのノードと繋がるため，これらはまとめて「全結合層」と呼ばれています。

　これ対し，重要な関係情報を二次元的に処理・圧縮するのが前工程です。前工程には「畳み込み層」と「プーリング層」が幾層にも並んでいますが，この処理があることで，ＣＮＮは画像中のどの場所に「目的の物体」（猫）が写っていても，それを同じもの（猫）として認識できるようになります。逆を言えば，この処理がなければ，同じ犬あるいは猫の画像であっても，写真の中央に写っているものは認識できても，端に写っているものは認識できないといったことが起こってしまうのです。

　さて，後工程では，通常のニューラルネットワークと基本的に同じ処理を行いますので，本節では「前工程」の特徴だけを説明しておきます。なお，入力層に入ってくる画素値（白黒画像の値）については，便宜上，画像全体の濃淡（全体が暗い写真あるいは明るい写真は調整する必要がありますので）を踏まえ，任意の閾値（濃度値）を設定した上で「二値化処理」を行うものとします。こうすることで，すべての画素情報は，閾値を境として，0か1で表わされることになります（例えば，0は黒，1は白）。

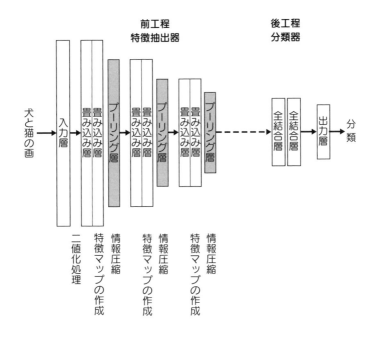

図表3-7　畳み込みニューラルネットワークの仕組み

## 畳み込み層・プーリング層での処理

　では，畳み込み層・プーリング層ではどのような処理が行われるので
しょうか。少々細かくなりますが，ＣＮＮの学習プロセスを理解する上で
重要な工程ですので，数字を使って流れを説明しておきます。今，畳み込
み層に次のような画像情報が入ってきたとします。

画像情報

| 1 | 0 | 1 | 0 | 1 |
|---|---|---|---|---|
| 1 | 1 | 1 | 1 | 0 |
| 0 | 1 | 1 | 0 | 1 |
| 1 | 0 | 1 | 0 | 1 |
| 1 | 1 | 1 | 1 | 0 |

カーネル

| 1 | 0 | 1 |
|---|---|---|
| 0 | 1 | 0 |
| 1 | 0 | 1 |

　この情報に対し，畳み込み層では「カーネル」と呼ばれるフィルターを
使い，画像の特徴を抽出していきます。その手順は最初に灰色で塗られた

箇所にカーネルを重ね,「重なる箇所の値」と「カーネル上の値」を掛け
合わせていきます。

画像情報 　　　　カーネル

　すると,　1段目は $1 \times 1$, $0 \times 0$, $1 \times 1$ となり,　2段目は $1 \times 0$, $1 \times 1$, $1 \times 0$ となり,　3段目は $0 \times 1$, $1 \times 0$, $1 \times 1$ となります。これらの
計算が終わったら,　それをいったん合計します。ここでは1が4つありま
すから,　合計は4となります。その値を「特徴マップ」と呼ばれるマト
リックスの1段目左端に記入します。

計算結果 　　　　特徴マップ

　次にこのカーネルを右に1つづらし（スライド1とします）,　同様の計算を
行います。

画像情報 　　　　カーネル

　その結果,　次のような値が得られます。この計算結果の合計は2となり
ますので,　これを「特徴マップ」に書き込みます。

計算結果

| 0 | 0 | 0 |
|---|---|---|
| 0 | 1 | 0 |
| 1 | 0 | 0 |

特徴マップ

| 4 | 2 |  |
|---|---|---|
|  |  |  |
|  |  |  |

　この作業を繰り返すことで，つまり，同じカーネルをずらしながら元の画像情報に適用・計算し，次のような「特徴マップ」を作成していきます。これにより，ＣＮＮは「隣接する特徴の相関と空間的な情報を取り込むこと」になるわけです。例えば，隣り合うピクセルの情報が同じであれば，その部分は黒の集まり，白の集まりということが分かり，ある部分の形や輪郭，縦線，横線，斜め線の長さや太さなども把握されることになります。

カーネル

| 1 | 0 | 1 |
|---|---|---|
| 0 | 1 | 0 |
| 1 | 0 | 1 |

特徴マップ

| 4 | 2 | 5 |
|---|---|---|
| 5 | 3 | 3 |
| 3 | 4 | 3 |

　実際のＣＮＮでは，カーネルは１つではなく複数用意されます。このため，元画像からは複数の特徴が抽出されていきます。つまり，畳み込み層では，カーネルの枚数分だけ「特徴マップ」が作成されるわけです。
　畳み込み層での作業が完了すると，次にプーリング層へ進み，作成した「特徴マップ」の重要な情報を残す形で，データを圧縮（ダウンサンプリング）することになります。図表３-７において，畳み込み層からプーリング層に進んだ時，縦長のバーが短くなっているのは，これを図示したものです。例えば，次頁の「特徴マップ」に対し，カーネル２×２をスライド２で適用するとしましょう。この場合，特徴マップは４分割され，各区画の最大値を残す（あるいは各区画の平均値を残す）といった処理が行われます。なお，情報圧縮のプロセスは，機械的な計算を行うだけで，学習の要素は入っていません。

**各区画の最大値を抽出する場合**

特徴マップ　　　　マックスプーリング

| 4 | 1 | 3 | 2 |
|---|---|---|---|
| 2 | 1 | 2 | 1 |
| 3 | 4 | 1 | 0 |
| 3 | 0 | 0 | 1 |

| 4 | 3 |
|---|---|
| 4 | 1 |

**各区画の平均値を抽出する場合**

特徴マップ　　　　アベレージプーリング

| 4 | 1 | 3 | 2 |
|---|---|---|---|
| 2 | 1 | 2 | 1 |
| 3 | 4 | 1 | 0 |
| 3 | 0 | 0 | 1 |

| 2 | 2 |
|---|---|
| 2.5 | 0.5 |

　この圧縮された情報は次の畳み込み層に画像情報として送られ，そこにおいても，新たなカーネルを使い，特徴マップを作成していきます。このプロセスを繰り返すことで，画像の特徴抽出・圧縮が行われ，後工程におけるネットワーク処理の負荷も軽減されていきます。図表3-7の「後工程」のところで，全結合層の縦長のバーが短くなっているのは，そのことを表しています。

## ＣＮＮにおける学習とは

　以上の説明から分かる通り，ＣＮＮでは，画像から得られる特徴は各カーネルに振り分けられたパラメータ（値とその並び）によって決まってきます。このため，図表3-7の右端にある出力が「不確か」であれば（確率的に低ければ），ＣＮＮは，誤差逆伝播法を駆使して，各カーネルのパラメータを修正していくことになります。

　ここでも，その訓練は何エポックも実施します。最初のうちは「犬であるか，猫であるか」の判定は的外れとなりますが，訓練を進めるうちに，カーネルの「値」（パラメータ）は収束していきます。これがＣＮＮによる学習プロセスとなるわけです。もっとも，十分な精度で判定できるかどうかを確認するために，最後は，訓練に用いたデータとは別の画像を使っ

て，CNNのパフォーマンスを試します。問題がなければ，これで画像認識の精度を上げるための学習は終了となります。

　なお，本書の第6章第1節では，ＣＮＮ技術を応用した「テンソルフロー」（機械学習用ソフト）の活用事例を，また第7章では，ＣＮＮ技術（肌画像分析）を中核に据えた化粧品事業を紹介することになります。

## 第3節　主要なその他学習アルゴリズム

### オートエンコーダ（自己符号化器）とは

　図表3-1の深層学習のところには，ＣＮＮに続き，「オートエンコーダ，ＲＮＮ，ＤＱＮ」などのアルゴリズムが列挙されています。またその図表の左下には「強化学習」「遺伝的アルゴリズム」という言葉があり，矢印の先には「アルファ碁ゼロ」というプログラムが記載されています。この最終節では，残りのアルゴリズムやプログラムについて説明を加えておきましょう。

　まず「オートエンコーダ」ですが，これもトロント大学のジェフリー・ヒントンらが2006年に提案したアルゴリズムで，教師データを使わずに画像などの入力データを圧縮し，重要な情報（特徴量）のみを抽出していくところに，ＣＮＮとの違いがあります。

　図表3-8を見てください。下と上に入力層と出力層がありますが，この2つの層は「同じ層」を別々に表したものと理解してください。これらをまとめて「可視層」と呼びますが，注目点は，隠れ層のノード数が可視層（入力層と出力層）のノード数よりも少なくなっていることです。

　今，猫の画像情報をオートエンコーダに入力するとします。この「入力層」に入ってきた画像情報は「隠れ層」において，元データを象徴する情報（特徴量）に圧縮されます。それは，言わば，画像データを重要度に応じて点数化し，低い点のデータより削除していくプロセスと捉えることができます。これが「エンコード」と呼ばれる処理になります。続いて「出力層」では，圧縮された情報を使い，元の猫画像とほとんど変わらない画

像を復元します。これが「デコード」と言われる処理です。大量のデータ
（様々な猫の画像）を使って，このエンコードとデコードを繰り返し，画像
に共通する「特徴量」（n次元の潜在変数）を抽出していくのが，オートエン
コーダによる学習プロセスとなります。

出力層（可視層）

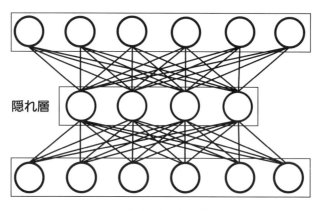

隠れ層

入力層（可視層）

図表3-8　オートエンコーダの仕組み

　オートエンコーダを応用した事例（不良品の検出システム）についても，
本書の第6章第2節で紹介します。

## 再帰的ニューラルネットワーク（RNN）とは

　次に記載されている「RNN」（Recurrent Neural Network）は「時系列
データ」を扱うのに適したアルゴリズムで，基本的に「教師あり学習」の
形を取ります。

　既述の通り，CNNは「二次元的な関係」に重要な意味を持つデータを
扱いますが，RNNは「前後関係」に重要な意味を持つデータを処理しま
す。例えば，人口や株価などは時間の経過とともに変化していきます。音
声処理，自然言語処理，翻訳処理であれば，入子構造や文脈（他の単語との

関係）によって言葉の意味や解釈が変わっていきます。ＲＮＮはこうした
「時間軸上の前後関係」や「文脈上の前後関係」をデータとして取り込み，
誤差逆伝播法を用いて特徴量を抽出していくアルゴリズムなのです。

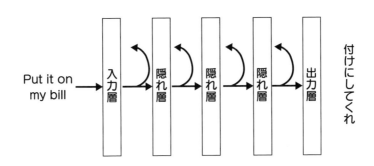

**図表3-9　再帰的ニューラルネットワーク（RNN）の仕組み**

　基本的な仕組みは図表３-９の通りとなります。左と右に入力層と出力
層があり，その間に複数の隠れ層が入っています。他のニューラルネット
ワークとの違いは，隠れ層自体がフィードバックループを持っていること
です。つまり，ＲＮＮでは「１ステップ前の隠れ層」と「現在の隠れ層」
がフィードバックループで繋がっているため，現在の重み付け（パラメー
タ）だけでなく，それ以前の重み付けも遡って更新できる仕組みとなって
いるのです。したがって，各隠れ層は，そこに入ってくる値と，過去の隠
れ層が活性化した値の両方に基づいて，現在の隠れ層における活性化値を
算出することになります。

　例えば，同じ英単語（bill）であっても色々な意味（請求書，法案，紙幣，広
告，くちばし）を持っていますので，ＲＮＮは翻訳を誤る度に元に戻ってパ
ラメータ（過去の隠れ層が使ったパラメータも含めて）を修正し，精度を上げて
いきます。

　この技術が実用化されたことで，グーグル翻訳などはかなり高い精度で
翻訳できるようになっています。読者もそれを感じているのではないで
しょうか。余談ですが，筆者らは試しに「What did the duck say when

she bought lipstick?」「Put it on my bill」という文章をグーグル翻訳に入力してみました。その結果，最初の英文は「彼女が口紅を買ったとき，アヒルは何と言いましたか」と訳されました。まあまあの翻訳かと思います。ただ次の文章については「私の請求書にそれを入れてください」となっていました。文脈全体を見た上でのパラメータ修正がより高度になれば，やがて「付けにしてくれ」と訳すようになるはずですし，将来はジョークも理解し，「くちばしに塗ってくれ」というニュアンスも伝えてくれるようになるのではないでしょうか。

　なお，第2章第5節において，コールセンター業務を担うAIが (a) オペレータと顧客の対話を同時並行的にテキスト化し，(b) 問い合わせ内容を整理し，最後に (c) データベースより回答に必要となる適切な製品サービス情報を抽出する，と説明しましたが，最初の (a) のところにRNN技術が応用されているわけです。

## 強化学習とは

　図表3-1に記載した最後の深層学習アルゴリズムは「DQN」となっていますが，その説明に入る前に「強化学習」について解説しておきます。強化学習とCNNが結び付き，DQNが登場してくるため，その順序で説明する方が分かりやすいと思うからです。

　「強化学習」(Reinforcement Learning) とは，心理学の分野で「オペラント条件づけ」として知られる訓練法を模したアルゴリズムです。例えば，「ブザーが鳴った時にレバーを押すと餌がもらえる箱」にネズミを入れるとします。すると，そのネズミはいつしか (試行回数が無限に増えていけば)，ブザーが鳴ればレバーを押すようになります。言わば「行動を通して学習」するわけです。これが強化学習のエッセンスです。

　したがって，強化学習では「ラベル付けした訓練データ」は使いません。代わりに，学習主体である「エージェント」(ネズミに代わるもの) を想定し，報酬などの刺激を通じて学習する「場」を用意します。例えば，エージェントをある状態 (s) に置き，そこで実行可能な行動を3つ ($a_1$, $a_2$, $a_3$ の選択肢) 与えるとします。すると，エージェントは，価値関数「Q」を

使って，ある状態における行動の価値（報酬の期待値）を推定するようにな
ります。これは「Q値」と呼ばれ，それぞれ Q (s, a₁), Q (s, a₂), Q (s, a₃) と
して表されます。

　最初のうちは，Q値は不確かですが，試行錯誤を繰り返すうちに，ネズ
ミと同様，エージェントも，ある状態 (s) における行動（例えば，a₁）のQ
値をより正確に推測できるようになっていきます。そして，最終的には，
その経験と蓄積したデータに基づき，最も高い価値に繋がる行動を選択す
るようになるわけです。

　ただ，この強化学習は，単純なゲームであればいいのですが，現実世界
の複雑なタスクとなると，ほとんど使いものになりませんでした。例え
ば，ネズミの訓練であれば，エージェントが置かれる状態は「ブザーが鳴
る場合，ブザーが鳴らない場合」，選択可能な行動は「レバーを押す，押
さない」，得られる価値は「餌をもらえるかどうか」などと簡単に記述で
きますが，現実世界では，エージェントが直面する「状態」は膨大な数に
膨らみ，学習時間も天文学的なものになってしまうからです。

　確かに，一時期，強化学習の応用可能性に対する期待は膨らみました
が，この壁にぶつかったことで，またニューラルネットワーク系のアルゴ
リズムが台頭してきたこともあり，2000年代に入ると，強化学習は勢い
を失っていきました。

## 遺伝的アルゴリズムとは

　なお，図表3-1では，強化学習の真下に「遺伝的アルゴリズム」
(Genetic Algorithm) という学習法が記載されています。これは，1975年に
ミシガン大学のジョン・H・ホランド (John Henry Holland) が提唱したも
ので，試行錯誤を繰り返しながら，最も高い価値をもたらす行動を選択し
ていくというアルゴリズムです。その意味で，これは強化学習によく似て
います。例えば，考慮すべき変数が5つあったとします。すると，このア
ルゴリズムは，5つの変数をランダムに組み合わせ，各組み合わせの結果
を確認し，より望ましい結果に繋がる組み合わせだけを残していきます。
このプロセスは強化学習的であると言えるでしょう。強化学習との違い

は，望ましい結果をもたらした組み合わせを残すだけでなく，時折，大胆な組み合わせの変更（突然変異）を行い，まったく新たな組み合わせを創出・選択するところにあります。

遺伝的アルゴリズムについては，第5章第6節で具体例を挙げて解説することになります。

## 深層強化学習とＤＱＮ（深層Ｑネットワーク）

さて，強化学習に関する研究は2000年代に入ると勢いを失っていったと説明しました。現実世界のタスクを扱おうとすると，列挙すべき「状態」（s）が膨大な数となり，学習時間も天文学的な数字に膨れ上がるため，というのが理由でした。これを解決するために登場したのが強化学習とディープラーニングを組み合わせた「深層強化学習」（Deep Reinforcement Learning）という新たな手法です。図表3-1に掲げられている「ＤＱＮ」（Deep Q-Network）とは，これを組み込んだ代表的なアルゴリズムを指します。強化学習では，探索の結果を踏まえ「Q値」を更新していくと述べましたが，ＤＱＮの「Q」は，まさにそこから来ているわけです。

さて，既に第2章第4節で，ディープマインド社の「アルファ碁」が，2016年に世界的なトップ囲碁棋士の李世乭（イ・セドル）を破ったと紹介しましたが，そのプログラムに組み込まれたのが，ＤＱＮの技術だったのです。同社は「アルファ碁イ」を開発するにあたり，プロ棋士による棋譜データ（訓練・学習データ）を使用しましたが，2017年に「アルファ碁ゼロ」へとバージョンアップした時には，一切，教師データを使いませんでした。囲碁のルールに関する知識以外，すべてを「ゼロ」の状態から自己学習させたのです。気になるのは，その能力ですが，「ゼロ」は「イ」との百回の対局で，すべて勝利したと言います。

これ以降も，ディープマインド社はＤＱＮを応用し，囲碁，将棋，チェスなどを行う「アルファゼロ」を開発し，2019年1月には，リアルタイム戦略ゲーム（スタークラフト2）向けの「アルファスター」も世に送り出しています。言うまでもなく，これらバージョンも人間のトッププレイ

ヤーを破る実力を誇っています。

## アルファ碁ゼロによる「直観的な認識」

　さて，2017 年のアルファ碁ゼロ（アルファ碁イもほとんど同じ）は，盤面の状況認識に「ＣＮＮ」を採用し，また打つ手の探索に「モンテカルロ木探索」を使い，いわゆる「達人による直観的な認識」を再現したと言われています。

　既述の通り，強化学習の手法を囲碁に応用するには，最初に「状態」（盤面）を正しく規定する必要があります。ただ，囲碁の場合，盤面を映す画像が異なれば，たとえピクセル単位の違いであっても，すべて別ものとして扱われ，結果，考慮すべき「状態」($s$) は膨大な数に膨らむことになります。これを解消するには，画像認識に強いＣＮＮを使うしかなかったわけです。またそもそも，囲碁においては，碁石と碁石の二次元的な関係や，布石パターンを踏まえた上での各状態における候補手（選択肢）の価値を推定する必要があったわけですから，ＣＮＮの活用はほぼ必然だったのです。

　打つ手の探索に関しては，ディープ・ブルー（チェスのプログラム）の段階では「しらみ潰し戦法」を使っていましたが，チェスを超える手数の囲碁では，もはや，その戦法は使いものになりませんでした。そこで，ある盤面において候補となる手をランダムに抽出し，それに続く「展開」をシミュレートしながら，各手の価値を点数化する「モンテカルロ木探索」が採用されたわけです。では，ＣＮＮとモンテカルロ木探索の2つはどのようにして「直観的な認識」を再現できたのでしょうか。

　アルファ碁では，ある盤面から始まる「対局のシミュレーション」を勝ち負けが決まるまで続けていきます。よって，3つの候補手がある場合，そこからツリーを描くように，3つの動きが記録されることになります。同じ盤面から始まるこの3つの展開は「ロールアウト」と言われますが，アルファ碁は，一方で，各ロールアウトで採用した候補手の価値を記録し，他方で，同一盤面からのシミュレーションが終了すると，記録・更新された候補手の点数を参照し，どれが最も有望な手であったかも評価・判

断します。

　モンテカルロ木探索による候補手の選択は，学習の初期段階ではばらつ
きも生じますが，ロールアウトを重ねるうちに統計データが蓄積されるた
め，やがてランダムではなく，より勝ちにつながる候補手を選択するよう
になっていきます。ただ，これだけでは，プロに勝る効率的な探索とはな
らず，直観的な認識を再現することはできませんでした。

　それを大幅に改善したのがＣＮＮだったのです。ＣＮＮを使えば，現在
の盤面におけるすべての候補手に「大まかな価値」をつけることができる
ため，モンテカルロ木探索は，その大まかな価値を手掛かりとして「シ
ミュレートすべき手」を絞り込むことができたのです。つまり，無作為に
候補手を抽出するのではなく，ＣＮＮが出力した値を指針として，有望な
手を選べるようになっていったわけです。

　さらに，これを手掛かりとして，モンテカルロ木探索が実際に始動する
と，今度はシミュレートされた候補手の新たな価値（確率）が出力される
ため，その「新たな価値」と「ＣＮＮが最初に出力した価値」との間に
「ギャップ」が生じてきます。強化学習のところで「試行回数が増えれば
増えるほどＱ値はより正確になる」と述べましたが，通常，新たな出力
の方がより客観値に近づくため，ＤＱＮはこのギャップを縮小するため，
誤差逆伝播法を用いに，ネットワーク内の重み付け（パラメータ）を修正し
ていったわけです。

　ある種の「直観的な認識」が再現されるようになったのは，そしてアル
ファ碁ゼロが教師データを不要としたのは，まさにこのＣＮＮとモンテカ
ルロ木探索の間の「学習のスパイラル」があったからであり，それを通じ
てアルファ碁ゼロが何処までも賢くなっていったから，と言うことができ
ます。


　以上の通り，本章では「帰納的アプローチ」のうち，第３次ＡＩブーム
を牽引してきたニューラルネットワークがどのようなものであったかを図
表３−１に沿って解説してきました。当然，これ以外にも，新たな深層学
習アルゴリズムは登場しています。例えば，トロント大学チームは2012

年の競技会で優勝したわけですが，その翌年には「カマキリや寺院などの画像を少しだけ細工すると，彼らのプログラムはこれをダチョウに分類してしまう」との指摘がなされました。細工された画像は「敵対的サンプル」と呼ばれますが，この指摘が契機となり，精巧な敵対的サンプルを生成する技術と，それを見破るための技術の双方が進化し始め，現在では「深層生成モデル」(Deep Generative Model) と呼ばれる新たなアルゴリズム群も登場しています。ただ，これらもニューラルネットワークの応用型ですので，本章では，それ以上の解説は控えました。

　既述の通り，企業が実用性のあるＡＩツールを構築するためには，ビジネス実務という視点で利用するアルゴリズムを評価・選択する必要があります。ここでは，まずその有力な選択肢として，強化学習を含むニューラルネットワーク系のアルゴリズムを見てきましたが，この他にも，極めて重要なアルゴリズムがあることを強調しておかなければなりません。それが次章に見ていく「回帰モデル」というアルゴリズムです。

# 第4章
# 回帰モデルとアルゴリズムを選択する視点

　第3章では，ニューラルネットワークの基本とそれを応用したＣＮＮなどのアルゴリズムを見てきました。これらはいずれも「帰納的アプローチ」を採るものですが，ビジネスにＡＩを導入する際，忘れてならないもう1つの重要な帰納的アプローチがあります。それが本章で見ていく「回帰モデル」です。その説明において，単回帰分析，重回帰分析，線形回帰モデル，重回帰モデルなどの用語を用いますが，「回帰モデル」とはそれらの総称であることを最初に確認しておきます。

　さて，前章冒頭で，ビジネス実務という視点で「実用性」のあるＡＩツールを構築するには，いずれのアルゴリズムでいくか（組み合わせも含めて）を決める必要があると述べました。それゆえ，本章では，回帰モデルの説明を行った上で，さらに回帰モデルとニューラルネットワークなどの比較・検討も併せて行うことにします。ビジネス実務においてはいくつかの「視点」を明確にし，その視点より各アルゴリズムのメリットとデメリットを確認する必要があります。実用的なツールを用意するには，この確認は不可欠です。

　ただ，アルゴリズムの選択は，画像処理などのように，対処すべき課題によって，ほぼ必然的に決まってしまうものもあります。それゆえ，本章では，比較のための「視点」を浮き彫りにする目的で，あえて回帰モデルでも，ニューラルネットワークでも，対応可能な「課題」を具体例として取り上げることにします。

　まず，本章の構成を整理すれば，第1節で，この「具体例となる課題」を確定し，第2節で，その課題との関連で，回帰モデルを用いた場合の

ツール構築について解説します。その後，第3節において，同じ課題にニューラルネットワークを応用した場合のツール構築について説明し，最後に，実用性のあるＡＩツールを構築するにあたり，どのような「視点」で考慮すべきなのかを明らかにします。


## 第1節　課題としての「不動産価格の予測」

### ビジネス実務の観点

　ＡＩツールを開発・導入するにあたり，企業は「どれくらいの規模の投資を行うか，その投資によってどれくらいのコストを削減できるか，あるいはどのような新規事業を起こせるか，その投資を合理的な期間で回収するには，商品やサービスをどれくらいの値段で提供するか」などを考慮する必要があります。これをビジネス実務の観点と呼びます。それを軽視し，研究上の関心からアルゴリズムを選ぶのであれば，あるいは外部コンサルタントのセールストークをそのまま受け入れるのであれば，アルゴリズムの選択など難しいことではありません。

　しかし，「ＡＩをビジネスに活かす」という本書の目的からすれば，ビジネス実務という観点を欠いた議論は意味がなく，また多くの読者も「その観点をもってアルゴリズムを選択すべきだ」と考えているはずです。それゆえ，以下では，実務的な深掘りができるよう，一般論ではなく，取り上げるべき「具体的な課題」を明確にすることにします。結論から言えば，筆者らは，「不動産価格の予測」がそれに最も相応しいと考えています。その理由として4つを挙げておきましょう。

### アルゴリズムを比較できること

　第1は，この種の価格予測であれば，回帰モデルを用いても，ニューラルネットワークを用いても，ツールの構築がともに可能ということです。例えば，画像データを使い，判別・分類・予測するツールの開発であれば，法則性を持たない画像情報を一定の構造を持ったデータ配列に変換す

る必要があります。また画像などは，数値データのように小さい数から大きい数へと直列的に並んでいませんので，画素数が増えれば増えるほどその処理は複雑となっていきます。このような「非構造データ」を処理するには，第3章第2節で見た通り，CNNなどのアリゴリズムを用いるしかないのです。このため，画像処理や音声処理などは取り上げるべき課題として相応しくないことになります。これに対し，不動産価格の予測であれば，少なくとも，回帰モデル，ニューラルネットワークのいずれでも，等しく利用することができます。

## 予測が簡単ではないこと

　第2は，不動産価格の予測が最も難しい課題の1つであることです。アルゴリズムの優劣を比較する際，取り組むべき課題があまりにも単純であれば，そもそもAIツールの開発・構築も不要となってしまいます。それゆえ，一定以上の難しさがツール構築の前提でなければなりません。では「不動産価格の予測は難しい」と言ってよいのでしょうか。

　最終消費財として取引される財やサービスは，数百万に上ります。ここに企業が生産する中間財や輸入材，労働サービスの対価である賃金を加えていくと，数億の財やサービスが市場で取引されていることになります。しかし，その大半は，規格化されていますので，価格を予測することはそれほど難しくありません。確かに，テレビ，パソコン，デジタルカメラなどの耐久消費財は，品質に応じて価格を変えるため，予測は複雑になりますが，それでも一定のパターンに従って品質を調整すれば，予測は可能です。各国統計局は，これを「品質調整問題」と呼んでいますが，その調整が今もって困難とされるのが「不動産」なのです。

　不動産価格の予測はどうして難しいかと言えば，例えば，マンションは，比較的均質なので予測しやすいと思うかもしれませんが，物件毎にデベロッパーは違い，エリアや築年数が異なれば，価格も異なってきます。同じマンション内であっても，通常，同一フロアに同じ大きさ・間取りの物件は存在しません。他の階に同じ大きさ・間取りがあったとしても，階が違えば価値も変わってきます。同じフロアの物件でも，方位が違えば，

日当たりやそこから見える風景も変わります。つまり，価格を差別化する「品質」（属性）の数が余りにも多いということです。このため，不動産価格の予測は最も難しい課題の１つとなるのです。

## 予測ツールがもたらす社会的なメリット

　第3は，価格予測ツールが構築された際に，社会が享受するメリットが大きいということです。例えば，住み替えを考える人は，いくらで自宅を売却できるかが分からなければ，新たな住宅の購入資金をどれくらい用意したらよいか，予測できません。不動産を担保に取って融資を行う金融機関も，不動産価格を適切に評価できなければ，デフォルト・リスク（債務不履行の可能性）を合理的に管理することができません。不動産デベロッパーについても，価格予測ができなければ，マンション建設予定地の上限取得価格をいくらにするか，開発するマンションのグレード（顧客層）をどこに設定するか，平均販売価格をいくらにするかなど，細かなことは決められません。この意味で，信頼できる不動産価格の予測ツールが構築されれば，生活者，金融機関，デベロッパーなど，多くの関係者がメリットを享受することになります。

　こうした直接的なメリット以外にも，価格予測ツールは「第三者性」「中立性」という社会的なメリットも市場全体に提供してくれます。例えば，自宅を売りたいと考えている人が，不動産屋（宅地建物取引士）を訪ね，どれくらいの値段で売れるかを尋ねるとします。すると，不動産屋は，色々と確認した上で「2500万円くらい，良くて3000万円ですね」とその金額を算定することになります。ただ不動産の専門家でない売主には，提示された価格が果たして適切なのかは分かりません。仮に「3500万円ぐらいで売りたい」と思って，不動産屋を訪ねたのであれば，売主は「この不動産屋は，早く売りたいから，低く見積もっているのではないか」と疑ってしまうかもしれません。

　この場合，売主は，自分で不動産関連サイトを検索したり，情報誌を調べたりするでしょうが，そもそも自宅と同条件の住宅など存在しませんから，たとえ自分自身で情報を集めたとしても，結局，その情報は使えない

と感ずるはずです。これは，不動産を購入する側についても同様に言えることです。不動産業者がどんなに誠実に仕事をしていても，一般の買主は不動産に関する専門知識を持っていませんから，「高値掴みになるのでは」と疑ってしまうのです。

　そんな状況で，もしＡＩによる査定サービスが利用できるとしたらどうでしょうか。ＡＩという第三者的なツールが提示するものであれば，仲介業者による直接の査定ではないため，売主も買主も総じて納得するのではないでしょうか。たとえＡＩによる価格予測が，不動産屋による予測に劣るとしても，取引に関わる人々はツールが提供するこの「第三者性」や「中立性」を評価する傾向にあるからです。

## 社会全体の流れ

　最後は，社会全体の流れが，不動産価格の予測ツールの構築に向かって進んでいるということです。これは，予測ツールがもたらす社会的メリットが大きいために，起こっている社会事象と言うことができます。

　2017年，米マサチューセッツ工科大学（MIT）不動産研究センターは，人工知能研究の世界的な拠点の１つと言われるメディアラボと協力し，「Real Trends—The Future of Real Estate in the United States」という報告書を公表しました。その中で，同センターは「不動産価格の自動評価」がＡＩやビックデータを使った新たな価値創造分野になると指摘しています。

　もっとも，不動産価格の予測は，これまで不動産鑑定士や宅地建物取引士といった国家資格を有するエキスパートが行ってきました。例えば，日本では，不動産鑑定士は，その名の通り，不動産の経済価値を鑑定し，土地や建物の適正価格の形成に寄与してきました。市場では，不動産の売買・交換・担保・贈与などの契約や取引が日々行われていますが，鑑定士は，それら取引の円滑化に貢献してきたわけです。他方，宅地建物取引士は不動産取引を仲介する専門家として活躍してきました。「不動産価格の評価」に関して言えば，宅地建物取引士は，売主側に立って売却を支援する際には販売価格を予測し，逆に買手側に立って購入を支援する際には購

入価格を予測してきました。そうしたエキスパートが価格評価の役割を担ってきたにもかかわらず，今，社会全体としてＡＩツールによる評価が期待されているのです。ＭＩＴの報告書によれば，ＡＩが不動産価格の評価を行う時代は，既に米国では到来しており，これからさらに発展していくとされています。

　社会全体がその方向に進んできたということ，そしてさらに進展するということは，見方を変えれば，この分野には，既に多くの知見や経験が蓄積されているということを意味します。それらの知見を踏まえれば，回帰モデル，ニューラルネットワーク，その他手法の体系的な比較も可能となってくるはずです。

　さて，前置きが長くなりましたが，以上，４つの理由を踏まえ，続く第２節では，回帰モデルを使った場合の「不動産価格の予測ツール」は，どのようなものになるのかを整理していくことにしましょう。


## 第２節　回帰モデルによるツールの構築

### 単回帰分析を用いた価格の予測

　不動産価格の予測に関するＡＩ研究は歴史が長く，第２次ＡＩブームが起こった40年前に遡ることができます。そのこともあり，住宅価格の予測問題は，統計学や機械学習の教科書に度々取り上げられてきました。例えば，『経営学・経済学のための統計学』(Statistics for Business and Economics) という世界で最もよく使われる統計学のテキストがありますが，その中でも，「単回帰分析」（説明変数が１つしかない場合の分析）の具体例として住宅価格の予測が取り上げられています。分かりやすい説明ですので，本節でも，これに倣って話を始めることにしましょう。

　住宅の価格（Y万円）は，大雑把に言えば，住宅の広さ（X m²）によって決まってきます。住宅価格という「目的変数」に影響を与えるのは，広さという「説明変数」であるということです。この関係は容易に理解できるはずです。それを前提とした場合，住宅価格は次のような「予測モデル」

として表すことができます（数式 4-1）。

$$Y = a + bX + \varepsilon \qquad\qquad 数式\ 4\text{-}1$$

　回帰分析を使ってＡＩツールを構築するということは，厳密に言えば，このモデルを組み込んだ「機械」を作ることを意味しますが，ここでは予測モデルの構築そのものを「ツールの構築」と呼ぶことにします。

　さて，この予測モデルでは，ａとｂは「推計パラメータ」「回帰係数」などと呼ばれています。ａは「切片」を表し，ｂは「傾き」を表します。最後の ε（イプシロン）は，実際に集めた標本（データ）が母集団と完全に一致することはありませんので，その間に生じてくる確率的な「誤差」を指します。ただ，回帰モデルを理解する上では「誤差」は特に重要ではありませんので，数式ではこれを省略し，以下，数式 4-1' を使うことにします。

$$Y = a + bX \qquad\qquad 数式\ 4\text{-}1'$$

　この数式を前提とした場合，ａとｂのパラメータさえ分かれば，後は，大きさ（X）を入れるだけで，住宅価格（Y）は算出されることになります。例えば，ａが 2000 万円，ｂが 10 万円だとしましょう。仮に広さ（X）が 100 平方メートルであれば，価格（Y）は，数式 4-2 の通り，3000 万円となるわけです。

$$Y = 2000 万円 + 10 万円 \times 100m^2$$
$$Y = 3000 万円 \qquad\qquad 数式\ 4\text{-}2$$

## パラメータ（回帰係数）はどのように求めるか

　では，ａとｂはどのようにして求められるのでしょうか。ここでは，標

本データが揃っていますので，Xを「住宅の広さ」ではなく，「最寄り駅までの距離」に置き換えてaとbを求めることにしてみます。つまり，「最寄り駅までの距離」（説明変数X）を使って，「住宅価格」（目的変数Y）を予測するモデルを考えてみるということです。この場合，aとb（パラメータ）はどのように求められるのでしょうか。

　図表4-1を見てください。これは，ある地域の住宅価格と最寄り駅までの距離を示したものです。縦軸の数字は住宅価格（Y）を表し，横軸の数字は距離（X）を表します。駅から離れていくと，価格が少しずつ安くなっていることが分かります。読者は「他の物件の価格を予測するには，この両者の関係を一般化すればよい」ということに気づくはずです。それは両者の関係を「一本の線」で表せばよいということです。この図表中に，一本の線をうまく引くことができれば，切片（a）と傾き（b）が決まってくるからです。

　その線を引くための基準には色々あるのですが，ここでは，最もよく使われている「最小二乗法」という基準を採用することにします。それは「標本として集めたデータ」と「回帰式」との差をできるだけ小さくする線を引くというものです。

　手順として，最初に，住宅価格（縦軸）と最寄り駅までの距離（横軸）を確認しながら，各標本データが位置する「点」をプロットしていきます。次に，各点の間を通る「直線」を引くのですが，その際，「各点と直線，それぞれの距離の二乗の合計」が最も小さくなるよう，その直線を引かなければなりません。今少し説明しますと，線を引く際に，ある点は線の上に，また別の点は下に来ますが，回帰式から得られる（y）と各データが実際に示す（y'）の「差」（残差）を，すべての点に関して求め，それら「残差」を二乗した上で足し合わせます。その合計が最小となる直線（aとb）が，両者の関係を「平等」に表す最適の線となるわけです。

　さて，実際の標本データに基づいてパラメータを求めてみますと，この場合，aの切片が69万円，bの傾きが−1.18となりました。すなわち，この予測モデルについては，最寄り駅から1分離れる毎に，住宅価格は1.18万円安くなるという直線が引かれるわけです。

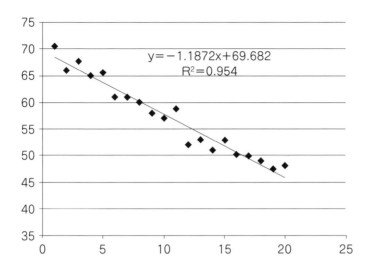

**図表4-1　最寄り駅までの距離と住宅価格**

## 重回帰分析を用いた価格の予測

　しかし，実際の住宅価格は，1つの説明変数（広さ，または最寄り駅までの距離）だけで単純に決まるわけではありません。それ以外の様々な属性・品質が住宅価格に影響を及ぼしてきますので，より正確に価格を予想しようとすれば，説明変数（X）を増やしていく必要があります。この「複数の説明変数」を使って住宅価格（目的変数）を予測する手法を「重回帰分析」と呼びます。

　では，住宅価格に影響を与える属性・品質にはどのようなものがあるのでしょうか。住宅価格を予測する研究などを見ますと，少なくとも次のような属性・品質が挙がってきます。

$X_1$：広さ（m²）

$X_2$：部屋の数

$X_3$：建築後年数（年）

$X_4$：建物の構造（木造，鉄筋等）

$X_5$：最寄り駅までの時間（分）

$X_6$：最寄り駅までの交通手段（徒歩・バス・車）

$X_7$：最寄り駅からターミナル駅までの時間（分）

$X_8$：生活環境 1. 保育園や学校などの子育て環境

$X_9$：生活環境 2. 治安の良さ

$X_{10}$：生活環境 3. スーパーやコンビニなどの買い物のしやすさ

$X_{11}$：生活環境 4. レストランやケーキ屋などがあるか

$X_{12}$：生活環境 5. 病院などの医療体制

$X_{13}$：浸水被害のリスク耐性

$X_{14}$：土砂災害のリスク耐性

$X_{15}$：地震のリスク耐性

$X_{16}$：景色がよいかどうか（富士山が見える，海が見えるなど）

$X_{17}$：日当たり

　この場合，住宅価格は次のような予測モデルで表すことができます（数式 4-3）。

$$Y = a + b_1X_1 + b_2X_2 + b_3X_3 + \cdots\cdots + b_{17}X_{17}$$ 　　数式 4-3

　さらに，マンションなどであれば，以上の属性・品質（$X_1 \sim X_{17}$）に加え，床暖房やオートロックなどの設備によっても価格は変わってきます。また有名なデベロッパーが作った物件であるか，どの所得層をターゲットにした「ブランド」であるかなども，当然，価格に影響してきます。まだまだ属性・品質は増えるかもしれませんが，それらすべてを含めて（$X_{18} \sim X_n$）と表わせば，予測モデルは次のように修正されることになります（数式 4-4）。

$$Y = a + b_1X_1 + b_2X_2 + b_3X_3 + b_4X_4 + \cdots\cdots b_nX_n$$ 　　数式 4-4

## パラメータ（偏回帰係数）はどのように求めるか

　さて，単回帰分析のところで「aとbのパラメータさえ分かれば，後は，Xを与えるだけで，住宅価格（Y）は予測できる」と説明しましたが，基本は重回帰分析においても同じです。つまり，aと$b_1 \sim b_n$が決まれば，後は，$X_{1 \sim n}$を与えるだけで，住宅価格（Y）は予測できるわけです。これは，数式 4-2のような足し算でもって予測可能ということですが，専門的には，属性（$X_1 \sim X_n$）の「線形結合」によって不動産価格（Y）が決まると表現されます。「線形結合」という言葉は，この後も出てきますので，覚えておいてください。

　以上の説明から分かる通り，不動産価格を予測するAIツールを構築するには，価格（Y）に関するデータを集めるだけでは不十分で，どれだけ多くの属性・品質データ（$X_1 \sim X_n$）を集められるかにかかってきます。そうしたデータがなければ，帰納法的に「パラメータ」（$b_1 \sim b_n$）を導き出すことができないからです。

　なお，単回帰分析の際には，aを切片，bを傾きとし，これらを「回帰係数」と呼びましたが，重回帰分析の場合には，aはそのまま切片と呼びますが，$b_1 \sim b_n$は「偏回帰係数」と呼びます。それは，例えば，$b_1$であれば，$X_1$以外の属性を固定したまま，$X_1$を1増加させた時のYの増加量を，つまり，$X_1$軸に対する「傾き」だけを示す係数となるからです。

## 不動産価格の予測以外にも回帰モデルは使えるのか

　不動産価格の「予測」について説明してきましたが，誤解があるといけませんので，回帰モデルが「分類」や「判定」にも使えることを追記しておきます。

　例えば，賃貸住宅の入居審査を行う「判定ツール」を構築するとしましょう。それは，入居の申し込みがあった際，その申込者の家賃滞納確率を推計し，申込者が入居に相応しいかどうかを識別するものです。こうしたツールは，運用において倫理的問題を生むリスクもありますが，とりあえず，それがどのように構築されるのかを説明しておきます。既に説明した「単回帰分析」を用いて表せば，不動産価格の予測で学んだモデルと全

く同じものになります。

$$Y = a + bX \qquad\qquad 数式\ 4\text{-}5$$

　判定の場合は，Yは「1」と「0」で表すことになります。「1」は家
賃を滞納する人を，「0」は滞納しない人となります。ニューラルネット
ワークのところでも，最終的に出力する値は「活性化関数」を使って，例
えば「5以上であれば1を，それ未満であれば0を」などに変換できるこ
とを説明しましたが，回帰モデルでも，活性化関数に相当する「判別関
数」（ロジット・モデルやプロビット・モデルなど）を使い，最終の出力を「1」
「0」で表すことができるわけです。
　では，説明変数（X）についてはどうでしょうか。通常，家賃の滞納が
起こるかどうかは，申込者の収入と密接な関係がありますので，収入に影
響を及ぼす説明変数を使うのが合理的と考えられており，また事実，既に
次のような変数が1人ひとりの収入のばらつきの多くを説明するものとし
て利用されています。

$X_1$：年齢（1年）

$X_2$：性別（男性だったら1，女性だったら0）

$X_3$：最終学歴（大学院卒・大卒・高卒・それ以外）

$X_4$：勤務先の規模（従業員数）

$X_5$：職級（管理職だったら1，それ以外は0）

$X_6$：職種（営業職，技術職，事務職等）

$X_7$：業種（公務員・金融・不動産・教育・製造等）

　理論上は，この他にも説明変数はあり得るでしょうから，それらを上記
の7変数（$X_1 \sim X_7$）に追加すれば，最初の単回帰分析は，次のような重回
帰モデルに修正されることになります。

$$Y = a + b_1X_1 + b_2X_2 + b_3X_3 + \cdots\cdots + b_7X_7 + \cdots\cdots + b_nX_n \qquad 数式\ 4\text{-}6$$

　上記のようなモデルを使えば，申込者の判定にも回帰分析は利用できるわけです。つまり，ニューラルネットワークの場合と同様，回帰モデルも，「予測」だけでなく，「判定」などにも流用できるということです。

　さて，回帰モデルに関する説明は以上となります。読者は既に気づいているかもしれませんが，大雑把に言えば，回帰モデルにおいて求められる「回帰係数」「偏回帰係数」（$b_1 \sim b_n$）は，ニューラルネットワークにおいて学習される「重み付け」に対応してきます。その意味で，不動産価格の予測ツール（また家賃滞納判定ツール）は，ニューラルネットワークによっても構築可能なのです。


## 第3節　ニューラルネットワークによるツールの構築

### 課題としての多重共線性

　以上の通り，回帰モデルを使えば，不動産価格の予測ツールは構築可能ということが分かりました。それゆえ，ここから先は，ニューラルネットワークを利用した場合，どのようなツールを構築できるのか，そしてニューラルネットワークを用いた場合には，どのようなメリットがあるのかを整理していくことにします。メリットを一言で表現すれば，それは，回帰モデルが抱える「課題」を解決できるという点にあります。この意味を正しく理解するため，まず回帰モデルが抱えている課題を押さえておきましょう。代表的な課題は次の3つです。

　第1に，重回帰分析では，各説明変数（次元）を独立した属性・品質として扱っていますが，説明変数が増えると，どうしても説明変数間の相関関係が問題となってきます。例えば，偏回帰係数 $b_1$ を求める際，もし広さ（$X_1$）と部屋の数（$X_2$）の間に強い相関関係があれば，$X_1$ 以外の属性（$X_2$ も含めて）を固定したまま，$X_1$ だけを動かすことはできなくなり，回帰係数に推定誤差が生じてきます。これを「多重共線性の問題」と言います。このため，重回帰分析では，強い多重共線性がある場合，相関し合う変数の一方を除いたり，あるいは主成分分析などの統計的手法を用いて属性を

整理し直す必要があります。

## 課題としての交互作用

　第2に，相関の問題とは別に，ある説明変数が増加（例えば，$X_1$ が $1 m^2$ 増加）した時の目的変数（価格 Y）の増え方が，他の説明変数（例えば，$X_n$）に影響されるということも起こってきます。具体例としてよく挙げられるケースですが，例えば，タバコ（$X_1$）は健康（Y）に害を及ぼし，アルコール（$X_n$）も悪影響を及ぼします。それぞれが健康に影響を与えるわけですが，タバコとアルコールの2つを同時にやる場合には，健康（Y）に与える影響は，タバコとアルコールの単純な「線形結合」とはなりません。

　重回帰分析を用いて予測モデルを構築する際には，このような説明変数間の相乗効果（交互作用）まで考慮する必要があります。仮に説明変数 $X_1$ と $X_n$ の間に交互作用がある場合には，例えば，足し算でなく，掛け算でまとめ，「交互作用項」（$c X_1 X_n$）として表すこともできますが，悩ましいのは，交互作用には，影響を強め合う変数だけでなく，弱め合うもの，反対の影響を生み出すものなど，様々な形があることです。このため，交互作用項は「そもそも，掛け算で表してよいのか」といった疑問も生じてきます。説明変数が増えれば増えるほど，交互作用項は増える傾向にあり（かつ交互作用項間の多重共線性問題を生ずる可能性もあり），これが対処すべき課題の1つとなります。

## 課題としての非線形性

　第3に，ここに見てきた回帰分析では，1次関数で表される線形モデルを使い，また回帰係数も直線で表されることを前提として整理してきましたが，回帰係数の中には直線的に表せないものもあるはずです。例えば，数式 4−1' に基づき，住宅価格を予測した時，$100m^2$ の価格は「Y = 2000 万円 + 10 万円 × $100m^2$ = 3000 万円」としました。回帰係数 b が 10 万円として推計されていたからです。これは $1m^2$ 大きくなると，10 万円ずつ高くなることを意味します。

　しかし，$30 m^2$ から $31 m^2$ に大きくなる時と，$500 m^2$ から $501 m^2$ に大

きくなる時とでは，単純に 10 万円ずつ高くなるといった「線形結合」は考えられなくなるはずです。30 m² から 31 m² に広がると 15 万円上昇し，逆に 500 m² から 501 m² に広がる時には，5 万円しか上昇しないといったことも起こり得るわけです。これを非線形性の課題と呼びます。この他にも，回帰モデルを用いた場合の課題はありますが，ここでは，価格予測モデルを構築する際には，少なくとも，以上の多重共線性，交互作用，非線形性に対処しなければならないということを強調しておきます。

## ニューラルネットワークによる課題解決

　では，ニューラルネットワークを用いた場合，不動産価格の予測ツールはどのようなものになるのでしょうか。既にニューラルネットワークのメリットは，回帰モデルが抱える「課題」の解決にあると指摘しましたが，それは具体的にどのように課題を解決してくれるのでしょうか。まず，ニューラルネットワークによる予測ツールが基本的に「多層パーセプトロン」の構造と同じであることを確認しておきます。

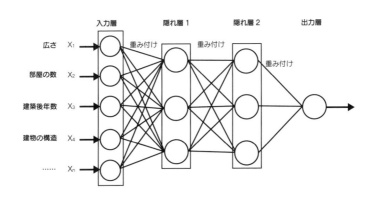

図表4-2　多層パーセプトロンによる予測モデル

　図表4-2がその概念図となります。左側より属性・品質に関する情報（X₁〜Xₙ）を受け取り，それらすべての変数を処理することで，右側に予測価格（Y）を出力するというモデルになっています。紙面の関係で入力

情報すべて（$X_1 \sim X_n$）を図表4-2に記載することはできませんので，図表中では，$X_1, X_2, X_3, X_4, X_n$ の5つをもって，すべてを表すものと仮定しておきます。またこのネットワークでは，2つの隠れ層があるものとします。

　ニューラルネットワークによる不動産価格予測ツールの特徴は，入力情報（$X_1 \sim X_n$）がすべてのノードと繋がっていること，そしてそれらの情報（$X_1 \sim X_n$）がネットワークを通じて処理されるうちに次元圧縮などの処理を受け，ある「特徴量」に絞り込まれることです。つまり，「大きさ（$X_1$）と価格」「部屋の数（$X_2$）と価格」「建築後年数（$X_3$）と価格」などの個別の関係だけを見るのではなく，「大きさ・部屋の数と価格」「大きさ・建築後年数と価格」などのように，柔軟に様々な変数の組み合わせや結合を行い，価格予測の精度を上げていくところに強みがあります。既に触れました「誤差逆伝播法」を駆使し，ネットワークはそれら特徴量に対する「重み付け」を修正しながら予測力を上げていくわけです。こうした処理により，ニューラルネットワークは，回帰モデルが抱えていた既述の3つの課題（多重共線性，交互作用，非線形性）をほぼ解消してしまいます。それゆえ，この点に関しては，ニューラルネットワークは「回帰モデルよりも優れている」と言うことができるでしょう。

## 回帰木による予測ツールの構築

　本章の目的は，回帰モデルに関する説明だけでなく，ビジネス実務という観点より，アルゴリズムの選択や組み合わせを検討する際，「どのような視点で見るべきか」を明らかにすることとなっています。その「視点」をより明確にするため，ここでは，回帰モデルとニューラルネットワークだけでなく，さらにもう1つ，別のアルゴリズムも比較対象に加えることにします。比較対象を増やすことで，着目すべき「視点」の大切さがより鮮明となるからです。

　追加するアルゴリズムとは，実務において現在でもよく利用されている「回帰木」（Classification and Regression Tree）という手法です。ニューラルネットワークが現在ほど普及していない時代の話ですが，米国の政府系住

宅金融会社であるフレディマック（Federal Home Loan Mortgage Corporation）は，1990 年代に「ローンプロスペクター」（Loan Prospector）と呼ばれる住宅価格予測システムを開発し，IBM も 1980 年代〜 90 年代にかけ，不動産価格を予測するシステムの開発研究を進めました。その際に利用されたのが「回帰木」という技術だったのです。

　これは，ニューラルネットワークとは異なる思想の下で開発された手法ですが，属性・品質（$X_1 \sim X_n$）を単純な線形結合ではなく，様々なベクトル（$X_1 \sim X_n$）の「複雑な組み合わせや結合」によって価格を予測するツールとなっています。筆者らが，ここで歴史のある「回帰木」を比較対象に加えるのは，回帰木が依然として利用されており，かつこれが「組み合わせや結合を使って予測する」ニューラルネットワーク的な特徴を持っているからです。

## 第4節　実用性のあるツールを構築する際の「視点」

### ＡＩツールの実用性を決める３つの視点

　さて，不動産価格を予測するＡＩツールの開発は，どのような「視点」を重視し検討すべきなのでしょうか。特にビジネス実務という観点で見た場合，何に着目し検討するのが合理的なのでしょうか。結論から言えば，アルゴリズムの比較・検討では，次の３つの視点を重視する必要があります。

　第1は「予測力」です。一般的に予測力は高いに越したことはありませんが，ビジネス実務という観点から言えば，これは注意して考える必要があります。どのような目的でツールを使うかで「要求される予測力」は変わり，さらには「予測」という言葉の意味も変わってくるからです。

　第2は「コスト」です。これも一般的に言えば，安いに越したことはありません。ただ，開発コスト，維持管理コスト，人材訓練コストなど，発生する費用の範囲やタイムスパンなどを広くとって検討する必要があります。例えば，どんなに予測力の高いツールを導入しても，その後，頻繁に

チューニングを行わなければならないとすれば、それは、コスト高になっていきますので、ビジネス実務上、合理的でないということにもなるからです。

第3は「説明責任」あるいは「説明の透明性」です。特に、そのツールを用いて導き出した結論（予測価格）を他人に説明する際、例えば、顧客にこれを伝える際、納得できる形で情報提供できるかということも極めて重要です。合理的な説明が困難な場合、そのツールは使えないということもあり得ますので、責任の透明性も欠かせない視点となります。

## 「予測値÷取引価格」で予測力を評価する

以上の視点を念頭に置き、回帰モデル、ニューラルネットワーク、回帰木の3つを比較してみましょう。第1の「予測力」に関してですが、これについては実証調査の結果を紹介することにします。

本調査は「戸建て住宅に関する標本データ7万7388件」（大手不動産広告のポータルサイトのデータ）を用いて実施したものです。その標本データは不動産価格（Y）と属性・品質（$X_1 \sim X_n$）の情報を含むもので、調査では全体の70%をツール構築用の訓練データ（正解と紐づけられた教師データ）として使い、残り30%を性能測定用の実験データとして利用しています。またアルゴリズムの予測力は、「予測値（Y）」と「実際の取引価格（Y'）」を対比させることで確認しています。

なお、予測力を測る尺度については、予測値－取引価格（Y － Y'）といった「差」で評価するか、それとも予測値÷取引価格（Y ÷ Y'）といった「比率」で評価するかを事前に決めておく必要がありました。本調査では、後者の「誤差率という比率」（1に近いほど誤差率は小さい）を用いています。特定のビジネス領域では「差額が重要」ということもありますが、「差」で見てしまうと、例えば、同じ10万円という金額でも、1000万円の住宅と1億円の住宅とでは、金額の持つ意味が異なってきますので、「比率」での評価を採用したわけです。

## 箱ひげ図を用いての比較

　アルゴリズムを比較評価する際の基準に加え，本調査では，標本データが持っているバイアスをできるだけ小さくする措置も採っています。

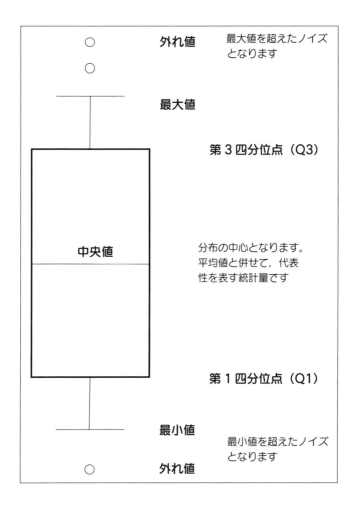

**図表4-3　箱ひげ図の見方**

　具体的には，それぞれのアルゴリズムについて，確認用データ（7万7388件の30%）をランダムに500回抽出し，「予測値÷取引価格」（Y ÷ Y′）

を算出しています。その結果，各アルゴリズムを観察した結果は，いずれも 500 件となります。図表 4 - 3 の「箱ひげ図」がそれをまとめたものです。

　「箱ひげ図」に馴染みのない読者もいるかと思いますので，少しだけ図表の見方を説明しておきます。図表 4 - 3 を見てください。まず縦の棒を「ひげ」と呼び，ひげの先の最下段が最小値，ひげの先の最上段が最大値を表します。ひげと離れたところある○印は「外れ値」と言い，単なるノイズを指します。すべてのデータ（ここでは観察結果）は，最小値と最大値の間で 4 つに均等（25%ずつ）に分けられ，各分割点は下から「第 1 四分位点（Q1）」「第 2 四分位点（Q2）」「第 3 四分位点（Q3）」と呼ばれます。

　そのうち，「四角い箱」（図表 4 - 4 では，線形回帰と回帰木は箱には見えませんが）で示された部分が「データの真ん中 50% の分布」，つまり，第 1 四分位点（Q1）から第 3 四分位点（Q3）までの「四分位範囲」（IQR）となります。この図表における「外れ値」については，ある観察結果（データ）が，Q1 －（IQR × 1.5）以下であれば，下の外れ値とし，逆に Q3 ＋（IQR × 1.5）以上であれば，上の外れ値として処理されます。

　なお，中央値は，並んでいるデータのちょうど真ん中を指し，平均値はそれぞれの観察結果を合計し，その後，データ数で除した値となります。一般に，観察結果の平均値は，外れ値の影響を受けますが，平均値を中心として分布が均等に散らばる場合には，平均値と中央値は一致することになります。

　以上を踏まえ，改めて図表 4 - 4 を見てください。ここには，回帰モデル（線形回帰），回帰木（RT）ニューラルネットワーク（NN），それぞれの「予測値÷取引価格（Y ÷ Y'）の平均値」の分布が示されています。

　仮に「予測精度の良し悪し」を，平均値が 1 に近いかどうかで評価するとします。縦軸に 0.95 〜 1.15 までの誤差比率という尺度が示されていますが，これで見た場合，平均値が最も 1 に近いのはニューラルネットワークとなっています。それに続いて，線形回帰が 2% 程度，回帰木が 3% 程度，それぞれ 1 から離れています。つまり，2 つはいずれもニューラルネットワークより劣っているわけです。

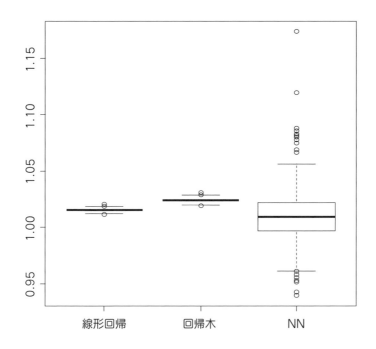

図表4-4　誤差率の平均値の分布（実験回数 500 回）

## 要求される予測力とばらつき

　しかし，これだけで予測力を判断するわけにはいきません。さらに「予測のばらつき」も見ておく必要があります。箱ひげ図では，箱が大きくなるほど，またひげが長くなるほど，ばらつきが大きくなることを意味します。その理解で図表を見ますと，500 回繰り返して計算を行った結果，ニューラルネットワークにおける平均値は最も 1 に近いのですが，予測を大きく外す確率も 3 つの中で最も高くなっていることが分かります。これとは対照的に，線形回帰のばらつきは小さく，回帰木のそれもほどほどにとどまっています。

　本節の冒頭，「どのような『目的』でツールを使うかで要求される予測力は変わり，さらには予測という言葉の意味も変わってくる」と述べまし

たが，「平均値」と「ばらつき」のいずれを重視するかは，まさにその「目的」によって変わってくると言わなければなりません。このため，たとえ高い精度（平均値が1に近い）を誇るツールであっても，外す時の間違いが大きければ，ビジネス実務上，「使えない」と判断されることもあるのです。例えば，金融機関が住宅ローンの審査を行う際，極端な価格査定ミスは致命的な欠陥となります。

　2000年代初頭の話ですが，ある金融機関が住宅ローン審査を目的として，実際にＡＩツールを導入したことがあります。その際の銀行の判断ですが，「平均的な予測精度の高さよりも，数パーセントの誤差であれば，ばらつきが小さいツールのほうが実用的」とされました。金融機関にとっては，継続的・安定的に審査を行うことが重要であって，またローンを受ける側も，それを望むからです。その時の判断は，現在でもそのまま支持されています。

## アルゴリズムを「コスト」で総合的に評価する

　第2は「コスト」です。まず開発コストについては，ツールの内容にもよりますが，総じて，ニューラルネットワークは伝統的な回帰モデルよりも割高となります。特に何をやりたいかを明確にせず，「アジャイル（試行錯誤しながら進める方法）で進めればよい」といった売り文句に乗って，ニューラルネットワークの開発に着手すれば，また「データは宝だ」という言葉を鵜呑みにして，画像・音声データなどをデータレイクに貯め続ければ，コストはうなぎ登りに膨らんでいきます。

　もちろん，回帰モデルの場合も，既述の「重回帰分析が抱える課題」を解決するため，データサイエンティストやコンサルタントの支援を仰がなければなりません。ツール開発の過程で，変数間の多重共線性や交互作用という課題があれば，また特定の変数について非線形性という特徴が見られれば，何らかの措置を講ずる必要があります。それを放置すると，ＡＩツールの予測精度が下がってしまうからです。ただ，回帰モデルの場合，統計用ソフト（R, パイソン〈Python〉など）自体に説明変数の自動選択機能などが実装されているため，次元削減などはそれほどのコストを掛けず行

うことができます。事実，本調査における「線形回帰」の予測力について
は，多重共線性と交互作用という課題を踏まえ，調査者が合理的な措置を
講じており，その際に要したコストも決して高いものではありませんでし
た。

　もちろん，これ以外にも，非線形性を考慮した「一般化加法モデル」，
分布に応じて回帰係数を計算する「四分位点回帰モデル」，空間的な依存
関係を考慮した「空間モデル」，多重共線性を回避しながら回帰係数を推
計するための「ラッソ回帰」「リッジ回帰」など，専門家でなければ分か
らない難解な手法やアプローチがあり，その選択や調整，実装化なども必
要になるかもしれません。その際には，追加のコストが発生することにな
るでしょう。

## ハイパーパラメータをチューニングするコスト

　他方，ニューラルネットワークでは，多重共線性や交互作用などの「重
回帰分析が抱える課題はほぼ解消される」と述べましたが，それは，これ
によって，データサイエンティストやコンサルタントの支援が不要になる
ということではありません。これはあまり知られていませんが，誤差逆伝
播法を使ってＡＩツールを訓練するためには，かなりの専門性あるいは職
人技が必要となってきます。それは，回帰モデルの調整においてデータサ
イエンティストが果たす役割以上に大きなものとなります。

　一般に，ＡＩは教師データからパラメータを自律的に学ぶと考えられて
いますが，厳密に言えば，それは決して自律的な学習ではありません。Ａ
Ｉが自律的に学習できるよう，前段階としてデータサイエンティストが
「ハイパーパラメータ」を設定しなければならないからです。これは「ハ
イパーパラメータのチューニング」と言われ，例えば，構築するネット
ワークの層の数をどうするか，各層におけるノード（ユニット）の数はど
うするか，いずれの誤差関数（損失関数）を使うか，学習過程ではどのタ
イミングで，どれくらいの幅で学習率を変更するか，といった細かな調整
が求められます。

　それらは，結局，経験を積んだ専門家が手探りで設定するしかないので

す。米国では，若手であっても，5層のニューラルネットワークを訓練できれば，数万ドル（数百万円）の報酬が，50層のネットワークを訓練できれば，数百万ドル（数億円）の報酬がそれぞれ得られる，と言われています。データサイエンティストに支払うこの報酬額を見ただけでも，ニューラルネットワークの開発コストが，回帰モデルや回帰木を大きく超えることは簡単に理解できるでしょう。

またコストは開発段階以外でも発生してきます。ＡＩツールを用いる場合，大量のデータを処理することになりますが，その際の計算負荷を比較すれば，ニューラルネットワークは，回帰モデルの何十倍，場合によっては何百倍にもなります。また頻繁にチューニングが必要になるツールであれば，回帰モデルよりも，ニューラルネットワークの方が割高となるはずです。それゆえ，回帰モデルや回帰木などのツールでも十分に目的を達成できる場合には，あえてニューラルネットワークを用いる必要はないわけです。

## 自動化したいタスクとの関係を考える

ちなみに「演繹的アプローチ」の典型であるエキスパートシステムも，自動化の対象となるタスクに合致していれば，その利用可能性は高まることになります。確かに，タスクを取り巻く状況が変化し続けるのであれば，プログラムの変更や拡張が必要となってくるため，エキスパートシステムの利用可能性は下がりますが，地下鉄の自動走行などであれば，そのサービスを取り巻く状況は急速に変化しませんので，エキスパートシステムを利用する方が合理的となります。特に「If＝then規則」で動く堅牢かつ安定的なシステムであれば，コストだけでなく，安全面でも高いメリットがあるため，こうした分野では，エキスパートシステムが選択されることになります。

現在，ＡＩツールの導入を推進する業界では，統計学的な訓練も受けずに，プログラミングに携わる専門家が増えています。そうした専門家が中心となって起こしたＩＴベンチャーやコンサル会社などでは，ともするとタスクそのものを精緻に分析・検討せず，機械的にニューラルネットワー

ク系の手法を勧める傾向があります。またツール導入を依頼する既存企業側も「DXやAIと言えば，ニューラルネットワーク系のツールを使うものだ」と思い込んでいるケースが散見されます。そうしたITベンチャーと既存企業が出会った時には，アルゴリズム選択に関する冷静な検討はなされず，結果として，開発コスト，維持管理コストを膨らませてしまうことになります。「AIをビジネスに真に活かしたい，投資コストを上回る成果をあげたい」と考える経営者には，特にこの点に注意するよう，強調しておきます。

## 説明責任を果たせるか

　最後は「説明責任」あるいは「説明の透明性」という視点です。既に，ニューラルネットワークを用いた場合には，「回帰モデルが抱える多重共線性，交互作用，非線形性などの課題はほぼ解消される」と述べました。これはニューラルネットワークの強みと言えるわけですが，まさにその強みの裏返しとして，ニューラルネットワークは「何が重要な説明変数になっているか」「どの説明変数が目的変数に大きく影響するか」などを説明できなくなるという弱みを持っています。

　不動産価格の予測について言えば，回帰分析の場合，価格に影響を及ぼす属性・品質の一つ一つ（説明変数）は明確ですので，その分析結果を解釈すれば，例えば「面積が1㎡大きくなると，○○円高くなります」「建築後年数が1年延びると，○○円安くなります」といったことも説明できます。これに対し，ニューラルネットワークでは，価格予測に至るプロセスがブラックボックス化されるため（誤差という結果を小さくするために，ネットワーク内の重み付けを幾度も調整していくため），査定結果だけは顧客や関係者に伝えられますが，その価格に至った理由は説明できなくなってしまうのです。

　ビジネス実務上，これが致命傷となることがあります。例えば，不動産の担保価値を査定する金融機関にとって，融資先に合理的な説明ができないわけですから，ブラックボックス化は深刻な問題となります。金融機関に限らず，顧客や関係者に対し，一定の説明責任が求められる事業者であ

れば，例外なくこれがネックとなってくるはずです。そうしたビジネスを行う事業者であれば，多くは現在でもニューラルネットワークではなく，回帰モデルや回帰木などを用いているのが実情です。

## データがバイアスを持つリスク

　ビジネス実務という観点から考えれば，以上の「考慮すべき3つの視点」に加え，アルゴリズムが抱える「リスク」も押さえておく必要があります。代表的なリスクとして「データがバイアスを持つリスク」「ハッキングのリスク」「倫理上のリスク」の3つがあります。これらリスクは，回帰モデルを使った場合でも，ニューラルネットワークを使った場合でもあり得るのですが，リスクが顕現した時に被る被害は，やはり，ニューラルネットワークを用いた場合の方が大きくなる傾向にあります。それぞれのリスクについて，補足説明しておきましょう。

　第1の「データがバイアスを持つリスク」とは，訓練データが偏っていることから派生するものです。回帰モデルのパラメータを求める場合でも，ニューラルネットワークの重み付けを行う場合でも，元となるデータが歪んでいれば，つまり，標本データ（訓練データ）が実態を代表していなければ，ツールが行う分類・予測は誤ってしまうということです。例えば，港区における不動産価格を予測するAIツールを構築する際に，足立区の教師データを使えば，当然，予測は歪んでしまいます。この程度の誤りであれば，誰でも直ぐに気づくのですが，知らず知らずのうちに，偏ったデータを使ってしまうことも起こり得ます。

　かつて，グーグルは，自動写真タグ付機能をもった顔認証システムを一般利用者向けに公開したことがあります。そのシステムはほとんどの顔写真を正しくタグ付けできたのですが，アフリカ系米国人のいくつかの写真については，誤って「ゴリラ」とタグ付けしてしまいました。これにより，グーグルは厳しい批判を受けることになりました。調査の結果，原因は，システムの訓練に用いた教師データが白人かつ男性に偏っていたことにありました。つまり，「データがバイアスを持つリスク」を十分に自覚することなく，自動写真タグ付機能を公開したことが，失敗の原因だった

## ハッキングのリスク

　第2の「ハッキングのリスク」は，ネットから切り離してAIツールを利用するのであれば，リスクは小さいと言えますが，ネットを通じて利用する形となっていれば，大きなリスクとなります。これについては，特にニューラルネットワークが「外部からの攻撃に脆弱であること」を指摘しておく必要があります。

　既に第3章で「深層生成モデル」と「敵対的サンプル」について触れましたが，人間であれば，ピクセル単位の小さな細工くらいでは，画像を見誤ることはありません。しかし，CNNなどのニューラルネットワークは，僅かな細工でも，例えば，寺院の画像をダチョウなどと誤認する脆弱さを持っているのです。また人間の目には，ただのノイズでしかないものを，ある仕掛けが施されると，高い確率で，特定の物体に分類してしまう，という脆さも持っています。確かに，その後，深層生成モデルの研究は進んでいますが，これを冷静に考えれば，悪意をもって攻撃してくる相手には，ニューラルネットワークは簡単に欺かれるというリスクを抱えていることになります。

## 倫理上のリスク

　最後は「倫理上のリスク」です。これは，データを収集する局面，データを利用する局面，ツールを訓練する局面など，様々な場面で生じてきます。例えば，ある集合写真がSNSに投稿されたとしましょう。この画像に写っている人の顔すべてに，本人の許可なく，タグが付けられたらどうでしょうか。その事実を知った時，多くは憤慨するはずです。また顔認識サービスを提供する企業では，顔認識システムを「小売店の売上向上に貢献するため」「クレーマーであるかどうかを判定するため」などに活用していると言いますが，その利用自体に倫理上のリスクが潜んでいるわけです。

　本章第2節において，回帰モデルは賃貸住宅の入居審査にも応用できる

と説明しましたが（ニューラルネットワークも利用可能です），それが最終的に「一人ひとりの評価に繋がるもの」として使われる場合には，細心の注意が求められます。入居を拒否する機械としてＡＩが利用されれば，それは差別を固定化するツールにもなりかねないからです。そうした倫理上のリスクは賃貸だけにとどまりません。就職，クレジット，融資，保険，犯罪捜査など，様々な場面で差別を固定化する可能性があるのです。ビジネス実務という観点からアルゴリズムを評価する際には，状況に応じて，こうしたリスクの存在も考慮する必要があります。

　経営者は，組織全体のマネジメントに責任を負うわけですから，ツールを構築する際の要素技術であるアルゴリズムの詳細まで理解する必要はありません。それは担当部門や専門家に委ねるべきことです。しかし，それがどのようなものであるかに関し，一定の知識を持っていなければ，投資判断や組織デザインを誤ってしまいます。その問題意識から，本書では，第２章，第３章，第４章を通じて，ＡＩおよびアルゴリズムに関する説明を行ってきました。

　特に本章では，アルゴリズムに関する基本的な理解を踏まえ，ビジネス実務という観点から，回帰モデル，ニューラルネットワークなどを比較・検討しました。そして，実用性のあるＡＩツールを構築するには，３つの視点（さらには３つのリスク）を重視する必要があることを確認しました。読者は，本章で取り上げた「不動産価格の予測ツール」であれば，回帰モデルを選択するのが合理的な経営判断であることも理解できたはずです。回帰モデルであれば，予測精度は許容範囲に収まり，かつばらつきも少ないという意味で「予測力」に優れ，また開発・維持管理に係る「コスト」も安く，顧客に対しても十分に「説明責任」を果たすことができるとされたからです。

　ただし，この結論は，常に回帰モデルの方が優れているということではありません。本章では，まず「対処すべき課題」との関連で「利用可能なアルゴリズム」を決め，その次に「３つの視点でアルゴリズムを比較・検討する必要性」を述べただけです。したがって，「課題」そのものが

ニューラルネットワーク（CNN, オートエンコーダ, RNN, DQN など）を必要とする場合には，これを優先するしかないわけです。以上の議論を踏まえ，続く第5章では，ＡＩツールをビジネスに導入する際の「組織的な対応」を学んでいくことにしましょう。

# 第5章

# ＡＩツール導入への組織的対応

　第2章から第4章にかけ，ＡＩの歴史と現在，ＡＩが用いる主なアルゴリズム（ニューラルネットワーク，強化学習，回帰モデル）などについて学んできました。またビジネス実務との関連で，それを選択する際の視点やリスクについても確認しました。これでＡＩに関する基礎知識を押さえることができました。そこで，本章以降では，話をＡＩとビジネスの問題に戻し，企業の中にＡＩツールをどのように導入していくかを見ていくことにします。

　ＡＩとビジネスの関係については，既に第1章で4つの基本事項を説明しましたが，本章では，最初に「経営者のリーダーシップ」の具体的な内容を見ていき，その後，経営者及びＡＩプロジェクトの下で展開される「組織的対応」を4つのフェーズに分けて解説していきます。

　本書において「ＡＩプロジェクト」と表現した場合，第1章で既述した通り，それは，ＡＩツールの開発・導入・稼働に関わるすべてのフェーズにおいて責任を負う組織横断的な会議体を指します。通常，プロジェクト・メンバーは，経営企画部門（ＤＸ推進部など），関係事業部門，営業部門，マーケティング部門，ロジスティックス部門，データ分析部門，システム部門，人事部門などの関係者となります。また「タスクフォース」と表現した場合，それは「構想フェーズ」において中核的な役割を担う活動グループと規定しておきます。構想フェーズ以降でも，必要に応じて別種のタスクフォースは設置されるはずですが，本書では，構想フェーズにおけるタスクフォースを中心に取り上げることにします。

## 第1節　日本企業の現状

### ＡＩ導入を丸投げする経営者

　第1章では，ＡＩツールを導入するにあたり，経営者は (1) 組織が進むべき方向を明確に示し，(2) 組織内におけるコンフリクトを調整し，(3) 必要なプロジェクトやタスクフォースを設置しなければならない，と述べました。つまり，これをトップがリーダーシップを発揮すべき重要な柱としました。

　この3つの柱をあげた背景には，日本では依然として，ＡＩツールの導入やＤＸの推進に関し，大規模組織のトップを含め，多くの経営者が「ＡＩをビジネスにどう活用するか」について明確な方向を示すことなく，形だけの取り組みを進める傾向があるからです。

　そういった会社ほど，経営者は，既存事業の構造的な課題を直視せず，ＤＸ推進に関する人事についても，本人の経験や能力などは深く考慮せず，入社年度や役員着任順位などを基準に推進役を決め，その人物にＡＩ関連業務を丸投げしてしまいます。これでは，ＡＩをビジネスに活かすことはできません。

　「そんな人事はやっていない」と反論する会社も多いでしょう。しかし，反論する会社でも，ＡＩ導入について未経験であれば，多くは「システム部門の関係者を推進役に据えるのが妥当」と考えてしまうものです。「ＤＸであれば，システム部門の所管だろう」「システムに通じていれば，ＡＩツールの開発・導入は何とかなるだろう」との期待に基づく人事でしょうが，これは必ずしも合理的な判断とは言えません。

### システム部門が抱える2つの構造的特性

　ＡＩツールの開発と導入では，いわゆる基幹システムの開発・更新に求められる業務と異なる作業が求められます。ＡＩ導入では，責任者自らが，経営側も巻き込み，企業内の課題を見つけ，また関係部署の悩みを理

解し，これを主体的に解決していくことが期待されます。

　それにもかかわらず，経営者が，システム部門やＩＴ部門の関係者を「ＡＩプロジェクト全体の推進役」に任命すると，ＡＩ導入は進まないばかりか，これを阻害する事態さえ招くことがあるのです。もちろん，ＡＩツールの導入にあたっては，システム関連の知識は必要です。それがあるに越したことはありません。ただ，システム部門関係者を「ＡＩプロジェクト全体の責任者」とする人事は極力避ける必要があります。それは，システム部門が，設置の経緯からして，次の２つの構造的特性を持っているからです。

　第1は，システム部門の関係者が，現場実務にあまり通じていないことです。一般の職場であれば，人事異動は，部や課を超えて行われますが，システムの開発・保守といった仕事が，専門性が高いため，その部門を超えての異動はほとんどありません。多くは，システム・エンジニアとして同じ職場に留まり続けます。その結果，現場実務に接する機会まで失ってきました。これは，多くの会社が合理的な人事政策として採用してきたものです。それゆえ，第1の構造的特性は，システム部門関係者の責に帰すべきものではなく，むしろ，組織自体が生み出した課題と捉えなければなりません。

　第2は，システム部門の関係者が「指示待ち姿勢」で業務に臨むことです。これも多くの日本企業に共通して見られる傾向で，システム部門は，数十年にわたり，他部門の下請的なポジションに置かれてきました。つまり，要請や注文を受け，それに応えるのがこの部門のミッションとされてきたのです。逆を言えば，「導入すべきＡＩツールやシステム機能」を売り込むことなど，システム部門には期待されていませんでした。

　企業の中には，社内システム部門を本体から分離し，子会社化したところもあります。社内の他部門からだけでなく，他社からも仕事が取れるよう別法人化したわけですが，子会社化しても，システム関係者の「指示待ち姿勢」は基本的に変わりませんでした。別法人になった後も，本社及びグループ関連会社が，システムに関する保守・更新・クラウド化などの業務を増やし，システム子会社にこれを委託してきたからです。その結果，

「導入すべきＡＩツールやシステム機能の売込み」を行う人的・資金的余裕などないまま，多くのシステム子会社は，本社及びグループ関連会社のためだけに存在する企業と化してきました。

　言うまでもなく，「指示待ち姿勢」という第２の構造的特性も，システム部門やシステム子会社の責に帰すべきものではありません。これも，従来の組織慣行が生み出した課題として認識する必要があります。「システム部門やシステム子会社は，スタッフとして現場の要請に応えればよい」という経営側の暗黙の決めつけとそれによって形成された組織風土が，システム関係者に「指示待ち」で仕事に臨むことを強いてきたと言うべきでしょう。

## プロジェクト全体の責任者に求められる役割

　「システム部門関係者がＡＩプロジェクト全体を統括する責任者となるのは望ましくない」とする理由は，この２つの構造的特性にあります。逆を言えば，この構造的特性を克服できるのであれば，彼らが責任者となることに何ら問題はありません。しかし，短期間でそうした組織改革・意識改革を実現するのはかなり難しいはずです。

　もっとも，プロジェクトのフェーズが進み，「業務・システム要件定義フェーズ」に移行すれば，それ以降は，基幹システムの開発・更新などと同様に，システム部門の関係者が責任者として采配を振るう必要があります。ただ，既述の通り，ＡＩツールの導入で最も重要なフェーズは，要件定義以前の「構想フェーズ」にあります。そして，この構想フェーズでは，システム部門の構造的特性とは真逆に，「現場に通じていること」と「課題を主体的に発見・解決する姿勢」が責任者に強く求められるのです。

　この点を理解せずして，経営者が，ＡＩプロジェクトやタスクフォースの責任者を漫然と決めてしまえば，組織内に予期せぬ障害を生み出すことになってしまいます。それは，多くの部署が，デジタル基盤（ＩＴインフラ）の構築やＡＩツールの導入を進める前の段階で，「自分たちは予算達成に向け業務を効率的にこなしており，特に不便はない」と思い込んでいるからです。

　今，子会社間に「十分活用されていない機能」が散見される企業グルー
プがあるとしましょう。こうした企業グループにあっても，各子会社は自
分たちの業務に関し「最適に近い状態」にあると考えているものです。同
様に，部門間に「重複する業務」を多数抱えている事業会社があるとしま
しょう。こうした事業会社でも，各部門は「自分たちは無駄なく効率的に
仕事をこなしている」と感じているものです。このため，「ＤＸやＡＩ導
入による現状変更は歓迎しない」というのが，子会社や各部門のメンタリ
ティとなるのです。

　よって，各子会社・各部門の最適ではなく，グループ全体の最適，事業
会社全体の最適を目指そうとする経営者は，子会社や他部門の業務を理解
できる人物で，かつＤＸやＡＩ導入が各子会社・各部門の現状をさらに改
善し得ることをしっかり伝えられる人物を，プロジェクト全体の責任者と
する必要があるのです。

　言うまでもなく，そのような責任者を人選できたとしても，トップは，
その役割を推進者だけに丸投げしてはなりません。責任者として着任した
本人は，懸命に努力するでしょうが，新たな取り組みは，推進者がどんな
に汗をかいても，コンフリクトが生まれる宿命にあるからです。このた
め，経営者は，その責任者を，予算面，人事面で支援するだけでなく，精
神面からもしっかりとサポートする必要があります。

　日本企業の多くの経営者が，こうした点を十分に理解していないため，
第１章では，一般論として，トップは，組織が進むべき方向を明確に示
し，組織内におけるコンフリクトを調整し，必要なプロジェクトやタスク
フォースを設置しなければならない，としたのです。

## 第２節　リーダーシップの発揮は千差万別

　ただ，この３つの柱は，あくまでも一般的な説明であって，実際にＡＩ
ツールの導入を図る場合，経営者に求められるリーダーシップは，各組織
が置かれた状況に応じて様々な形をとり，また力を入れるべきポイントも
変わってきます。その形やポイントに最も大きな影響を及ぼすのは「組織

の規模」であり，またその組織における「ＡＩ導入の経験」となります。それゆえ，組織規模と導入経験という２つの視点で，事業者を５つのタイプに分け，それぞれにおけるリーダーシップのあり方を整理することにします（図表5-1）。

---

**小規模組織（従業員，数十人，個人事業主も含む）**

**タイプ①** ＡＩ導入の経験がない事業者
      コンサルタントなどの支援を受ける

---

**中規模組織（従業員数百〜数千人）**

**タイプ②** 強力なトップはいるがＡＩ導入経験がない事業者
      社内体制につき，コンサルタントなどの助言を受ける
**タイプ③** ＡＩ導入の経験が一定程度ある事業者
      専門部署がＩＴベンチャーの選定や予算執行を担う

---

**大規模組織（従業員数千〜数万人）**

**タイプ④** トップの関与が低くＡＩ導入経験も少ない事業者
      経営企画などが中心となり，意識醸成に努める
      ガバナンスや中期経営計画などを練り直す
**タイプ⑤** ＡＩ導入の経験が一定程度ある事業者
      専門部署がＩＴベンチャーの選定や予算執行を担う
      価値創出への取り組みを本格化させる

---

図表5-1　組織規模とＡＩ導入経験から分類される5つのタイプ

## タイプ①：ＡＩ導入の経験がない小規模組織

　第1は，小規模組織です。話を単純化するため，今，家族経営をしている商店がＡＩを導入すると仮定しましょう。この場合，トップと従業員の距離はほとんどないはずです。家族で経営していれば，「組織が進むべき方向を示す」「組織内におけるコンフリクトを調整する」といったことはほとんど必要ありません。店主の意向はそのまま進むべき方向となり，仮に夫婦で意見が割れたとしても，最終的には運命共同体ですから，コンフリクトは解消されるはずです。これはリーダーシップ以前の話です。言う

までもなく，家族の間でタスクフォースを設置することなど，考える必要はありません。通常，店主自身が考え，行動を起こせば，これがすべてとなるわけです。

　ただし，一店主がＡＩに関する知見を有していることは稀です。そのため，商店としてＡＩを導入するということになれば，やはり，ＡＩに詳しい友人，コンサルタント，ＩＴベンチャーなどの力を借りる必要があります。その場合には，何らかのワーキング・グループ（ある種のタスクフォース）を作ることになります。

　もっとも，次章で取り上げる農家のように，ソフトウェア・エンジニアとしての経験を生かし，またネットの情報や無料アプリを積極的に活用し，独力でＡＩツールを開発・導入した個人もいます。そうしたケースでは，当然のことながら，タスクフォースの設置など不要なります。

## タイプ②：強力なトップはいるがＡＩ導入経験がない中規模組織

　第2は，ＡＩ導入の経験を持たない中規模組織です。通常，中規模組織では，大規模組織と比べ，トップの影響力は大きくなります。その意味で，経営者のリーダーシップがＡＩ導入の成否を決めると言っても過言ではありません。

　3つの柱に関連して，リーダーシップのあり方を整理すれば，経営者は，まず「進むべき方向」を明確に示す必要があります。「どのようなビジネスモデルを描くのか」「どのような方針で事業を再編するのか」「どのような組織にデザインするのか」などを示すのが鍵となります。この方向性が示されれば，組織内におけるコンフリクトの調整は，それほど重い課題とはならないはずです。中規模組織では，トップが示した「方向」こそ，部門間のコンフリクトを解消する強力な調整弁となるからです。

　また，ＡＩ導入の経験がない中規模組織は，通常，ＤＸ推進室やデータ分析室のような部署を持っていません。このため，この種の組織が，ＡＩツールの導入を図る場合には，トップ自身が総務や経営企画などを使い，ＡＩプロジェクトを設置し，構想フェーズに特化したタスクフォースを組織する必要があります。ただし，社内には，ＡＩツールに通じた人材が少

ないわけですから，人事部門は，自社の方向性に合致したＡＩ人材を獲得するため，経営者と相談しながら，中途採用を増やしていく必要があります。

　なお，技術者を抱えるメーカーなどでは，ＡＩプロジェクトをスタートさせる際，ＡＩ人材を社内より募ることも一考に値します。パイソン(Python) などのＡＩプログラミング言語に通じた社員が出てくることも十分にあり得るからです。彼らをメンバーに加えれば，プロジェクトやタスクフォースは，ＡＩツール開発に向け，メンバーのモチベーションを一段と高めることができるはずです。

　いずれにせよ，これらは未経験分野でのチャレンジですから，プロジェクトやタスクフォースを設置する際には，どのようなメンバー構成で組織内体制を固めるかなどにつき，ＩＴベンチャーやコンサルタントより助言を受けることを勧めます。

　なお，外注先となるＩＴベンチャーの選定については，技術的な裏付けがあるか慎重に検討する必要があります。ＡＩ導入経験のない中規模組織には，その検討は難しいかもしれませんが，少なくとも，提案内容について「できます」の一点張りで，具体的な説明を行わないＩＴベンチャーに関しては，技術力を疑うべきでしょう。例えば，過去に開発したＡＩツールはどのようなものか，ＡＩツールは自社で開発したものか，それは下請けに開発させたものか，過去の開発事例は下請けとして参加したものか，過去の開発事例は既存ツールを転用したものか，などを確認すれば，外注先の技術力はおおよそ推し量れるはずです。

## タイプ③：ＡＩ導入の経験が一定程度ある中規模組織

　第3は，ＡＩ導入の経験をある程度有している中規模組織です。そうした企業にあっては，経営者は「方向性」の提示に加え，より具体的なアクションを起こす必要があります。体制面では，ＤＸ推進室，事業戦略室，データ分析室，データ・マネジメント室のような部署の設置，人事面では，ＡＩやＤＸに強い人材の育成，中途採用の拡充，予算面では，ＡＩプロジェクトへの投資拡大などがそれに当たります。

　またＡＩ導入の経験を持った組織であればあるほど，各部門は，大なり小なり，不合理な調整や変更などを過去に経験しているわけですから，新たなＡＩ導入計画には，一定の抵抗を示すはずです。このため，経営者は，簡単には解消できない不満や対立が組織内にある場合には，すすんで「コンフリクト調整」に動く必要があります。これをやらなければ，ＡＩプロジェクトは，各メンバーが所属する部署の利益を主張するだけの場と化してしまい，会社全体の価値を高めるための建設的な議論はできなくなってしまいます。それゆえ，コンフリクト調整を経営企画部門やＤＸ推進室などに丸投げすることは避けなければなりません。その意味で，この種の組織では，トップは，リーダーシップの中でも，特にコンフリクト調整が重要であることを自覚しておく必要があります。

　なお，既にＤＸ推進室などが動いている場合，経営者は，ＡＩプロジェクトの立ち上げやタスクフォースの設置に関し細かな指示を与える必要はありません。担当部が，過去の経験に基づき，プロジェクト・メンバーの構成，ＡＩ導入に関するスケジュールの設定，ＩＴベンチャーや大手ＩＴベンダーの選定及び管理，予算執行などを担うことになるからです。基本的に，経営者は，最終の承認者として担当部を支援すればよいわけですが，ただその際も，ＤＸ推進室などと節目節目でコミュニケーションを取り，全体的な動きを把握しておくことが肝要です。

## タイプ④：トップの関与が低くＡＩ導入経験も少ない事業者

　第４は，経営者の関与が少なく，しかも導入経験がほとんどない大規模組織です。これが，ＡＩツール導入に関して，いちばん課題の多い組織となります。中規模組織であれば，導入経験がなくても，トップの一声で組織は動いていきます。しかし，大規模組織では，事はそう簡単には進んでいきません。それは，経営者が積極的に動かないことに加え，そもそも，ＡＩ導入を推進する部署の設置であれ，またそのための予算編成であれ，多くの時間を議論に費やし，なかなか具体的なアクションが起こらないからです。

　このタイプの組織では，経営企画などの戦略部門が，トップの意向を確

認しながら，積極的に動く必要があります。会社として「進むべき方向」
が明確になっていないわけですから，戦略部門は，出発点として，ＡＩ導
入に関し幹部の意識醸成に会社のリソースを集中させなければなりませ
ん。

　大規模組織の多くは上場会社です。上場会社であれば，法定あるいは任
意の指名委員会や報酬委員会を持っているはずです。通常，それら委員会
メンバーの過半数は社外役員となっていますから，戦略部門は総務部など
と調整し，ＡＩとビジネスに関する役員研修を，社外役員を含めた形で実
施することを勧めます。意識醸成は時間がかかり遠回りにも見えますが，
この種の組織では，結局，これが最短かつ確実な方法となります。取締役
会の意識が変われば，また最高執行役・意思決定者などを評価する指名・
報酬委員会の意識が変われば，トップの姿勢もおのずと変わってくるから
です。

　また，経営幹部がすすんでこの分野の知識を得たいと感ずるようになれ
ば，経営企画は，より具体的な他社事例やＡＩに関する知識を体系的に学
ぶ場を設定していきます。幹部の意識がここまで来れば，ＡＩ導入に関す
る方向性も，次期中期経営計画などに盛り込まれることになるでしょう。
なお，タイプ④の組織では，まずは業務改善を中心にＡＩツールの導入計
画を練り，「組織としての経験」を積むことを勧めます。一足飛びにＡＩ
ツールを活用した「新たな価値の創出」を図ろうとしても，無理が生じ失
敗することが多いからです。

　ＡＩツールの開発・導入を中期経営計画に落とし込むことができれば，
経営者は，戦略部門の力を借りながら，タイプ②の中規模組織に求められ
た措置と同じことを実行に移す必要があります。その中心は，ＡＩプロ
ジェクトの設置であり，構想フェーズに特化したタスクフォースの設置で
す。プロジェクトの立ち上げに際しては，コンサルタントなどの助言を受
け，またＡＩプロジェクトを立ち上げるとともに，タスクフォース・メン
バーなどを固め，ＩＴベンチャーの協力を得ながら，構想フェーズにおけ
る作業を進めていきます。経営者は，特にこの体制整備に関しリーダー
シップを発揮することが求められます。

126

## タイプ⑤：ＡＩ導入の経験が一定程度ある大規模組織

　第5は，ＡＩ導入の経験が一定程度ある大規模組織です。一般に，組織規模が大きければ大きいほど，ＡＩツールの開発や導入の経験は増えてきます。ただし，このタイプの組織では，多くの場合，過去の取り組みは業務改善が目的で，投資規模も一件一件を見れば，いずれも小さなものに終わっているはずです。既存業務の改善であれば，業務フローを大幅に見直す必要がなく，かつ他部署への影響を極力抑えることができるため，また投資規模が小さければ，取締役会の承認を受ける必要もなく，比較的容易に着手できるためです。こうした理由で，この種の大規模組織では，業務改善目的でのＡＩ導入が多くなるわけです。

　さて，この特徴を有する大規模組織の場合，経営者に期待される行動は，全社規模で業務効率の改善を図ること，そのためのＡＩツール開発を進めること，さらには新たなビジネスモデルを構想し新規事業を練り上げ，その新規事業に適したＡＩツールを開発・導入することなどとなります。したがって，そこで望まれるリーダーシップは，まさに「組織が進むべき方向」を明確に示すことであり，そこから生まれる「組織内コンフリクト」を調整することとなります。

　「進むべき方向」については，タイプ③の中規模組織の場合と同様，具体的なアクションが重要となります。例えば，ＤＸ推進室，事業戦略室，データ分析室のような部署が既に設置されている場合，そこへの予算と人員を増やすことが重要となります。また「室」から「部」への昇格も一考に値します。

## データ分析部門の設置における注意点

　なお，データ分析部門の設置や権限強化にあたっては，同部門の役割を再定義しておくことも大切です。データ分析部門は，ともすると，データ分析そのものを自己目的化してしまい，専門家ゆえの「落とし穴」にはまってしまう危険性もあるからです。この問題を明瞭に意識・克服した組織として大阪ガスのビジネスアナリシスセンターを挙げることができます。同センターは，過去の経験と失敗から，(1) 意思決定に役立たないもの，

(2) 意思決定には役立つが使えないもの，(3) 意思決定には使えるのに現場に拒否されるもの，それらは，どんなに精緻なデータ分析を行っても，ビジネス上，何の意味も成さないと考えています。この自覚をもって，現在，同センターは「現場担当者に業務を学び，教えを請う」との姿勢で分析業務にあたっていると言います。

　同様に，最近では，ＩＴベンチャー運営のプラットフォームを利用すれば，既存企業でも「自力でディープラーニング・モデルなどを構築できる」ようになっています。そこに公開されたツールを使えば，データサイエンティストの助けがなくても，予測ツールなどを導入できるというのです。おもしろいことに，この種のツールを駆使するデータ分析先進企業ほど，大阪ガスと同様に，「現場の業務を学ぶことなくして，意味あるデータ分析はできない」との自覚を持っています。

　それゆえ，データ分析部門を設置する場合や権限を強化する場合には，データ分析の自己目的化を避けるため，また分析ツールを活かすため，経営者は，関連部門の役割を再定義すると同時に，「現場に学ぶ」という姿勢を大切にする人物をデータ分析部門の責任者とする必要があります。そもそも，データ・マネジメントなどに関わる任命人事は，会社としてのＡＩ導入に対するコミットメントを全社に示す重要な機会となります。トップは，その影響の大きさを念頭に置き，人選を進めるべきでしょう。

## コンフリクトが起これば，経営者は躊躇してはならない

　リーダーシップの発揮が求められる「組織内コンフリクト」については，基本はＤＸ推進部や経営企画部などが調整を行いますが，全社規模での業務効率の改善や新規事業の練り上げなどとなれば，担当部がコントロールできる範囲を超えることもあります。それゆえ，コントロール不能な対立が生じた場合には，経営者は躊躇せず動かなければなりません。

　また，そうしたコンフリクトを建設的に事前に調整するためにも，トップは，プロジェクト全体の責任者や構成メンバー，構想フェーズにおけるタスクフォースについて，ＤＸ推進部，関連事業部，データ分析部門，システム開発部門の担当役員と協議を重ね，各役員の納得を得た上で，ＡＩ

プロジェクトを始動する必要があります。

　なお，ＡＩツールの開発・導入にあたっては，それまでの社内の経験やリソースだけでは不十分ということもあります。その時には，経営者は，大学研究室との戦略的な提携，既存技術応用型ベンチャーの買収，先端的なＡＩ技術を保有する企業の取得なども視野に入れて，行動を起こす必要があります。

　以上，「経営者のリーダーシップ」が，組織の規模やＡＩ導入の経験に応じて変わってくることを確認しました。これを踏まえ，次にＡＩ導入の「組織的対応」を見ていくことにします。それを一連の流れとして把握するため，ＡＩツールの開発・導入・稼働に関わるフェーズを分け，時系列的に整理することにしましょう。


## 第3節　構想フェーズ

### 課題抽出におけるタスクの特定

　ＡＩツールの開発・導入・稼働に関わるフェーズは，図表5-2の通り，大別して次の4つに分けられます。その出発点となるのが「構想フェーズ」です。

　この「構想フェーズ」では，Plan, Do, See の3つを行うと既に説明しました。まず Plan 段階では，取り組むべき課題（issue）を抽出します。それは既存事業における業務の効率化であったり，新規事業の練り上げだったりしますが，いずれであっても，取り組むべき課題を明確にするのが最初の作業となります。この作業では，課題がどのようなタスクから構成されるのかを整理し，ＡＩツールによる自動化を行う場合，どのタスクでそれを実施するのかも検討します。何もかも自動化するというのは，経済的にも技術的にも非現実的です。このため，自動化の対象となるタスクを絞り込むわけです。これが明確になれば，ＡＩツールに求められる分類精度（正答率など）や予測精度（観測結果との誤差など）に関し，ベースラインも決めておきます。いわゆる目標値を設定しておくわけです。

```
┌──────────────────────┐
│   1. 構想フェーズ      │
│                      │
│  Plan:   課題抽出      │
│  Do:     PoC          │
│  See:    再検証        │
└──────────────────────┘

┌────────────────────────────────────────┐
│   2. 業務・システム要件定義フェーズ         │
│                                          │
│ 新規業務の追加と既存業務との調整            │
│ 新規システム機能の追加と基幹システムとの連携 │
│ プロジェクトによっては，ここで PoC を実施    │
└────────────────────────────────────────┘

┌────────────────────────────────────────┐
│        3. 設計・開発フェーズ               │
│                                          │
│  システム部門による基本設計，詳細設計        │
│  フロントエンド機能・バックエンド機能の構築   │
│  基幹システム・周辺システムとの連携          │
│  AI ツールの開発，分析用データベースの構築    │
└────────────────────────────────────────┘

┌────────────────────────────────────────┐
│          4. 稼働フェーズ                  │
│                                          │
│  オフラインで仮稼働，精度の検証             │
│  オンライン移行後でも，必要があれば精度の検証  │
│  試験的運用（ベータ版）を経て是正措置        │
│  実稼働後のモニタリング                    │
└────────────────────────────────────────┘
```

図表5-2　ＡＩのツール開発・導入・稼働に関わる全フェーズ

　なお，既存事業の業務改善を目指した自動化では，基本的に，ＡＩツールの導入によってどれくらいの費用削減効果があるのか，開発のタイムスケジュールはどうなるのか，などを考えればよいわけですが，外部ユーザーへの新規サービスの提供などの新規事業を起こす場合には，より多くの事項を検討する必要が出てきます。どの業務を自動化するかだけでなく，新規事業の内容まで練り上げなければならないからです。

　例えば，その新規事業は本当に外部ユーザーが望むものか，提供する商品やサービスのどこに優位性があるのか，どれくらいの価格で提供するの

か，どれくらいのタイムスパンでＡＩツールの精度や効果を評価するのか，本格稼働までの期間はどれくらいに設定するのかなど，より多くの事項を検討しなければなりません。おおよその数字やスケジュールが見えないと，開発計画や要員計画なども立たず，次のフェーズへとスムースに進んでいくことができないからです。

　もっとも，この概数は，続く PoC やテストマーケティングなどにより修正されることもあります。その可能性を前提に，この Plan 段階（課題抽出）では，可能な事項は細かなところまで固めておきますが，進捗を見ながら固める必要のある事項は大枠だけ設定しておきます。

## 概念実証（PoC）と再検証

　課題抽出に目処が立てば，Do へ進みます。ここで「PoC」（概念実証）を実施します。それは，構想・検討した内容の実現可能性やＡＩツールの実効性について，生データなどを使って検証する作業を指します。検証するためのデータ基盤やシステム基盤も必要となりますが，この段階では，そのための投資はあまり膨らまないよう簡便な基盤を使い，PoC を実施します。確かに，ＡＩプロジェクトの内容によっては，ある程度，データ基盤を整備しなければ，PoC を実施できないこともありますが，その場合でも，クラウドなどの外部サービスを利用するなど，基盤構築に要するコストは可能な限り低く抑えておきます。

　PoC に関しては，それが順調に検証されることは稀と考えておくべきでしょう。最初は「想定していたベースラインの精度が出ない」「想定した以上に非実用的」などの検証結果が出るものです。精度を上げるためには，利用できるデータ量が一定以上なければならず，その質も高くなければなりません。たとえ十分な量と質のデータを用意できたとしても，あるセグメントに絞れば，データが不足するといったことも起こりますので，注意が必要です。

　それだけに，PoC に進む前の段階で，利用するデータが十分揃っているか，そのデータがどのような状態にあるか，などを十分に確認しておきます。利用するデータに欠損や重複などの不備があれば，前処理の中で，

これを正しておきます。前処理は地道な作業ですが，これを疎かにすれば，PoC は当然のこと，それ以降のフェーズにも悪影響が出てきますので，前処理はしっかりと行う必要があります。

　もっとも，大量のデータを揃え，かつ慎重に前処理を行ったとしても，目標とする精度を一度の PoC で出すのは，やはり容易ではありません。そのため，検証結果が望ましいものでなければ，用意すべきデータの見直しや是正を繰り返し，場合によっては，データサイエンティストなどの力を借り，必要なパラメータの仮説定義をやり直すことも求められます。

　なお，新たに消費者向けのサービスを開始し，その中でＡＩツールを用いる場合，提供する商品やサービスが市場の需要に合致しているか，必要に応じて，ＰＭＦ（Product Market Fit）という「テストマーケティング」を実施します。それは，検証に必要な商品やサービスを最小限用意し，想定する消費者グループに使ってもらい，彼らよりフィードバックを受けるという市場テストです。仮に PMF に問題があれば，商品やサービスの内容あるいはその提供方法などを見直すことになります。

　既述の通り，PoC やテストマーケティングでは，かなり高い確率で「手戻り」が発生します。それゆえ，ＡＩプロジェクトにおいてタイムラインを設定する際には，手戻りの発生を加味して，余裕のあるスケジュールを組んでおきます。

　PoC を終えれば，最後は「再検証」となります。PoC や市場テストの結果を踏まえ，チューニングを実施しても精度が出なければ，PoC 期間を延長すべきか，あるいは構想内容そのものを見直すべきかなどを検討します。逆に PoC を無事通過し，ベースラインの精度が出れば，そしてPMF に問題がなければ，次の「業務・システム要件定義フェーズ」へと進みます。

## 第4節　業務・システム要件定義フェーズ

### 業務改善を目的とした自動化

　解決すべき課題が定まれば，そしてその課題中のいずれのタスクを自動化するかが確定すれば，次は，これに関連する業務を整理します。その後，あるいはこれと並行して，関連業務のうち，システムで対応可能な機能を明確にしていきます。業務改善を目的とした比較的簡単なＡＩツールの導入であれば，その業務や機能は，事業者サイドの「業務フロー」を作成することで，おおよそ可視化できます（図表5-3）。

　例えば，出荷する農産品に等級を付けるＡＩツールを開発するとしましょう。この場合，作業の流れは，(1) 農産品を査定ラインに載せる業務，(2) 農産品の画像データを入力する業務，(3) 農産品の等級を判定する業務，(4) 判定後，籠に仕分けする業務，(5) 籠に仕分けされた農産品の等級を目視で再確認する業務，(6) 籠から取り出し，段ボールに詰め，梱包する業務，そして (7) 梱包された農産品を出荷する業務などとなります。これらが，この仕事の主な「業務要件」となります。なお，「業務要件定義」とは，これら業務の内容を明確に規定することを指します。

```
(1) 農産品を査定ラインに載せる業務
(2) 農産品の画像データを入力する業務
(3) 農産品の等級を判定する業務
(4) 判定後，籠に仕分けする業務
(5) 籠に仕分けされた農産品の等級を目視で再確認する業務
(6) 籠から取り出し，段ボールに詰め，梱包する業務
(7) 梱包された農産品を出荷する業務
```

**図表5-3　等級付けを行う際の「業務フロー」**

　さて，これらの業務は，(5)「目視で再確認」を除いて，すべて自動化

することが可能ですが，費用面や技術面から考え，例えば，(2) と (3) の業務だけ，システムで対応することにします。この場合，それら作業の自動化に必要となる対応が「システム要件定義」と呼ばれる行為になります。ちなみに，ここでいう「自動化」には，通常のシステム（カメラやセンサーを用いた画像取込み）による自動化と，ＡＩツールによる自動化の２つがありますが，後者のＡＩツールによる自動化は (3)「農産品の等級判定」に関して行われることになります。

## 外部ユーザーを対象とした自動化

外部ユーザーを対象とする新規サービスの自動化では，ＡＩツールの開発以外にも，フロントエンド画面や管理画面の構築，基幹システム・その他周辺システムとの連携・整備・構築なども必要となってきます。そのため，業務・システム要件の定義は，農産品の等級判定などと比べ，かなり複雑なものとなってきます。これを合理的に整理するには，手順として，最初にサービスを受ける消費者がどのようなシーンで，どのように行動するかを確認し，その結果を消費者サイドの「行動フロー」として描いておきます。

「行動フロー」を描き出すための例として，実際には存在しないビジネスですが　次のような健康食品の販売を行うとしましょう。今，会社Ｙが，消費者一人ひとりの体調に合った成分の「目に優しい健康食品」を提供するとします。景品表示法，健康増進法，特定商品取引法などの関係法令にも対応した上で，自社のプラットフォームを使い，このビジネスを始めるとします。Ｙ社は，同ビジネスにおける業務・システム要件を定義するため，最初の作業として，消費者の「行動フロー」を作成します（図表5-4）。

すなわち，サイトにアクセスした消費者は，(1) 商品・サービスの説明を読みます。(2) そのサービス内容を理解した後，「これをお試し購入するか」「継続購入するか」を選択します（例えば，お試しであれば，1か月，継続購入は3か月，6か月，1年など）。(3) その後，自身の体調や職業（事務職であれば，ＩＴ機器などを，1日どれくらいの時間使っているか）など，簡単なアン

ケートに答えます。(4) 続いて，スマホで自身の「目の写真」を撮り，この画像を会社側に提供します（写真の提供は毎月行います）。(5) その後，消費者は，数日以内に，自身に合った健康食品が送られるとの通知を受けます。(6) これと併せ，注文金額をチェックし，(7) 注文内容の変更やキャンセルがなければ，最終意思確認に進みます。通常，(8) これが初めての利用であれば，消費者は，名前，性別，年齢，住所，携帯番号，クレジット情報などのプロフィールを入力します。(9) クレジット決済に問題がなければ，最終画面に進み，「注文完了」となります。

```
(1) 商品・サービスの説明を読む
(2) お試しで購入するか，継続購入するかを選択する
(3) 自身の体調や職業など簡単なアンケートに答える
(4) 目の写真を撮り，画像を会社側に提出する
(5) 数日以内に食品が到着するとの通知を受ける
(6) 注文金額をチェックする
(7) 意思の最終確認を行う
(8) 各自のプロフィール情報を入力する
(9) 注文を完了する
```

図表5-4　消費者サイドの「行動フロー」


## 行動フローに対応する業務フローの作成

　上記のような「行動フロー」を作成した上で，次にこれに対応する事業者サイドの「業務フロー」を用意します（図表5-5）。このケースでは，主な業務フローは，(1) 商品・サービスの説明，(2) 受注（お試し購入，継続購入），(3) アンケートの実施，(4) 画像データの受領（毎月受領），(5) アンケート及び画像データの解析，(6) 解析結果に基づく成分配合の決定，(7) 配合決定に基づく製品製造，(8) 完成品の物流倉庫への移動，(9) 出荷準備，梱包，(10) 出荷，配送，(11) ネット上における消費者のアクセス経路の把握などとなります。最後のアクセス経路の把握とは，消費者がどこからサイトに訪問してきたか（検索，広告など），離脱したページはどこか

などを定期的に確認する業務を指します。

```
(1) 商品・サービスの説明
(2) 受注（お試し購入，継続購入）
(3) アンケートの実施
(4) 画像データの受領（毎月受領）
(5) アンケート及び画像データの解析
(6) 解析結果に基づく成分配合の決定
(7) 配合決定に基づく製品製造
(8) 完成品の物流倉庫への移動
(9) 出荷準備，梱包
(10) 出荷，配送
(11) ネット上におけるアクセス経路の把握
```

図表5-5　事業者サイドの「業務フロー」


## システムで対応可能な機能の列挙

　以上の行動フローと業務フローの双方を参照しながら，Ｙ社のＡＩプロジェクトは，主な業務のうち，システムで対応可能な機能を列挙していきます。先に「システム部門関係者がＡＩプロジェクト全体を統括する責任者となるのは望ましくない」と述べましたが，このフェーズに来ると，プロジェクトは，システム部門の関係者に全体の指揮を委ねることになります。それは，システム部門関係者が，処理能力やコストなどの観点から，列挙した機能のうち削るべき機能は何か，システムで対応できる機能は何か，仮に対応するとすれば，どのようなテクノロジーやアルゴリズムを用いるか，既存システムとどのように繋ぐかなどをよく心得ているからです。

　さて，このケースを用いて，Ｙ社が「システム要件」を特定すると仮定しましょう。実際には，複雑かつ多様なシステム要件を列挙とすることになるのでしょうが，ここでは，話を単純化し，次の13の機能をＹ社が挙げるとします（図表5-6）。

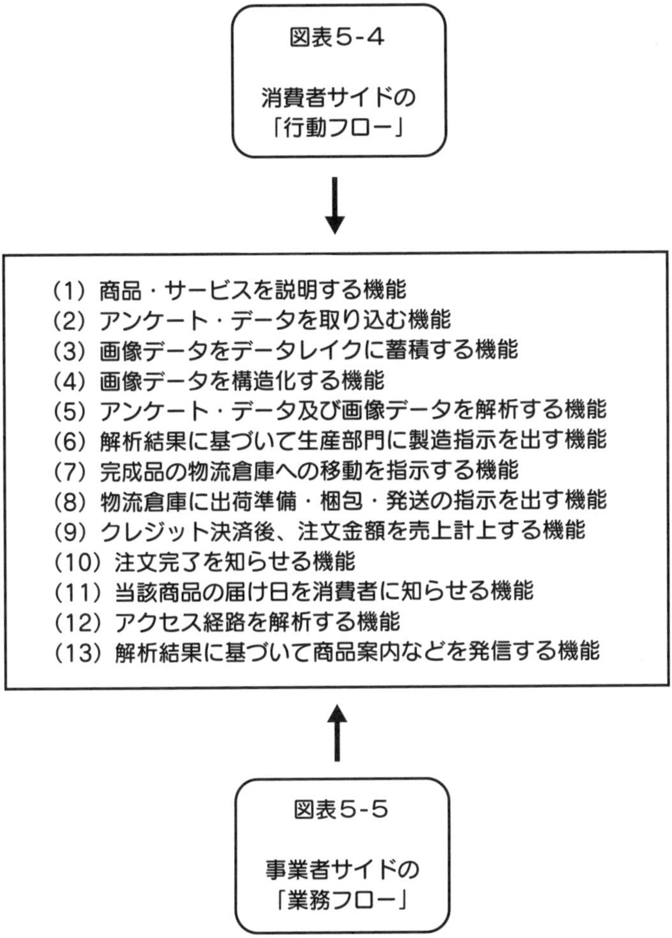

図表5-4

消費者サイドの
「行動フロー」

(1) 商品・サービスを説明する機能
(2) アンケート・データを取り込む機能
(3) 画像データをデータレイクに蓄積する機能
(4) 画像データを構造化する機能
(5) アンケート・データ及び画像データを解析する機能
(6) 解析結果に基づいて生産部門に製造指示を出す機能
(7) 完成品の物流倉庫への移動を指示する機能
(8) 物流倉庫に出荷準備・梱包・発送の指示を出す機能
(9) クレジット決済後、注文金額を売上計上する機能
(10) 注文完了を知らせる機能
(11) 当該商品の届け日を消費者に知らせる機能
(12) アクセス経路を解析する機能
(13) 解析結果に基づいて商品案内などを発信する機能

図表5-5

事業者サイドの
「業務フロー」

図表5-6　業務・システム要件の定義

　その機能とは、(1) 商品・サービスを説明する機能、(2) アンケート・
データを取り込む機能、(3) 画像データを「データレイク」（データを生の
形式で蓄えるプール）に蓄積する機能、(4) 画像データを構造化する機能、
(5) アンケート・データ及び画像データを解析する機能、(6) 解析結果に
基づいて生産部門に製造指示を出す機能、(7) 完成品の物流倉庫への移動

を指示する機能，(8) 物流倉庫に出荷準備・梱包・発送の指示を出す機能，(9) クレジット決済が完了した後，注文金額を売上計上する機能，(10) 注文完了を消費者に知らせる機能，(11) 出荷完了とともに，当該商品の届け日を消費者に知らせる機能，(12) アクセス経路に関する情報を解析する機能，(13) 解析結果に基づいて商品案内を発信する機能の 13 です。以上の列挙した 13 の機能すべてに関し，Y 社がシステム対応を図ると仮定しましょう。

## ＡＩツールが担う分類（判別）機能と予測機能

　ＡＩツールは様々な能力を発揮しますが，ビジネス・コンテキストでは，通常「分類（判別）機能」と「予測機能」という 2 つの機能に集約されます。ここに，システムで対応可能な 13 の機能を列挙しましたが，その前提に立てば，上記 13 の機能のうち，ＡＩツールが能力を発揮するのは，結局，(5)「アンケート及び画像データの解析」と (12)「アクセス経路の解析」という 2 つに絞られます。その他の機能はAIではなく，基幹システム・周辺システムなどで対応可能な処理となるからです。なお，(5) と (12) の機能を継続的・定常的なものとするには，ＡＩツール単体の設計だけでなく，ＡＩツールを走らせるデジタル基盤や周辺システムとの連携に関する設計まで考えておく必要があります。

　さて，このフェーズで，業務・システム要件の全体が固まれば，予想されるコストもより具体的となってきます。システム開発費用がどれくらいになるか，その後の保守・運用コストがどれくらいになるかも見えてきます。販売する商品やサービスの価格，そして投資回収期間などが決まれば，ＡＩツール及びその他システムが本格稼働した後に，毎年どれくらいの売上をあげればよいか，ランニングコストをどれくらいに抑えればよいかも定まってきます。

## 第5節　設計・開発フェーズ

### システム部門による設計・開発

　以上の作業により，業務・システム要件が定義されれば，次は，基本設計，詳細設計を行い，外部ＩＴベンダーなどを使いながら，システム全体の開発に着手します。外部ユーザーを対象とした自動化のケースで言えば，商品説明画面，購入期間決定画面，アンケート回答画面，撮影画面などの「フロントエンド機能」は当然のこと，サーバーサイドにおける「バックエンド機能」，ＡＩツールと既存システムとの「連携」なども，このフェーズで詳細に設計します。この設計・開発フェーズでは，システム部門が「プロダクト・マネジャー」(PM) となり，「プロダクト・マネジメント・オフィス」(PMO) として，開発の進捗管理，予算管理，ベンダー管理などを行うことになります。

　なお，通常のユーザー向けサービスで利用する「業務用データベース」には，トランザクション（一連の処理），コミット（処理の確定），ロールバック（処理の取り消し）などの機能が付加されますが，(5) と (12) の解析を定常的に行う場合，システム部門は，これに特化したデータ基盤を整備しておく必要があります。

　かつては業務用データベースを用いて分析することもありましたが，状況は大きく変わってきています。ＡＩツールは，テキストデータだけでなく，画像データ，音声データなど多様なデータを，しかも増え続ける膨大なデータを一括高速処理することが求められますので，トランザクション中心の「業務用データベース」とは別に，ＡＩツール向けの「分析用データベース」を準備する必要があります。

### ＡＩツールの設計・開発について

　プロジェクトの規模や内容に応じて，システム全体の設計・開発は大きく異なってくるため，ここから先は，いわゆる「システム全体の開発」に

関する話は割愛することにします。先の例で言えば，(5) と (12) 以外の
機能をどのように，デジタル基盤・周辺システムの中に作り込んでいくか
は本書の主要テーマでないため，この部分はシステム開発に関する専門書
に譲ることとします。よって，これ以降は，本書の主要テーマである「Ａ
Ｉツールの開発・導入」に焦点を絞り，ＡＩプロジェクトとして，設計・
開発フェーズにおいて注意すべき留意点を挙げることにします。

　第1は，ＩＴベンチャーや大手ベンダーに，開発を外注する際には，そ
の前に社内データをできるだけ整理しておくことです。利用するデータの
所在，データへのアクセス方法などを一覧表にまとめ，また前処理の徹底
によりデータの質を確保しておきます。これを行っておけば，外注先のエ
ンジニアも，データ確認などに時間を費やすことなく，迅速にＡＩツール
の開発に着手できるようになります。

　第2は，ＡＩツールの開発では，いわゆるシステム開発と異なり，進捗
管理が難しいことです。通常，基幹システムの開発や更新の場合，予定さ
れた「機能」が組み込まれれば，これをもって進捗したと理解できます
が，ＡＩツール開発では，「機能」を作っても，それが目標とする精度に
達しなければ，「進捗した」とは言えません。先の例で言えば，「アンケー
ト及び画像データの解析」につき，その機能をＡＩツールに組み込んだと
しても，消費者一人ひとりの「目の状態」を一定以上の精度をもって分
析・パターン化できなければ，有効な成分配合もできないからです。

　第3は，第2の理由より，設計・開発フェーズであっても，「手戻り」
が発生する可能性が残るということです。ＡＩツールの設計・開発では，
外部ベンダーは，多くの場合，契約締結後に実データに触れることになり
ます。このため，当初，予期していなかった事態が，実データ提供後に発
生しやすいのです。例えば，目指すべき目標を事前に決め，PoC を通過
したとしても，実務上，さらなる改善を求められることもあります。同じ
例で言えば，「アクセス経路の解析」という機能をＡＩツールに実装した
としても，「コンバージョン」(商品購入や契約締結)にたどり着く消費者と，
途中離脱した消費者の行動比較が不十分で，コンバージョンに至るまでの
ウェブサイト上の遷移を最適化できないこともあります。その場合には，

分析手法のブラッシュアップなどが必要となり，開発はその分だけ遅延することになります。

## 第6節　稼働フェーズ

### 仮稼働から本格稼働へ

　以上を経て，最後に来るのが「稼働フェーズ」です。ここでも，論点は「システム全体の稼働」ではなく，「ＡＩツールの稼働」に限定し，ＡＩプロジェクトとして何を行うのかを説明しておきます。

　この最終フェーズでは，通常，(1) 開発されたＡＩツールをオフラインで仮稼働し，(2) 精度などに問題がなければ，オンラインに移行します。ただ，(3) オンラインに移行した後も，精度が出ない場合があります。この時には，(4) 再度，オフラインに戻り，簡単なチューニングで済むか，それとも新たなモデルの開発を考えなければならないかを検討します。もっとも，ＡＩツールをオンラインで稼働させながら，精度を高めていくというやり方もあります。第7章で取り上げる資生堂がとった措置（パブリック・ベータ版）はその一種と言えます。

　こうした試みを経て，(5) 最終的に精度に問題がなければ，オンラインでの本格稼働となります。(6) ただ，ＡＩツールを適用する事業のビジネス環境や前提条件が変化する場合もありますので，企業は，本格稼働に移行した後も，一定間隔を置きＡＩツールの効果を測定する必要があります。これを「本格稼働後のモニタリング」と呼びます。

　これを行うのは，結局，ＡＩツール自体が，時の経過とともに，分類（判別）機能，予測機能を適切に発揮できなくなる可能性があるためです。そもそも，世の中は常に変化しています。それゆえ，ＡＩツールを開発・導入した時点で存在しなかった事象が，その後，現れてくることもあるわけです。そうした変化により，無視できないほどの影響が出てくれば，ツールの精度は間違いなく劣化することになります。1つの例を挙げておきましょう。

## 運送会社Zと遺伝的アルゴリズム

　今，運送業務を行う会社Zが，荷物配送にかかる時間を最小化するためのAIツールを開発すると仮定します。これまで，同社は，いずれの積載容量のトラック（大型，小型）に，どのような荷物（サイズ，重量，リードタイム）を積むのが合理的か，どのような経路（物流拠点，配達先）で配送するのが合理的かなどを，担当者の経験や勘に頼って判断していました。この種の課題では，考慮すべき変数が無数で，また変数同士がしばしばトレードオフの関係にあるため，ツールの開発は容易ではありません。そこで，Z社は生物界の進化プロセスを模倣した「遺伝的アルゴリズム」という手法を使うことにします。

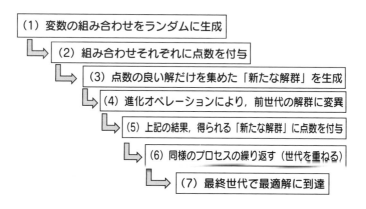

図表5-7　遺伝的アルゴリズムの流れ

　要点を明確にするため，考慮すべき変数を「トラック」「荷物」「経路」の3つと仮定しましょう。このAIツールは，最初に3つの変数の組み合わせをランダムに生成し，各結果に関し所要配送時間（解）を算出していきます。次に配送時間の短い解を集め，この解群に対し「進化オペレーション」という措置を施します。例えば，配送時間の短い解群を2つずつランダムに組み合わせ，トラック，荷物，経路のいずれかの変数を入れ替え（交叉させ），新たな子世代の組み合わせを生成します。これによって得

られた結果に対し，再度，配送時間の短い解群を集め，交叉を行い，孫世代の組み合わせを生成します（この他，各世代の最良解をそのまま次世代に残すものや，各解に乱数を代入するオペレーションなどもあります）。

　以下，同様のプロセスを何度も繰り返し，最後は最適解にたどり着くわけです。これが最終世代の解となります（図表5-7）。

## ショッピングのケース

　どうしてこの手法で最適解が導き出せるのでしょうか。その理由をより平易に説明しておきます。今，転居してきたばかりのある住民が車でショッピングに出かけるとします。この地域の地理に馴染みがないため，住民は，いくつかの小売店を行きつ戻りつし，ショッピングを繰り返すことになります。遺伝的アルゴリズムの用語を使えば，最初のうちは，ランダムに生成された解（購買する商品の順序や車を走らせるルートなど）に従って行動するわけです。

　その後，住民は，ショッピング時間を減らせたかどうかで，商品購入の順序，走行するルートの組み合わせを，事後的に評価することになります。つまり，時間を短縮した購入順序や走行ルートに高い評価を与え，逆に時間の浪費となった順序やルートには低い点数を与えます。この経験を踏まえ，住民は，高い点数の購入順序や走行ルートを優先させながらショッピングを繰り返しますが，新たな抜け道や珍しい小売店を発見する度に，商品購入の順序，走行ルートの組み合わせを替え，評価を変更していきます。このような試行錯誤を繰り返すうちに，住民は，より合理的なショッピング行動をとるようになるわけです。そして最後に，最も合理的な購入順序とルート（ショッピング時間の最短化を実現する解）にたどり着くことになります。

　運送会社Ｚが遺伝的アルゴリズムを用いて開発しようとしたツールは，まさにこれと同様のプロセスを経て，解を導き出すものなのです。

## チューニングとリプレイス

　さて，ＡＩツールの精度が劣化する時には，本格稼働後においても，モ

ニタリングが必要であると述べました。では，どのようにして劣化は起こるのでしょうか。この遺伝的アルゴリズムの例で説明しておきましょう。遺伝的アルゴリズムは，世代を繰り返すことで，「最適解」を導出するものですが，状況の変化などにより，求めた最適解は「局所的な最適解」に変質するかもしれないのです。

人は，ある山の頂点（局所的な最適解）に達すると，より高い山が他のところにあったとしても，あるいは別の山が新たに隆起してきたとしても，既に到達した頂点から，別の山の頂点（本当の最適解）に飛び移ることはできません。いったん山を降りない限り，別の頂点には行けないからです。ショッピングのケースで言えば，住民は一度行きつけのスーパーを決め，お決まりのルートで買い物をするようになれば，たとえ他のスーパーが販売価格を大幅に引き下げたとしても，あるいは新たなスーパーの出店があったとしても，それに気づかないまま，同じ行動を取り続けるかもしれないのです。

遺伝的アルゴリズムが導出する最適解は，世代を重ねて行き着いた結論ですから，これと同じ袋小路に陥る可能性を持っているわけです。まさにそれゆえ，企業は，開発・導入したＡＩツールが有効に機能しているかどうか，精度が劣化していないかどうかを，定期的に監視する必要があるのです。

さて，モニタリングにより，劣化が判明すれば，企業は，ＡＩツールという分類・予測モデルを「チューニング」するか，「リプレイス」するかの判断を迫られます。チューニングとしては，学習データを更新あるいは変更すること，学習アルゴリズムの性能を高めることなどが考えられます。ただ，チューニングを施しても期待した効果が出ない場合には，モデルをリプレイスすることになります。遺伝的アルゴリズムであれば，「解」のランダム生成から，もう一度やり直すということです。


本章では，まず多くの日本企業が抱える課題を確認し，その後，組織タイプの違いに応じて，経営者が意識して努めなければならない役割，発揮すべきリーダーシップを整理してきました。トップマネジメントの問題を

見た後，今度は，ＡＩ導入のプロセスを「構想フェーズ」「業務・システム要件定義フェーズ」「設計・開発フェーズ」「稼働フェーズ」の４つに分け，組織がどう動くべきかを時系列的に押さえてきました。それぞれのフェーズで，誰が，どの部署が，どのようなプロジェクトが，何をやるのかを概観してきたわけです。

　ただ，本章では，ＡＩツールの導入では「構想フェーズ」における対応が鍵を握ることも強調しました。それゆえ，第6章以降では，構想フェーズの中でもさらに重要な「課題抽出」に焦点を絞り，個別企業のチャレンジなど，より実践的な取り組みを学んでいくことにします。

# 第6章

# 構想フェーズにおける課題抽出
## ——3つのケースに学ぶ

　第5章において「経営者のリーダーシップ」及び「AIツールの開発・導入・稼働に関わる全フェーズ」という2つの視点より，AIツール導入における組織的対応を整理しました。そこで，本章と次章では，AI導入で最も重要な「課題抽出」に焦点を絞り，かつ事業者による導入事例を使いながら，そこで何を行うかを学んでいくことにします。

```
┌─────────────────────────────┐
│      1. 自営キュウリ農家          │
│       業種：農産品生産           │
│    静岡県湖西市在住（小池誠氏）      │
└─────────────────────────────┘

┌─────────────────────────────┐
│    2. 武蔵精密工業株式会社         │
│        業種：部品製造            │
│  創業 1938 年 4 月，資本金約 54 億円  │
│   連結売上高約 2360 億円，プライム    │
└─────────────────────────────┘

┌─────────────────────────────┐
│    3. トラスコ中山株式会社         │
│       業種：物流・卸売           │
│  創業 1959 年 5 月，資本金約 50 億円  │
│   連結売上高約 2200 億円，プライム    │
└─────────────────────────────┘
```

**図表6-1　3つの実践事例**

　既に第3章及び第4章で，ニューラルネットワークや回帰モデルがどのようなものであるかを見てきました。CNNやオートエンコーダなどの深

層学習アルゴリズムも概要は分かったはずです。ただ,「それらアルゴリズムがビジネスにどう活かされるか」は,まだはっきりとイメージできていないのではないでしょうか。本章で取り上げる3つの事例（図表6-1）を見ていくことで,読者は具体的なイメージを得ることができると思います。

## 第1節　キュウリ農家における取り組み

### 課題抽出における4つのステップ

　さて既に「課題抽出」では,ＡＩ導入の方向性・実現可能性を探るため,4つのステップを踏むと説明しました。それは次の4つでした。

(1) 誰にとっての「課題」(issue)か,「課題」は何か
(2) 課題のうち,自動化したいのはどの「タスク」か
(3) タスクを自動化する上で「重要事項」は何か
(4) 重要な事項に関する「データ」はあるか

　そして,その流れを理解するため,(1) 配送トラック運転手にとっての「過剰労働」という課題（これは会社にとっての課題でもありました）を解決すること,それを目的としたＡＩツールの開発・導入例を取り上げました。この過剰労働問題への対処では,(2) 自動化の対象を「配送に要する時間の予測計算」とし,また(3) 自動化を行う上での重要事項として,配送エリアの広さ,荷卸時間,配送件数,配送ロット数,車種,道路混雑状況などを挙げました。そして(4) 最後にそれら事項に関するデータの入手について説明しました。簡単な事例でしたが,これを「課題抽出」における4つのステップとしたわけです。

　ただ,これだけでは,ＡＩツールを用いた自動化への取り組みは,まだイメージしにくいはずです。そこで,より実践的に具体例を挙げ,課題抽出の流れを見ていくことにします。

## キュウリ農家にとっての「課題」

　既にビジネスとの関連では，主にＡＩツールの「分類（判別）機能」と「予測機能」の2つが利用されると説明しましたが，これは，分類（判別）と予測が完全に独立しているということではありません。むしろ，分類機能の上に予測機能が追加されると理解すべきでしょう。またその意味で，まずは「分類機能」が基本にくるということになります。分類機能の中でも，特に分かりやすいＡＩツール活用例は「仕分け」や「等級分け」です。これに関しては，静岡県湖西市の農家（小池誠氏）が独力で開発したＡＩツールの導入例に学ぶことができます。

　小池氏は，もともと，技術者として自動車部品メーカーに勤めていました。ところが，30代になって，キュウリ栽培をやっていた実家を継ぐことになり，同部品メーカーを退職します。実家の仕事を始めてすぐに感じたことは，最盛期に行うキュウリの出荷作業が極めて不効率であるということでした。キュウリ生産が盛んな産地であれば，大型の選別機が導入され，出荷前の作業は効率的に行われますが，小池氏の地元では，そうした機械もなく，忙しい時には，人の手で約8時間をかけ，キュウリ5000〜6000本を選別・箱詰めしていました。小池氏は，この「最盛期の不効率な出荷作業」を自身が解決すべき「課題」としたのです。

## 対象タスクと考慮すべき重要事項

　実家では，収穫作業は比較的効率よく行われていましたが，収穫後の出荷作業に，中でも箱詰め前に行われる「キュウリの仕分け作業」に多くの時間と人手を割いていました。経験を積んだ者（母親が中心となって）が，1本1本，目でキュウリを確認し，9つの等級に分けるという作業をやっていたのです。これが不効率の原因でしたから，あえて厳密に仕分けしないという選択肢もあったかもしれません。しかし，これを省けば，高品質のキュウリも他のキュウリと一緒に扱われ，売上総額が落ち込むため，仕分けはどうしても欠かすことのできない工程となっていました。

　出荷作業を「業務フロー」で表すと，前章の農産品の事例で見たものと同様に，7工程となります。ネックとなる仕分け作業は，その第3工程で

ある「農産品の等級を判定する業務」となります。それゆえ，小池氏は，課題の中でも「キュウリの等級分け」に着目し，これを自動化の「対象タスク」としたのです。

(1) 農産品を査定ラインに載せる業務

(2) 農産品の画像データを入力する業務

(3) <u>農産品の等級を判定する業務</u>

(4) 判定後，籠に仕分けする業務

(5) 籠に仕分けされた農産品の等級を目視で再確認する業務

(6) 籠から取り出し，段ボールに詰め，梱包する業務

(7) 梱包された農産品を出荷する業務

当然，(4) 判定後，籠に仕分けする業務，(6) 籠から取り出し，段ボールに詰め，梱包する業務などについても，ＡＩツールとピッキング・ロボットを使えば，籠への仕分け作業や梱包作業も自動化できるわけですが，それに要するコストや技術的な課題を考慮し，小池氏は「キュウリの等級分け」のみを自動化の対象としました。

さて，対象タスクが決まれば，次は「自動化において考慮すべき重要事項は何か」を明確にすることです。つまり，何を押さえておれば，自動化は可能になるのかを確認することです。このケースでは，それは，母親の経験や勘であり，それに基づいて母親がチェックしていた「キュウリの形状」，つまり，キュウリの長さ，太さ，曲がり具合，色，傷の有無などでした。

## 重要事項に関する「データ」はあるか

言い換えれば，母親は，長さ，太さ，曲がりなどの点 (n次元の潜在変数) に着目し，キュウリの等級判定を行なっていたことになります。ですから，課題抽出の最終ステップでは，これら重要事項 (n次元の潜在変数) に関し，「データはあるか」「無ければ，用意できるか」などを検討することが求められるわけです。

　結論は「9つの等級毎に写真を撮っていけば，キュウリの形状を示す画像データは用意できる」というものでした。事実，試作1号機では，各等級で275枚，全部で2475枚の写真を用意し，これを教師データとしてAIに学習させていきました。この結果，1号機の判定精度（正答率）は80％を超えたと言います。その後，小池氏はさらに精度を上げるため，カメラを3台に増やし，3方向から撮影したキュウリ8000本の画像データ2万4000枚をAIツールに学習させています。これ以降も改良を続け，3号機の段階では，キュウリ1等級あたり約4000枚の画像を読み込ませ（総画像データ3万6000枚を学習），判定精度をさらに向上させたと言います。

　この種のAIツール開発では，画像（写真）データセットを訓練データとして使い，学習後，出力のエラー度合いを確認することになります。一度で満足できる結果は出ませんので，正しい仕分けができるようになるまで，ネットワーク内の潜在変数の「重み付け」を修正していきます。これを続け，ネットワークが収束すれば，訓練は終わりとなります。最後に訓練データセット以外の画像も用意し，できあがったAIツールの精度を確認してみます。こうした一連の作業が必要となるため，最終ステップでは「データはあるか」「無ければ，用意できるか」を確認するわけです。

## 利用したテクノロジーなど

　一般にAIツールの開発・導入では，コストが高くなることが大きなハードルとなります。ただ，このキュウリ農家のケースでは，グーグルがオープンソースとして無料公開していた機械学習用ソフトの「テンソルフロー」を使っており，開発費用はほとんど発生していません。第3章第2節において，CNN（畳み込みニューラルネットワーク）について説明しましたが，テンソルフローとは，その技術を使った簡易プログラムということになります。

　ハードウェアについても，大型ディスプレー，透明アクリル板，小型カメラ，パソコンから成るシンプルな装置で，パソコン購入費を除けば，2万円程度で済んだと言います。小池氏は「AIに関しては素人だった」と語っていますが，インターネット上で共有されるテンソルフロー関連の

情報や教育マテリアルを使い，初号機を1週間程度で完成させたそうです。コンサルタントなどに頼らず，自力でＡＩツールを開発・導入したわけですが，前職でソフトウエア技術者として働いていたことも助けになったと考えられます。


## 第2節　武蔵精密工業株式会社における取り組み

### 武蔵精密工業株式会社（ムサシ）にとっての「課題」

　上述のキュウリ農家は，ＡＩツールの「分類機能」を使って作業を効率化しました。愛知県豊橋市に本社を置く武蔵精密工業株式会社（以下，ムサシ）の取り組みも，基本的に「分類（判定）機能」を使って，既存業務の改善を図るものでした。ただ，その開発プロセスは，キュウリ農家のそれとは大きく異なっています。

　ムサシの事業は，自動車・バイクメーカ向け輸送用機械器具の製造・販売となっており，本田技研，スズキ，スバル，三菱自工，ＧＭ，ＢＭＷなどの大手を主要顧客としています。連結では世界で1万五千人超の従業員を抱えていますが，単体では1267人（2021年3月末現在）の中規模組織となります。ムサシは他社が簡単には真似できない高品質部品の製造を強みとしていますが，その裏返しとして，品質を担保するために多くのリソースを検査業務に割かざるを得ないという課題を抱えていました。

　この弱みを克服するため，ムサシは，過去にも色々な施策を試みています。例えば，市販の「検査機能を搭載した画像処理ユニット」を導入したこともあります。しかし，市販の機器では，特定の不具合事象しか検出できず，またたとえ特定事象に限定した検査でも，不具合を検知する際の「閾値設定」が極めて難しい，という別の課題も抱えていました。こうした事情から，ムサシでは，これまで多くの検査業務を自動化できず，大半を熟練者による目視・外観検査に頼っていました。その意味で，ムサシにとっての「課題」は，また熟練者にとっての「課題」は，この検査業務の効率化となりました。

## 対象タスクと考慮すべき重要事項

　課題抽出の第2ステップは「タスク」の絞り込みです。ムサシは多種多様な輸送用機械器具を製造する会社ですので，検査業務もその製品毎に行う必要がありました。つまり，自動化の対象となるタスク候補は無数あったわけです。その中で，ムサシは「ベベルギア」という歯車の外観検査を自動化の対象としました。自動車の走行にとって，ベベルギアが極めて重要なパーツであったため，まずここから始めることとしたのです。

　このパーツについて少しだけ解説しておきます。自動車がカーブを曲がる時，内側と外側の車輪に，速度差（回転数の差）が発生してきます。この状況で，自動車を安定的に走行させるには，速度差を吸収しながら，エンジン出力を2つの異なった回転速度に振り分ける必要があります。その役割を担うのがムサシの主力製品「デファレンシャル・アッセンブリィ」（差動装置）でした。ベベルギアは，この装置の中でも，特に高い歯型精度と強度が求められる重要パーツだったのです（図表6-2）。

武蔵精密工業（株）より許可を得て転載。https//logmi.jp/business/
articles/272016

**図表6-2　差動装置とベベルギア**

　なお，これを対象と決めた際，ムサシは，不良品検出精度の目標値を人間と同等以上の100％とし，検査に要する時間も一個当たり2秒としました。この基準を満たさなければ「あえて自動化する意味はない」と判断したからです。

さて，自動化の対象となるタスク及び目標値が定まれば，次は「自動化において考慮すべき重要事項」となります。ＡＩツールの開発に着手した当時，ベベルギアは，国内で毎月130万個が生産され，その一つ一つを熟練者が目視検査（1個当たり最短2秒で判断）していました。したがって，自動化において考慮すべき重要事項は，熟練者の経験や勘であり，それに基づいて彼らが確認していた「ベベルギアの外形」ということになります。当時，熟練者は，ベベルギアに「打痕，スケール残り，バリ，ショット玉の付着などが無いかどうか」をチェックしていたわけですから，ここでの重要事項は，打痕，スケール残りなどのn次元の潜在変数と言うことができます。

## 重要事項に関する「データ」はあるか

　キュウリ農家の例に倣えば，不合格となったベベルギアの画像を「教師データ」として使えば，何とかなりそうですが，ムサシの場合，学習用データの取得に本質的な課題がありました。そもそも，同社では，不良品（不良率は僅か0.002%）はほとんど発生しておらず，不良品に関する教師データなど集めようがなかったのです。それゆえ，正常品と不良品に関する画像データを同数ずつ用意し，それをＡＩに学習させるというキュウリ農家のアプローチは採用できなかったのです。

　そこで，ムサシは，ＩＴベンチャー㈱ＡＢＥＪＡの支援を受け，正常品の画像約8万6000枚を活用し，判定ツールの開発を進めることとしました。「正常品の画像データだけで，不良品を検出するＡＩツールは開発できるのか」との疑問が湧いてきますが，彼らは「オートエンコーダ」と「差分可視化ソフト」（Diff）という技術を駆使し，ＡＩツールの開発を進めていきました。その考え方を紹介しておきましょう。

## 利用したテクノロジーなど

　第3章において既に解説しましたが，最初のオートエンコーダとは，対象物の特徴を自己学習するアルゴリズムです。それは「エンコーダ」と「デコーダ」の2つの機能を持つ「自己符号化器」と呼ばれるものです。

前者の「エンコーダ」は，対象物の特徴を失わない範囲で，画像データ（入力 X）を，形状，大きさ，模様，色，透明度，輝度などの，n 次元の潜在変数（特徴）に転換します。与えられたデータを圧縮し，重要な特徴量（対象の特徴を数値化したもの）だけを残していくわけです。これに対し，後者の「デコーダ」では，この n 次元の変数（重要な特徴量）を使い，元の対象物の画像を復元（出力 X'）します。データを一度圧縮し，再度，復元するわけですから，入力 X と出力 X' の間には「復元誤差」が生じてきます。

　ムサシは「正常品のデータ」（入力 X）と「復元データ」（出力 X'）の間に生まれるこの誤差を小さくするために，オートエンコーダに約 8 万6000 枚の正常品の画像データを読み込ませ，「重み付け」の調整を進めていきました。そして，正常品についてのみ満足できる復元が可能となったところで，調整作業を終えました。「正常品は復元するが，不良品は復元誤差を残す」という微妙な調整を行なったわけです。

　第 2 の「差分可視化ソフト」とは，この学習（調整）済みオートエンコーダによる「復元画像」と「元画像」の 2 つを比較し，画像に差分（不一致）があるかどうかを検出するものでした。不良品は復元誤差（差分）を残しますので，このソフトを使えば，不良品は簡単に検出できたわけです。これがムサシと ABEJA による「不良品検出ツール」となりました。

　こうしたツールの開発・導入は，もともとベベルギアの外観検査の自動化を図るもので，業務効率の改善を目的としていました。ただ，この経験を経たことで，ムサシは，単なる業務改善を超え，新たな価値を創出する事業を始動させています。不効率な検査業務という課題は，ムサシだけではなく，他のメーカーも同様に抱えている社会課題であるため，その支援サービスに乗り出したのです。現在，ムサシは，その事業として A I 画像検査システムの外販を進めています。

## 第3節　トラスコ中山株式会社における取り組み

### トラスコ中山株式会社のミッション

　キュウリ農家とムサシの取り組みは，それぞれＡＩツールの「分類（判別）機能」を使って作業を効率化するものでした。これに対し，東京都港区新橋に本社を置くトラスコ中山株式会社（以下，トラスコ）は，ＡＩの「予測機能」を中心に，また分類（判別）機能も駆使しながら，「需要予測」「検索支援」「自動見積り」などの社内業務を改善してきた卸売業者です。

　トラスコの従業員数（2021年9月末でパートタイマー約1100人を含めた数字）は，連結では2786人，単体では1674人（パートを除いた数字）となっており，本書の分類で言えば，中規模組織に位置付けられます。同社の事業は，工場や建設現場などにおいて，保守・修理・稼働（MRO）で必要となる備品や消耗品などの「間接資材」を販売業者に卸売するものです。したがって，トラスコのビジネスはB2B（販売事業者への卸）ということになります。これと併せ，自社ブランドの間接資材も開発していますが，2020年12月末で，その数は全登録商品233万7000点中，6万7700点と僅かですので，卸売が本業となります。なお，この間接資材は，最終的に製品となる原材料や部品といった「主資材」と異なり，加工過程などで使用される備品や消耗品であるため，生産用副資材あるいはプロツールなどとも呼ばれています。

　さて，課題抽出の第1ステップは，トラスコにとっての「課題」を明確にすることですが，ＡＩ導入に取り組んできた同社の歴史が約20年に及ぶため，前段としてトラスコが掲げてきた「サプライヤーとしての使命」（ミッション）を確認するところから話を始めましょう。

　1959年に創業されたトラスコは，60年以上，間接資材業界で事業を続けてきました。この業界の特徴は，(1) メーカー数が異常に多いこと，(2) 膨大な数の商品が存在すること，(3) 営業活動が地域毎に分散していること，(4) 規模の小さな業者が多いため，流通構造が多層・多段階・複雑に

なっていること，この4つに集約されます。こうした特徴を持った業界にあり，トラスコは「問屋を極める」ことを自らのミッションとしてきました。「問屋を極める」とは，サプライヤーとして，顧客が必要なものを，必要な時に，必要なだけ届けること，これを徹底してやり抜くということです。言い換えれば，メーカー数や商品数がどんなに多くても，どの地域の販売業者に対しても，迅速かつ確実に間接資材を届けること，これをトラスコは使命としてきたわけです。

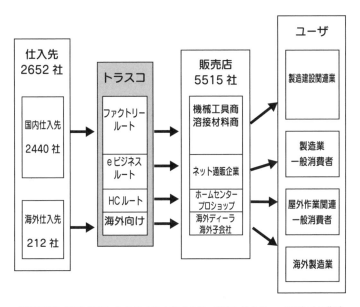

・TRUSCO『解体新書』トラスコ中山株式会社，2021年3月，p.13を元に作成。

図表6-3　トラスコのビジネス・フロー

## ロジスティックス業界における課題

　トラスコにとっての「課題」は，一言で表現すれば，「このミッションを達成する上での障害を取り除くこと」となります。2020年12月末時点で，トラスコは，2652社の仕入先（メーカー）より商品を購入し，それをファクトリールート，eビジネスルート，ホームセンタールート，海外向

けの４つに仕分けし，それぞれの販売店（5515社）に商品を納め，それら
販売業者を通じて，100万社以上のユーザー（製造業者や建設業者など）に間
接資材を届けています（図表6-3）。

　このメーカーからユーザーまでのロジスティックスが順調に流れていれ
ば，何の問題もないわけですが，物流に関わる企業は，例外なく，トレー
ドオフ関係にある諸条件の充足を求められ，悩むことになります。例え
ば，「確実な受注に繋げるため，在庫数を増やすこと」「不良在庫を減ら
し，物流拠点の管理コストを引き下げること」，この２つの条件は相矛盾
してきます。「即納を実現するため，主要顧客の近くに物流拠点を設ける
こと」「拠点間の調整が複雑になるため，拠点数はむやみに増やさないこ
と」，この２つの条件も相矛盾します。さらには「納品のリードタイム
（注文を受けてから納品するまでの時間）を短くすること」「配送コストはでき
るだけ低く抑えること」，この２つの条件もトレードオフの関係にありま
す。

　これらの相矛盾する諸条件を最も合理的な形で調整すること，これがロ
ジスティックスに関わる企業の「課題」となるのです。裏返せば，これに
対処するには，卸売業者はまず自らの「ミッション」に従い，優先順位を
明確にし，どのようなスタンスで事業に臨むかを決定しておかなければな
らないのです。

　例えば，会社Xでは，リードタイムに余裕のある間接資材は僅かな拠
点で保有し，リードタイムの短い商品は，多くの拠点で保有するかもしれ
ません。他方，会社Yでは，よく売れる間接資材（ヘッド商品）は顧客に
近い拠点で保有し，あまり売れない間接資材（テール商品）は地価の安い遠
くの拠点で在庫するかもしれません。また，X社，Y社は，各拠点の在庫
をあまり増やさず，在庫回転率を高めることで利益をあげようとするかも
しれません。

　当然，X社，Y社のこうしたスタンスが正解というわけではありません。
最終ユーザーの中には，リードタイムが長いとされる間接資材をすぐにで
も入手したい，テール商品とされる間接資材を明日にでも欲しいと考える
顧客がいるからです。

158

## トラスコにとっての3つの「課題」

　既述の通り，トラスコのミッションは「問屋を極める」こと，言い換えれば，「顧客が必要なものを，必要な時に，必要なだけ届けること」となっています。よって，その課題は，このミッションを達成する上での障害を取り除くことと整理されるわけです。では，取り除くべき障害とはどのようなものなのでしょうか。大枠は次の3つに整理されます。

　第1は，顧客が欲する商品を取り扱っていないことです。顧客が求めている間接資材が取扱対象から外れていれば，顧客はトラスコの利用をやめてしまいます。それゆえ，「顧客が望む商品（非在庫商品を含む）をできるだけ多く取り揃えること」がトラスコにとっての課題となります。

　第2は，顧客が望む商品を取り扱っていても，在庫として保有していないことです。顧客が希望する商品がトラスコの物流センターに在庫として保有されていなければ，特に入手を急ぐ顧客であれば，トラスコ以外のところに注文を出してしまうかもしれません。それゆえ，「取り揃えた商品を適切な時期に在庫として準備しておくこと」がトラスコにとっての課題となるのです。

　第3は，在庫として持っていても，商品の配送が遅れることです。物流センターから顧客のところに届けるのに必要以上の時間を要するようであれば，それ以降，顧客はトラスコを利用しなくなるかもしれません。それゆえ，迅速かつ確実に「顧客が求める商品を納めること」がトラスコにとっての課題となるわけです。

　以上の課題を，それぞれ「取扱商品の拡充」「在庫の適正化」「即納体制の強化」と呼ぶことにしましょう。トラスコは，これらの課題に対処するため，多様なタスクの自動化に努めてきました。またその取り組みと併せ，デジタル基盤の構築・強化にもリソースを投入してきました。それは，(1) 基幹業務統合ソフト「SAP ERP」（SAP ECC）の採用，(2) データ活用基盤の刷新を狙いとした「SAP HANA」の導入，(3) SAP ECC 保守切れを受けての「SAP S/4 HANA」への移行，という3つのステップを踏んで進められてきました。この流れを簡単に説明しておきましょう。

## トラスコにおけるデジタル基盤の構築・強化

　トラスコは，2001 年に，日立製作所の支援を受け，インターネットを使った受注システムの構築に着手しています。これは，約 11 万点の間接資材を電子カタログで検索し，その検索結果を注文に繋げるという自動化へのチャレンジでした。開発に約 1 年を費やし，2002 年 10 月，トラスコは，300 の販売業者の参加を得て，無事「Web 受注システム」の運用を開始しています。その後，2006 年に「SAP ERP」を導入し，Web 受注システムを「在庫適正化システム」「データ分析システム」などと連携させました。

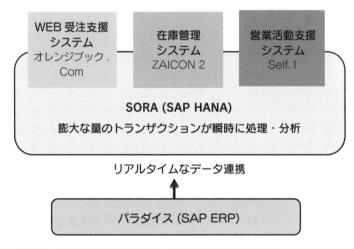

・トラスコ中山株式会社「事業内容・情報システム」を元に作成。
http://www.trusco.co.jp/business/information_system.html

**図表6-4　SAP HANA で強化されたトラスコのデータ活用基盤**

　しかし，2011 年頃になると，トランザクション（取引量）が増加したことで，サーバへの負荷が増大し，在庫適正化システムの計算能力が著しく劣化していきました。加えて，当時のデータ分析システムにはデータ集計機能しかなく，営業活動などを積極的に支援することもできませんでした。これを解決するために，トラスコは，インメモリー型コンピューティ

ング・プラットフォーム「SAP HANA」の導入を決定しました。決め手は，(1) インメモリー型であれば，使用するプログラムやデータを RAM（ランダムアクセスメモリ）上に読み込み，超高速でデータ処理できること，(2) トランザクション・データをリアルタイムで SAP ERP と連携できることだったと言います。

　導入にあたっては，ＮＥＣ（日本電気）とＮＲＩ（野村総合研究所）の支援を受け，2012 年より業務システムの設計・構築に着手しています。その後，2013 年 10 月に，営業支援システム，物流支援システムが稼動し，翌2014 年 11 月には，Web 受注システムがそれらと連動し，全面的な稼働に移行しています。これにより，膨大な量のトランザクションが瞬時に処理・分析できるようになり，また物流センター単位，エリア単位での高度な在庫管理も可能になったと言います。ちなみに，トラスコは，図表 6-4 に示している通り，構築されたこの「情報基盤」（SAP HANA 中核部分）を「SORA（ソラ）」と呼んでいます。

　2017 年になると，トラスコは，SAP ECC が 2025 年で保守切れとなる予定であったため，基幹システムを SAP S/4HANA に移行させる決定を下しています（その後，保守期限は 2027 年末まで延長されています）。しかも，これを「さらなる自動化，処理削減，デジタル化を進める絶好の機会」と捉え，同年 10 月，ＩＢＭをプライム・パートナーとして迎え，部門横断的なプロジェクトを立ち上げています。

　その後，社内における議論を踏まえ，同プロジェクトは，(1) SAP S/4HANA を中核とした基幹システムを刷新すること，(2) 業務の高度化・自動化を図る新機能及び社外との連携を可能とするクラウド・アプリケーションを SAP Cloud Platform 上に開発することなどを主な取り組み課題としてまとめています。なお，トラスコは，2020 年 1 月に稼働したこの新基幹システムを「パラダイス 3」と呼んでいます（図表 6-5）。

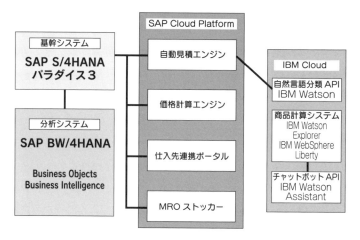

・IBM SAP コンサルテイング＋クラウド・アプリケーション開発「トラスコ中
山＋IBM」（お客様事例）2020 年，p. 3 を元に作成。

**図表6-5　トラスコの主要なＩＴインフラ**


## 3つの「課題」にどのように対処してきたか

　既述の通り，トラスコは，2001 年以降，約 20 年の時間を使い，デジタ
ル基盤を構築・強化してきました。このＩＴインフラを前提として「取扱
商品の拡充」「在庫の適正化」「即納体制の強化」を図ってきたわけですか
ら，ここでは，これら３つの課題に関連し，トラスコがどのような取り組
みを進めてきたか，その概略を整理しておきます。

　第１に，トラスコは一貫して公開アイテム（非在庫商品を含む）の数を増
やしてきました。2001 年に 11 万点であったものが，2008 年には 83 万点に，
10 年後の 2018 年には 166 万点に，そして 2020 年 12 月末には，234 万点
となっています。最初はカタログだけで案内していたものを，WEB 掲載
に移行し，商材に関する商品説明も確実に充実させてきているのです。こ
の流れは，今後も続く予定で，2023 年には 350 万点にまで拡充する計画
です。顧客が欲する商品はすべて用意するという戦略の下，トラスコは仕
入先と取扱商品の数を増やして続けているわけです（図表6-6）。

| 年度<br>（12月末時点） | 2013 | 2014 | 2015 | 2016 | 2017 | 2018 | 2019 | 2020 | 2021 |
|---|---|---|---|---|---|---|---|---|---|
| 仕入先数（社数） | 2053 | 2047 | 2127 | 2222 | 2339 | 2477 | 2537 | 2652 | 2750 |
| 公開アイテム（万） | 70.9 | 81.4 | 101 | 121 | 146 | 166 | 202 | 234 | 280 |
| 在庫アイテム（万） | 19.2 | 23.1 | 26.4 | 29.8 | 33.6 | 37.4 | 39.2 | 44.2 | 47.8 |
| 割合（在庫/公開） | 27% | 28% | 26% | 25% | 23% | 22% | 19% | 19% | 17% |
| 在庫ヒット率 | 83.1 | 86.8 | 88.2 | 88.8 | 89.5 | 89.9 | 90.5 | 91 | 91.5 |

・2013年度〜2021年度の数字はTRUSCO『解体新書（統合報告書）』2021年度，p. 23，p. 83より作成。2021年度の数字は計画値。

**図表6-6　公開・在庫アイテム数・在庫ヒット率の推移<br>（2013年度〜2021年度）**

　第2に，トラスコは非在庫商品をどのタイミングでどの物流センターに在庫化するかをできるだけ合理的に判断するようになってきています。登録取扱商品はあくまでも取引可能な商品であって，在庫として保有するものではありません（2020年12月末時点の約234万点は在庫として準備しているわけではありません）。大半は非在庫商品のままとなっているのです。このため，トラスコはできるだけ正確に「市場の動向や状況を押さえ，いずれの商品を，どの時点で，どの物流センターに，在庫として用意するか」という難題にチャレンジしてきました。確かに，在庫商品のアイテム数も増加の一途をたどっており，2020年12月時点で44.2万点に達しています。しかし，登録取扱商品数と比較すれば，現在でも，そのキャパシティは2割弱にとどまっています。その中で「在庫ヒット率」（注文を受けた商品を在庫として持っている比率）を一貫して改善してきたことは特筆すべきです。

　第3に，トラスコはできるだけ迅速かつ確実に商品を届ける仕組みを構築・整備してきました。これに関して，トラスコが特に力を入れてきたのは，物流センターから販売業者までの配送ネットワークを安定化・予測可能なものにすることでした。仮にトラスコが「B2販売業者」ではなく，「B2C」あるいは「B2最終ユーザー」の形式をとっていたら，トラスコは配送業務により多くのITリソースを割かなければならなかったはずです。

　一般消費者や最終ユーザーからの注文に直接応えるビジネスモデルであ

れば，届け先は顧客の数だけ増加し，配送トラックの追加だけでなく，最適配車，最短配送ルートの割り出し，最低注文単価や送料バーの設定，「自社トラックでの配送か，他社運送業者による配送か」など，非常に多くの変数を取り込んで判断するＡＩツールを構築する必要があったからです。ただ，幸いなことに，トラスコは，配送先を一定数の販売業者に限定し事業を展開してきました。それが結果として，トラスコの強みになっているのです。

2020 年 12 月末現在，トラスコは，全国にある 26 の物流センター（そのうち，9 つはストックセンター）と 30 の在庫保有支店を主な物流拠点とし，5515 社の販売業者に商品を定期的に届ける体制を敷いています。同社はこれを「プラネット物流システム」と呼んでいますが，それは各物流センターを中心として「惑星軌道のような配送ルート」を設け，そのルートの上に 1 日 2 便など，決まった頻度でトラックを走らせているからです。なお，基本のルートから外れる地域の販売業者に対しては，他社運送業者による 1 日 1 便という配送サービスも提供しています。即納体制の強化という視点では，この「配送ネットワークの構築」がトラスコの重要な取り組みとなっているわけです。

以上を効率的に行うため，トラスコは，無数のタスクを自動化してきました。課題抽出の第 2 ステップは「課題のうちのいずれのタスクを自動化するかを決めること」と説明しましたが，既述の通り，トラスコによるツール導入の歴史は 20 年を超えており，かつ複数のタスクを既に自動化しているため，第 2 ステップを「課題→タスク群の列挙→自動化されたタスク」と単純化することができません。あえてそれを行えば，実態を歪めてしまう可能性もあるからです。それゆえ，トラスコの第 3 ステップに関しては，便宜上，注目すべき「タスク」を 3 つ取り上げ，そのタスクにおける「重要事項」のみを整理することにします。

## 需要予測タスクと考慮すべき重要事項

第 1 は，トラスコが強く意識してきた「在庫の適正化」に関わるタスクです。既述の通り，トラスコは，「顧客が必要なものを，必要な時に，必

要なだけ届ける」というミッションを掲げ、「顧客からの注文に応え得る
だけの在庫を自社で保有する」との立場をとってきました。これをＫＰＩ
で表せば、「在庫ヒット率の向上」ということになります。

　多くの卸売業者は、在庫回転率の向上や在庫回転期間の短縮を意識して
経営していますが、トラスコは、回転率の低下、回転期間の長期化にも繋
がりかねない「在庫ヒット率の向上」をＫＰＩとし、言わば「業界の常
識」にチャレンジしてきました。これは問屋として大きなリスクを負うこ
とを意味しましたが、トラスコは、そのリスクを取ってでも挑戦する価値
ありと考え、需要予測ツール（彼らはこれを「ザイコン」と命名しています）の
開発・改良に力を入れてきました。

　とりわけ、図表6-6の2017年以降の数字を見ますと、公開アイテム数
（取扱商品数）は増やしながら、他方で、在庫として抱える間接資材の割合
（在庫／公開）を減らし続けており、2023年には14％台にまで圧縮する予
定と言います。在庫保有のキャパシティを縮小させ、在庫ヒット率を上げ
るには、結局、需要予測ツールの精度を上げていくしかなかったのです。

　では、このタスクの自動化において考慮すべき重要事項は何だったので
しょうか。それは、初期段階であれば、在庫厳選作業に当たっていた担当
者の経験や勘であり、彼らが拠り所としていた売上実績などのデータで
あったと言うことができます。その後は、会社として具体的な説明がない
ため、推測の域を出ませんが、2006年以降で言えば、自社に蓄えられた
実績データ、取引データ、検索データ、様々な外部データであったと考え
られます。

## 検索支援タスクと考慮すべき重要事項

　第2は、顧客の注文検索（曖昧検索）を支援する業務、中でも自然言語
（口語）での問合せに対応するタスクです。これをここで取り上げるのは、
取扱商品を233万点以上、在庫商品を44万点以上用意したところで、顧
客が欲する商品を把握し、迅速に対応できなければ、ビジネスチャンスを
逃してしまうからです。逆に言えば、メーカー名や商品名、型番などが分
からなくても、音声検索機能やガイドチャット機能を駆使し、ユーザーフ

レンドリーな形で顧客が望む商品を特定することができれば，これがビジネスチャンスとなるからです。現在，この業務は「トラスコＡＩオレンジ・レスキュー」と呼ばれるツールとして活用されています（2019年2月にサービス開始）。

　このタスクの自動化において考慮された重要事項は，やはり，顧客対応部署などで働く社員の経験や勘が基本となっていたはずです。それにはトラスコが扱う膨大な商品情報も含まれているわけですが，顧客とのやりとりの中で，トラスコが蓄積してきた「様々な手掛かり」は重要事項として利用されたものと推測されます。

## 取引条件見積りタスクと考慮すべき重要事項

　第3は，顧客に取引条件を迅速に提示するタスクです。これを重要な業務として取り上げるのは，たとえ欲しい商品を特定できたとしても，購買条件が迅速に示されなければ，またその条件が満足のいくものでなければ，取引は成立しないからです。トラスコでは，数年前まで，全国の営業拠点よりFAXや電話で毎日5万件ほどの見積もり依頼を受け，営業担当者（約440名）が，得意先毎に価格や納期を登録し，FAXで返答していたと言います。この作業では手間がかかり，受注に至る確率も僅か2割程度にとどまっていました。それゆえ，トラスコは，業務効率の改善を目的として「取引条件の提示」というタスクを自動化の対象としたわけです。結論から言えば，自動見積もりツールを開発したことで，従来，依頼を受けてから数時間から1日を要していた回答は数秒で処理できるようになったと言います。

　このタスクの自動化において考慮された重要事項は，検索支援サービスの場合と同様に，見積もり依頼に対応していた営業担当者の経験や勘であったと考えられます。厳密に言えば営業担当者は，過去の取引履歴などを踏まえて，これを行っていたわけですから，彼らが取引条件を決定する際に重視していたファクターが重要事項となったわけです。その中には，例えば，過去の取引実績，過去の販売価格，過去の適用割引率，販売業者のランクなどが含まれていたはずです。

## 重要事項に関する「データ」はあるか

　課題抽出の最後のステップは，重要事項に関するデータはあるか，入手可能かを検討すること，と説明しました。この点に関しては，3つの対象タスクは，すべて関連するデータが入手できる状況となっていました。

　第1の需要予測については，既に10年を超える膨大なデータが蓄積されており，しかもこれを超高速で処理できる基盤（SORA）も用意されていました。この2つが揃っていれば，需要予測ツールの構築は可能だったわけです。どこまでの予測精度を出すかという課題は残りますが，過去の膨大な取引データを蓄えていれば，そして，それを迅速に処理できれば，「出荷量の平均やバラツキはどうなっているか」「どの間接資材がどのタイミングで受注対象となるか」「在庫補充のリードタイムや頻度はどうなるか」など，地域や最終ユーザーの特性に応じて需要予測ができたからです。事実，トラスコは，現在，改良版「ザイコン3」を使い，品目毎の売上実績を元に商品の必要在庫数を予測し，これを在庫ヒット率の向上に繋げています。

　第2の検索支援も，最終顧客が属する業種や過去の購入履歴データが揃っており，基本的に問題はなかったと考えられます。ただ，自然言語への対応については「様々な手掛かり」を探索的に発見していくことが求められますので，音声処理による特徴量の抽出，特徴量より単語を推測するプロセス（蓄積したデータに基づき使用する単語の出現率を算出），単語の繋がりを予測判定し，文章に変換するプロセスも必要となってきます。この機能に関しては，IBMワトソン・エクスプローラなどの外部システムを利用しているものと思われます。

　第3の自動見積もりも，過去の取引実績に関するデータが揃っており，また納期についても，営業担当者が行っていた「在庫有無のチェック」「在庫なしの場合には，メーカーからの取り寄せリードタイムの確認」などをフロー図に整理し，データ化していけば，開発は可能と判断されたはずです。最近のダイナミックプライシングの手法などから推測すれば，このフロー図には，原価に対しどれくらいのマージンを設定するか，顧客が価格に敏感であるかどうか，競合他社が代替商品を扱っているかどうか，

なども載っているものと考えられます。当然，これらはいずれも入手可能なデータとなります。

　さて，トラスコが導入を図った３つのＡＩツールは，いずれも業務改善を目的として開発・導入されたものです。ただ，多様な機能を自動化し続けたことで，同社は，この業界にあって「トラスコ中山であれば，何でも揃う」との高い評価を得るようになっています。そして，今「この評価がまた新たな需要を呼ぶ」という好循環を生み出しています。その意味で，大量の在庫を合理的・効率的に管理するツールを実装化したことで，トラスコは「会社として新たな価値を創出した」とも言えるわけです。

　本章では，ＡＩ導入で最も重要な「構想フェーズにおける課題抽出」に焦点を絞り，３つの事例を見てきました。ただ，これらのケースは，基本的に，既存事業の大枠の中で業務改善を図ろうとするものでした。しかも，課題抽出にあっては，ほとんどが内部者あるいは関係者だけで完結するものでした。そこで次章では，外部ユーザー（顧客や利用者）へのサービス提供を目指す新規事業の例を取り上げ，課題抽出に関する理解をより一層深めていくことにします。この場合，課題抽出では，これまで以上に広い視点で「誰にとっての課題か」を検討し，事業内容も多面的に練り上げていく必要があります。それだけに，課題抽出のステップは，さらに複雑なものとなってきます。

# 第7章
## 構想フェーズにおける課題抽出
### ——資生堂のケースに学ぶ

　前章で見てきた3つのケースは，農産品，自動車部品，間接資材となっており，いずれも消費財を消費者に直接販売するビジネスではありませんでした。そして，それらは既存事業の業務改善を主な目的とした取り組みであって，新たなビジネスモデルの構想や新規事業の練り上げまで含めて課題抽出するものではありませんでした。これに対し，ここに見ていく株式会社資生堂（東京都中央区銀座に本社を置く）のケースは，以下，4つの点で既述の取り組みとは大きく異なっています（図表7-1）。その相違点を明確にするところから，本章を始めましょう。

---

**株式会社資生堂**
業種：化粧品製造販売
創業 1872 年，資本金 645 億円，プライム
2017 年 1 月，マッチコーを買収
2017 年 11 月，ギアランを買収
2018 年 3 月 5 日，「新 3 カ年計画」の公表
「世界で勝てる日本発のグローバル　ビューティーカンパニーへの成長加速」

| 2018 年 12 月期 | 2019 年 12 月期 | 2020 年 12 月期 |
|---|---|---|
| 連結売上：1 兆 948 億円 | 連結売上：1 兆 1315 億円 | 連結売上：9208 億円 |
| 営業利益：1083 億円 | 営業利益：1138 億円 | 営業利益：149 億円 |
| ROE：14.08% | ROE：15.57% | ROE：−2.38% |

---

**図表7-1　資生堂の実践事例**

第1に，資生堂のケースは，消費者を念頭に置いて，また消費財の提供を目的としてＡＩツールを導入しようとするものでした。第2に，それは既存ビジネスモデルを変革し，新規事業を始動させることを狙いとしていました。第3に，資生堂は，組織規模において，ムサシやトラスコなどを遥かに凌ぐ大型企業となっています。従業員数で言えば，連結で約4万人，単体で約4300人 (2021年12月末) となっており，本書でいう「大規模組織」に該当します。そして最後の違いは，資生堂における試み (オプチューン事業) が失敗に終わったということです。第1章において「ＡＩ導入で一気にすべてを変革できれば，それに越したことはないのですが，現実には，そう簡単ではありません」と指摘しましたが，資生堂のケースはその典型例と言えるでしょう。

　資生堂は，プロジェクトを設置する (2017年2月) にあたり，「デジタル・テクノロジーで化粧品の未来を変える人材」を社内公募し，モチベーションの高いメンバーを揃えました。このプロジェクトの下，1年以上の時間をかけ，「稼働フェーズ」まで進み，2018年3月，ベータ版 (オープンベータ) を発表し，さらに1年以上の時間をかけ，この試験版の改良を続けました。そして2019年7月，ようやくサービスの本格始動に至りましたが，2020年6月，このサービスを打ち切ってしまいました。本来であれば，ニュースとして取り上げてもおかしくない撤収判断でしたが，これはマスコミで積極的に取り上げられることもありませんでした。

　本章では，以上の「消費財・消費者」「ビジネスモデルの変革及び新規事業の練り上げ」「組織規模」「新規事業の失敗」という4つの違いを念頭に置き，資生堂のチャレンジを詳しく見ていくことにします。


## 第1節　オプチューン事業の始動

### 資生堂の新たなビジネスモデル

　トラスコ中山と比べれば，資生堂におけるＤＸへの取り組みは始まったばかりと言わなければなりません。したがって，公表されているＡＩツー

ル導入の事例は比較的少ないのですが，議論が拡散しないよう，本章では，焦点を同社（資生堂ジャパン）が 2017 年から 2020 年にかけて試みた新規事業である「Optune（オプチューン）」に絞ることにします。

　このオプチューン事業の背景にあったビジネスモデルについては，資生堂が公式に発表していないため，断言できませんが，筆者らはそのコンセプトが「スキンケアのパーソナライゼーション」にあったと捉えています。それは，この概念がそれまでのビジネスモデルと業界慣行を根本的に変えてしまう可能性を秘めていたからです。従来，化粧品業界では，各社とも，価格帯，ブランドなどを差別化し，好みや悩みなどの異なる消費者に，多様な販売チャネルを通じて，また多様な販売方法を用いて，商品サービスを提供してきました。一見，顧客志向に見えるアプローチだったわけですが，これも基本的には消費者をグループ化し，そのグループ向けに同じ商品を一律的に届けるものに過ぎませんでした。これに対し「スキンケアのパーソナライゼーション」とは，一人ひとりに焦点を当て，各自の肌のコンディションに合った「異なる化粧品」を提供しようとするもので，従来のビジネスモデルとは一線を画するものであったと言うことができます。その意味で，これが新規事業の核となるコンセプトであったと筆者らは見ています。

　さて，このコンセプトを前提として，資生堂はオプチューン事業を練り上げていったわけですから，資生堂における「課題抽出」とは，ＡＩツールの開発・導入だけでなく，それが投入されるオプチューン事業全体の練り上げまで含むものであったと捉える必要があります。

## 2019 年までの資生堂の業績推移

　まず資生堂におけるオプチューン事業の位置付けを理解するため，2017 年以降の同社の経営状況と 2018 年 3 月に公表された「中期経営計画」（6 年間の中長期戦略「VISION 2020」後半の 3 年間）の内容を確認しておきましょう。

　2017 年以降，資生堂（連結）は，インバウンドの恩恵や海外事業の伸長を受け，売上と営業利益を順調に伸ばし，2019 年度には，売上 1 兆 1315

171

億円，営業利益 1138 億円という好業績をあげていました。これによって潤沢となった営業キャッシュフローを，同社は積極的に投資に回し，次なるステージに進もうとしていました。例えば，投資キャッシュフローは「2018 年度に 1000 億円超」「2019 年度に 2000 億円超」と，大幅に拡大させていたのです（図表 7 - 2）。

単位：億円

| 会計年度<br>（12 月期） | 2016 | 2017 | 2018 | 2019 | 2020 | 2021 |
|---|---|---|---|---|---|---|
| 売上高 | 8,503 | 10,051 | 10,948 | 11,315 | 9,208 | 10,440 |
| 営業利益 | 367.8 | 804.3 | 1,083.5 | 1,138.3 | 149.6 | 320 |
| 営業ＣＦ | 591.2 | 953.9 | 925.7 | 755.6 | 640.4 | 704 |
| 投資ＣＦ | −706.4 | −10.6 | −1031.1 | −2028.2 | −700.8 | 617 |

・2019 年度～2021 年度の数字は、株式会社資生堂『有価証券報告書』（2020年 12 月期）, p. 2 より。2021 年度の数字は資生堂「2021 年第 3 四半期累計実績および通期見通し」（2021 年 11 月 10 日）, p. 15 及び p. 19 より。2021 年度の投資活動によるキャッシュフローは，設備投資で−821 億円となっていますが，事業譲渡を実施したことで 1317 億円を回収。その結果，617 億円のプラスとなっています。

**図表 7 - 2　主な経営指標の推移（2016 年度～ 2021 年度）**

### 2018 年中期経営計画

　この間，資生堂は，2018 年 3 月 5 日，「世界で勝てる日本発のグローバルビューティーカンパニーへの成長加速」と題する「新 3 カ年計画」（2018 年～ 2020 年）を公表しています。同「3 カ年計画」（2018 中計）では，(1) ブランド事業のさらなる「選択と集中」，(2) デジタライゼーションの加速・新事業開発，(3) イノベーションによる新価値創造，(4) 世界で勝つ，人材・組織の強化，(5) グローバル経営体制のさらなる進化，という 5 つの重要戦略が掲げられていました。このうち，(2) と (3) がＡＩツールの導入に関わってくる戦略となります。

　(2) と (3) それぞれの内容を整理すると，新事業開発については，「一人ひとりのニーズに合わせた価値提供を実現するため，パーソナライゼー

ションへの対応を強化し」「優れたデジタル技術（ＩoＴなど）と既存ビジネスを掛け合わせ」「新しい商品・消費者体験を生み出します」とし，また新価値創造については「Ｍ＆Ａなどによるブランドやテクノロジー，専門性の高い人材との融合により，イノベーションを生み出し」「人工皮膚，毛髪・皮膚再生，先端美容など新領域を創出し，革新的なビジネスモデルを構築します」としていました。この 2018 中計公表時点で，資生堂は，2020 年度までにデジタル分野だけで総額 520 億円を投資するとしていたのです。

## ＩＴベンチャー企業の買収

　さて，2018 中計が公表される 1 年前の 2017 年 1 月，資生堂は，既に米国子会社を通じて，マッチコー（MATCHCo）というＩＴベンチャーを買収しています。同社は，スマートフォンアプリで顧客の肌色を測定し，それにマッチしたファンデーションを提案する事業を展開していました。これに続き，2017 年 11 月には，米国ＩＴベンチャーのギアラン（Giaran, Inc.）も買収しています。このＭ＆Ａに関し，資生堂は，ギアランの「シミュレーション技術」を活用することで，「他にないビューティー体験を提供し，お客さまとの結びつきをさらに強めていきます」というプレスリリースを行っています。こうした一連の M&A が，「新事業開発」「新価値創造」を推進する上での重要な布石となっていたわけです。

## 第2節　課題抽出の4つのステップ

### 誰にとっての課題か

　オプチューン事業を開始するにあたり，資生堂が意識的に行ったかどうかは別として，同社のプロジェクトも実質的に「課題抽出」の4つのステップを踏んでいました。もっとも，その作業は，これまで見てきた3つのケースよりもかなり複雑であったと言わなければなりません。既に第1章において，課題抽出が「既存事業の中でＡＩツールの開発・導入を構想

するもの」と「新規事業を練り上げ，その中でＡＩツールの開発・導入を
進めるもの」の2つに分けられると説明しましたが，資生堂のケースで
は，新規事業の内容まで検討する必要があったためです。ただ，それでも
課題抽出の大枠は同じですので，以下，プロジェクトが採った4つのス
テップを整理しておきましょう。

　まず第1ステップでは，「誰にとっての課題か」「課題は何か」を明らか
にしようとしたはずです。これに関し，当時の資生堂は「仕事と家庭の両
立を目指す女性」が増え，忙しさから，スキンケアに割く時間が削られて
いること，それと併せ，消費者の肌の状態が「温湿度や紫外線などの外的
要因」と「ストレス・気分，生理周期などの内的要因」によって影響を受
けるため，それを踏まえた適切なスキンケアが必要であること，などを
「消費者（仕事と家庭の両立を目指す女性）にとっての課題」と捉えていまし
た。

　言い換えれば，この第1ステップで，プロジェクトは「スキンケアの
パーソナライゼーション」という新たなビジネスモデルを前提として，新
規事業の内容を固めていったわけです。そしてターゲットを「働く女性」
に絞り，そこでのパーソナライゼーションを実現しようとしたのです。

## 自動化したいのはどのタスクか

　第2ステップでは，この新規事業の業務プロセスの中で，どのタスク
（機能）を自動化すべきかを明確にしようとしたはずです。これに関し，資
生堂のプロジェクトは，研究部門，開発部門，アプリとサーバー，マシン
を製作する社内外メンバーと議論を重ね，少なくとも次の2つのタスクを
ＡＩ導入の対象にしたと考えられます。第5章において，「消費者一人ひ
とりの体調に合った成分の目に優しい健康食品を提供する」というサービ
ス事業の例を挙げましたが，資生堂においても，それと類似した「消費者
サイドの行動フロー」と「事業者サイドの業務フロー」を確認し，その流
れの中で自動化すべきタスク（機能）を特定したと見られます（図表7-3）。

　図表7-3の(1)〜(5)は，サービスの説明や契約を行う機能，カート
リッジと専用マシン（ＩｏＴ機器）の配送，装着，作動状況を確認する機能

などとなります。(6)～(7)は内的要因に関する情報収集機能を，(8)は外的要因に関する情報収集機能をそれぞれ指します。ちなみに(6')と表記したのは，これがベータ版以降に追加された機能となっているからです。(9)～(11)はデータを蓄積・分類・解析する機能となります。(12)は，解析結果に基づいたサービスの提供機能です。最後の(13)は，サービスを改善するための各種機能となります。

```
(1) スマートフォン専用のアプリを提供する機能
(2) オプチューン・サービスを説明する機能
    資生堂総合美容サイト「ワタシプラス」への登録
    月額1万円（税抜）のサブスクリプションなど
(3) オプチューン・サービスの契約締結に関する機能
    クレジット決済後，注文完了のお知らせ
    カートリッジと専用マシンの届け日のお知らせ
    クレジット決済後，注文金額を売上計上
(4) カートリッジ配送の指示を出す機能
    初回は専用マシンも併せて配送
(5) 専用マシンの不具合を検知する機能
    初回は専用マシンが正常に作動するかを確認
(6) 専用アプリを通じて問診結果を取り込む機能
    肌の悩み，気分，メンタル，生理周期など
(6') 専用アプリを通じて睡眠データを取り込む機能
    睡眠状態に応じて生ずる体内リズムの乱れを感知
(7) 専用アプリを通じて肌測定の結果を取り込む機能
    水分量，皮脂量，きめ，毛穴の目立ちなどの肌の状態
(8) 外部環境に関するデータを取り込む機能
    温湿度，紫外線，花粉，PM2.5など
(9) 収集したデータをデータレイクに蓄積する機能
(10) 画像データを肌測定データに構造化・分類する機能
(11) 内的要因・外的要因を総合して解析する機能
    化粧水や乳液の種類と量に関する配合を決定
(12) 配合決定に従い専用マシンに指示を出す機能
    朝夕2回，調合された保湿液（スキンケア剤）の提供
(13) サービス改善に繋げるためのその他機能
    SNS上の情報，お客様相談窓口への情報など
```

**図表7-3　オプチューン・サービスに関する主な機能**

以上13の機能のうち，ＡＩツールによる対象タスクは，基本的に (10)「画像データを肌測定データに構造化・分類する機能」と (11)「内的要因・外的要因を総合して解析する機能」の2つに絞られたはずです。ＡＩツールが得意とする分類機能や予測機能が，それぞれ (10) と (11) の工程に該当していたからです。

## 自動化する上での「重要事項」は何か

　続く第3ステップでは，(10) と (11) の2つの機能に関して，タスクを自動化する際，何が「重要事項」になるかを確認したはずです。これには，ギアランなどのテクノロジーを含む，資生堂の皮膚科学研究や美容技術に関する知見が重要事項になったと思われます。長年，資生堂は，温湿度や花粉などの外的要因が肌（水分量，皮脂量，きめ，毛穴の目立ちなど）に与える影響を研究してきたわけですから，これらが重要事項の柱となったと考えて間違いないでしょう。なお，「睡眠と体内リズムの関係」「体内リズムが肌に与える影響」などはＡＩツールの開発が進む中で事後的に追加された重要事項と考えられます。

## 重要事項に関するデータは入手可能か

　最後のステップでは，これら重要事項に関し『データは入手可能か』を検討したはずです。図表7-3の (6) 〜 (8) に示した通り，資生堂における結論は「入手可能」であったということになります。内部要因については，各ユーザーより，気分や生理周期，肌画像などのデータを受領し，外的要因については，温湿度，紫外線，空気中微粒子などに関する外部データを利用することができたからです。


# 第3節　稼働フェーズにおけるチューニング

## ベータ版と完成版の販売

　資生堂のプロジェクトは，以上の4つの基本ステップを踏み，構想内容

を固め，PoC を実施し，構想フェーズを完了させた，と考えられます。その後，要件定義フェーズを経て，周辺システムとの連携を整備し，2018年 3 月，数量限定でオプチューン「ベータ版」（オープンベータ）の販売を開始しました（図表 7-4）。オフラインで開発してきたプロトタイプを，この時点でオンラインのベータ版として公開し，最後の「チューニング」を行おうとしたわけです。

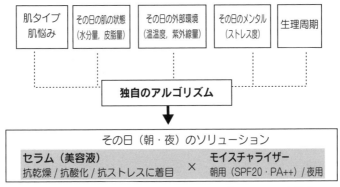

・「資生堂，IoT スキンケアシステム『Optune（オプチューン）』を開発」IoT
News, 2017 年 11 月 28 日を元に作成。　https://iotnews.jp/archives/77309。

**図表 7-4　オプチューンが提供するソリューション（β 版）**

　約 1 年 3 か月のチューニング期間中，資生堂はユーザーからのフィードバックを，AI ツール，専用マシン，システムなどの改善に繋げていったものと考えられます。例えば，ベータ版では，カートリッジの抽出パターンは 1000 通りとなっていましたが，完成版では，8 万通りに改良されています。また，ベータ版では，花粉や PM2.5 などの外的要因を主な分析対象としていましたが，完成版では，睡眠状態や体内リズムなども分析すべき変数に加えられています。以上の最終調整を経て，2019 年 7 月 1 日，資生堂は正式に完成版オプチューンによるサービスを開始しました。

## オプチューン・サービスの終了

　ところが，2020年春，資生堂はサービス停止の案内をユーザーに対して行い，同年6月末，オプチューン事業そのものを正式に終了しています。完成版に移行してから僅か1年のことです。資生堂のホームページには「オプチューンは終了させていただきました」との案内が掲載され，その下には「オプチューンは，一人ひとり違う，毎日変わる今の肌に，いちばんいいスキンケアをお届けしたいとの想いから生まれました」「オプチューンの魅力をよりブラッシュアップし，お客さまにまたお会いできる日を迎えるべく，新たなサービスや商品の開発に活かしてまいる所存です」と記されていました。この言葉には再開の可能性を示唆する表現も含まれていますが，「実質的な終了告知」であったことに違いありませんので，本書ではこれをもって「オプチューン事業は失敗した」と解することにします。

　なお，資生堂は，オプチューン事業と類似したものとして「ブリセント」(BliScent) という新たなアロマ提供事業を同時期に始めています。6種の香料カートリッジを装着した機器（スマートアロマデフューザー）を使う点，またユーザーの心拍数と心拍間隔のゆらぎ（内的要因）を測定し，3000種類以上の香りを調香・噴霧する点など，非常によく似ています。ストレス緩和を目的としたものでしたが，現在では資生堂オンラインショップで検索してもヒットしない状況となっています。


## 第4節　サービス終了となった第1の理由

### 構想フェーズにおける課題抽出の重要性

　これまで，ＡＩツールの導入を図る上で最も重要なフェーズが「構想フェーズ」にあると説明してきました。そして，そのフェーズの中でも「課題抽出」が極めて重要であると強調してきました。資生堂におけるサービス終了は，あらためて「構想フェーズ」の重要性を，そして「課題抽出がＡＩ導入成否の鍵を握るということ」を浮き彫りにしたと言うこと

ができます。サービス終了に至った理由や原因について，資生堂が公式見解を発表していないため，断定することはできませんが，本書では「想定した程には利用者が増えなかった」「損益分岐点を超えるほどの売上は達成できなかった」「コロナ感染の影響を受け，化粧品全体の需要が縮小した」などが「直接的な原因」だったと考えています。

その前提に立って，資生堂のケースをＡＩビジネスという観点で見直してみると，サービス終了に至った「３つの理由」が浮かび上がってきます（図表7-5）。それは，上述の直接的な原因の背景にあったもので，新規事業を練り上げる段階で生まれた問題であったと筆者らは考えています。

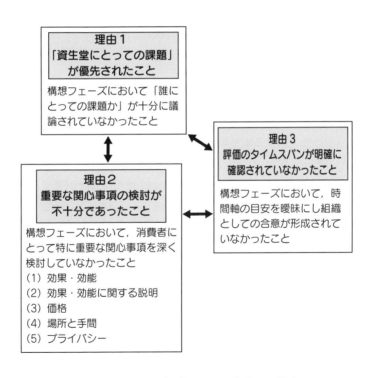

図表7-5　サービス終了に至った３つの理由

## 「資生堂にとっての課題」が優先されたこと

背景にあった理由の第1は，構想フェーズにおいて「誰にとっての課題

か」が十分に議論されていなかったことです。もちろん，当事者たちは
「十分に議論・検討した」と反論するでしょう。しかし「想定した程には
利用者が増えなかった」のは，突き詰めれば，これが根本の理由だったと
いうことになります。

　既に見てきたキュウリ農家とムサシのケースは，いずれも自組織内で完
結する業務改善目的の自動化でした。このため，いずれも「自分自身に
とっての課題」として，何が必要かを明確に意識できました。これに対
し，トラスコは，社内完結の自動化（例えば，必要在庫数の予測）にとどまら
ず，外部ユーザーへのサービス改善を目指す自動化（例えば，曖昧検索の支
援）にもチャレンジしていました。その意味で，自分自身にとっての課題
だけでなく，「外部ユーザーにとっての課題」も意識していたことになり
ます。ただ，外部ユーザーと言っても長年取引関係のある企業が相手で
あったため，「外部企業にとっての課題」も，過去の経験を踏まえかなり
具体的に自覚していました。

　これら3つのケースを踏まえ，資生堂のチャレンジを見てみますと，そ
れは社内だけで完結する取り組みではありませんでした。また「外部ユー
ザー」へのサービス改善という点でトラスコの試みと似ていましたが，そ
の外部ユーザーは普段から付き合いのある「取引先」ではなく，一般の
「消費者」となっていました。しかも，ターゲットとする消費者は，これ
までとは違った形で化粧品を利用する「未知の消費者」となっていまし
た。それゆえ，資生堂では「『誰』にとっての」という部分に関し，焦点
がブレてしまった可能性が高いのです。あえて言えば，資生堂は「消費者
にとっての課題」ではなく，「資生堂にとっての課題」を優先させ，新規
事業を練り上げてしまった可能性があるのです。

　もちろん，資生堂は「仕事と家庭の両立を目指す女性」が増えているた
め，「スキンケアに多くの時間を割けなくなっていること」，また肌の状態
が「気候や空気中の微粒子などの外的要因」や「ストレス，気分，生理周
期などの内的要因」によって影響を受けるため，「適切なスキンケアが必
要であること」を挙げ，これを「消費者（両立を目指す女性）にとっての課
題」としていました。

　しかし，問うべきは「これを消費者が本当に重要な課題と感じていた
か」あるいは「本当にその課題を解決するためのサブスクリプション・
サービスを望んでいたか」でした。この問いに十分答えることなく，資生
堂は「構想フェーズ」を終え，「要件定義フェーズ」「設計・開発フェー
ズ」へと進み，「稼働フェーズ」の試験運用・本格運用にまで至ってし
まったというのが，筆者らの理解です。

### 「消費者にとっての課題」は後追い的な説明に

　厳しく言えば，この新規事業は，資生堂が，デジタル，ＡＩ，パーソナ
ライゼーションなどに係る手持ちのリソースを活かすために，特にギアラ
ンのディープラーニング，データマイニング，予測モデルなどに関するリ
ソースをフルに活かすため，つまり「会社にとっての課題を解決するた
め」に見切り発車した，と見えてしまうのです。しかも，この分野におけ
る挑戦が2018中計に掲げられ，公約的性質を帯びたことで，「新規事業あ
りき」で物事が進められていったと推測されるのです。

　仮にそうした経緯で始まったとすれば，たとえ資生堂が消費者の課題を
「外的要因・内的要因の影響に応じた，適切なスキンケアが必要であるこ
と」に求めたとしても，それは新規事業を始める上での後追い的な説明に
過ぎなかったことになってしまうのです。つまり，「消費者にとっての課
題」ではなく，「ＡＩ分野で何か新しいことをやる必要がある」あるいは
「Ｍ＆Ａで入手したテクノロジーを活かす必要がある」という「資生堂に
とっての課題」が前提となって，プロジェクトが動き出した可能性が高い
と言えるのです。


## 第5節　サービス終了となった第2の理由

### 消費者にとっての5つの重要な関心事項

　既述の通り，「資生堂にとって」という視点で物事を考えていたと仮定
しましょう。もしそうであったとすれば，第2の理由は「構想フェーズに

おいて明確にされるべき事項」が，つまり，新規事業の内容を練り上げていく上で，いくつかの重要な点が十分に整理されなかったかもしれないということです。

　一般論として，フェーズが進んだところでの「手戻り」は可能な限り抑える必要があります。しかし，資生堂では，稼働フェーズに至っても，手戻りが発生していました。「ベータ版」と聞こえは良いのですが，実態は，これも「手戻り」ということになります。最終フェーズに至っても，手戻りが発生したのは，本来，構想フェーズにおいて「明確にされるべき事項」が深く検討されなかったため，と言わなければならないのです。では「明確にされるべき事項」とは何だったのでしょうか。それは消費者にとって「特に重要な関心事項」で，少なくとも次の5つが含まれていたはずです。

## ①効果・効能

　第1は「効果・効能」です。多くの消費者はこれに強い関心を持っています。既述の通り，資生堂は，(10)「画像データを肌測定データに構造化・分類する機能」と(11)「内的要因・外的要因を総合して解析する機能」の2つを，ＡＩツールによって自動化しようとしました。構想フェーズでは，この2つの機能に関し「技術的に達成可能な分類精度や予測精度」も議論したものと思われます。

　つまり，(10)の工程については，ユーザーのクラスタリング（分類）をどこまで正確に行うべきか，(11)の工程については，ＡＩによる調合をどこまで厳密に各クラスターにマッチさせるか，それぞれにつき，ベースラインとなる目標値(KPI)を設定したと考えられます。充足すべき精度が定まらなければ，そもそもPoCを行うことなど，できなかったからです。ただ，資生堂は，KPIの設定において「技術的に達成可能な精度」ではなく「ユーザーが求める精度レベル」に重きを置いて検討を深めるべきであったと言わなければなりません。

　例えば，アマゾンなどが使っているレコメンデーション機能では，高い精度は求められません。レコメンデーションが外れたところで，大きな損

害が「購入者」に発生するわけではないからです。逆に，肺癌検診ＡＩについては，医師による判断以上の精度が求められます。医師以上のパフォーマンスが認められなければ，それはそもそも「患者」の利益とならないからです。また自動運転ＡＩについては，どこまでも100％に近い精度と瞬時の判断が求められます。僅かなミスや遅れで，「運転者や通行人」は命を落としてしまう可能性があるからです。これらのＡＩツールでは，いずれも技術の視点からではなく，ユーザー（購入者，患者，運転者）の視点から，達成すべき分類・予測精度が設定されるわけです。

　資生堂における議論の詳細は不明ですが，もし同社のプロジェクトが「消費者視点」を明確に意識していなかったとすれば，「ユーザー視点での精度」は深く議論されなかったことになります。例えば，「稼働フェーズ」でベータ版を用いた後，資生堂は分類パターンを1000通りから8万通りに増やしていますが，これも果たして消費者視点から行われた分類パターンの拡充だったのか，疑問が残ります。仮に技術的に可能ということで，つまり，試験期間を通じて画像データが新たに得られたので，8万通りにパターンを増やしたということであれば，これは本末転倒と言わなければなりません。技術的に達成可能な精度と消費者が求める精度は一致しないからです。

## ②効果・効能に関する説明

　第2は「効果・効能に関する説明」です。資生堂側がオプチューンの効果・効能に自信を持っていたとしても，それを消費者に伝えなければ，消費者の期待は充足されず，購買行動に繋がることはありません。それゆえ，プロジェクトは，構想フェーズにおいて，「肌の状態が保湿液（化粧水や乳液などを組み合わせたスキンケア剤）の微妙な調整によって改善されることを，どうやって消費者に伝えるか」を，より深く検討しておかなければならなかったはずです。

　保湿液については，一般に，若い頃からのケアが，40代，50代になって現れると言いますが，長期に及ぶ因果関係を納得できる形で説明することは，また広告などに対する規制が厳しい中で，「肌の診断精度を上げる

ことでより良い結果が得られる」と説明することは，著しく困難だったと考えられます。仮に資生堂が「化粧水や乳液などの割合を合理的に調合したスキンケア剤を使えば，肌の状態は改善されます」とアピールしていれば，医薬品医療機器法（医薬品，医療機器等の品質，有効性及び安全性の確保等に関する法律）で「標榜できる可能な効果・効能の範囲」を超え，同法違反になる可能性もあったはずです。また，保湿液の成分調整と肌の状態に関する因果関係を強調すれば，「優良誤認」と見なされ，景品表示法違反となるリスクもあったと推測されます。

　そうした法令違反リスクを自覚していたからこそ，資生堂は「温湿度やメンタルなどの要因が肌に影響を及ぼす」という説明は行うものの，「オプチューンで調合された保湿液を使えば，各自の肌の状態は改善されます」とは決してアピールしなかったはずです。確かに本格版オプチューンを売り出す1週間前，資生堂は「睡眠中の覚醒は，1週間後の肌に悪影響を及ぼすことを確認」という研究成果を発表しています。しかし，この研究成果とオプチューンの効果を直接結び付けるような広告を打つことは一切ありませんでした。

　当初より，こうした法令上の制約があったわけですから，サービス開始にあたり，資生堂は，効果・効能をどのように伝えるかについて，より戦略的な議論を行っておく必要があったわけです。

## ③価格

　第3は「価格」です。消費者視点に立てば，保湿液だけで月額1万円のサブスクリプションは安いとは言えません。それゆえ，資生堂は，価格設定との関係で「このサービスに会社のリソースをどれだけ投入するか」について合理的な検討を加えるべきだったと考えます。例えば，肌の分類パターンを増やせば増やすほど，サーバーにかかる負担は増し，処理コストは上昇していきます。このコストは，最終的に価格に転嫁されるわけですから，消費者視点抜きで，リソース投入の程度などを決めてはならないのです。

　また，この事業が中高所得層にターゲットを絞った新サービスであった

184

とすれば（そのように見えるわけですが），後述する通り，資生堂は，「化粧品専門店，デパート」（制度品）と「量販店，ドラッグストア，コンビニエンス・ストア」（一般品）とを区分してきた，それまでのマーケティング戦略を全社的な視点で見直す必要がありました。業績が好調であれば，見直しを急ぐ必要はなかったかもしれませんが，経営環境が急速に変化することも想定し，既存事業と新規事業の間に顕在化してくる「ねじれ」や「矛盾」をどう解消するかについても，構想フェーズで丁寧に議論しておく必要があったはずです。

### ④場所と手間

　第4は「場所と手間」です。日本の消費者は，中高所得層であっても，比較的狭い住居で生活しています。また消費者は，たとえそれが簡単な操作であったとしても，手間はできるだけ避けたいと思うものです。些細な動作であっても，それを疎かにすれば，やがて肌の美容・健康管理を続ける気持ちが薄れ，購入機器はただのガラクタと化してしまう可能性があるからです。それゆえ，資生堂は「どうやって新たなＩｏＴ機器（専用マシン）を家庭内に設置してもらうか」「どんな機種のスマートフォンなら対応できるか」「アプリのダウンロードは誰でも簡単にできるか」「どうやって顔の写真を撮ってもらうか」「撮影した写真はどうやって送信するか」などを，消費者視点に立って詳細に評価しておく必要がありました。

　ネットフリックスのようなサブスクリプション・サービスであれば，既にテレビは家庭内に設置されており，新たなスペースを準備する必要はありません。また視聴者の好みも，プロバイダー側に自動的に送信されますから，追加的な操作は求められません。しかし，オプチューンは，家庭内に新たなスペースを用意しなければ，またアプリをダウンロードし，定期的に写真を撮らなければ，受けることのできないサービスです。将来的には「洗面台へのビルトイン」や「マシンに触れるだけでセンシングすること」なども検討されていたようですが，機器の設置（場所）や写真の撮影（手間）については，構想フェーズの早い段階で，議論を深め，具体的な対応を練っておく必要があったはずです。

## ⑤プライバシー

　最後は「プライバシー」です。消費者が提供することになる「肌の画像，ストレス，気分，生理周期などの情報」は，ターゲティング広告で特に威力を発揮するデータであり，多くの企業が欲しがるセンシティブ情報です。それだけに，資生堂は「プライバシー懸念をどうやって払拭するか」について，またそのアピールの方法も含め，より念入りに議論をしておく必要がありました。

　プライバシーとは「各自が提供する個人情報の種類・内容を，そしてその提供先を選択（コントロール）する権利」と捉えられています。それゆえ，消費者は，相手側より受け取るサービスとの関係で，メリットとデメリットを比較考量し，最終的にメリットが勝ると判断すれば，そのサービス提供者を信頼し，当該事業者に限って自らの情報を提供します。これは個人情報を提供する際の基本です。しかし，オプチューンの場合，通常の個人情報だけでなく，よりセンシティブな情報も提供することになっていたわけですから，資生堂側の個人情報保護については，法令で求められる以上の厳格さが，消費者より期待されていたはずです。またそれだけに，個人情報保護の体制に関する説明も，消費者が納得できる形で分かりやすく伝える必要がありました。

　例えば，資生堂の利用規約は，他社が掲げる利用規約と，内容的にはほとんど変わりありませんでした。「目的外利用はしない」としながらも，その目的には「本サービスを提供するため」のみならず，「当社の商品開発・マーケティング開発・宣伝広告のため」などが含まれており，情報を利用する会社側が拡大解釈できる余地を多分に残していました。当然，資生堂には，個人情報保護の体制は整備されていたはずです。ただ，提供される情報が「体調やメンタルに関するセンシティブな情報」「ターゲティング広告に流用されやすい機微情報」ということを考えれば，利用規約の内容をどこまで厳しくするか，またどこまでの管理体制を敷くかについて，全社的なレベルで，慎重な議論を行っておく必要があったと考えられます。

## 第6節　サービス終了となった第3の理由

### 評価のタイムスパンとパーソナライゼーション・ビジネス

　オプチューンがサービス終了に至った第3の理由として，筆者らは「本来，構想フェーズにおいて確認すべきであった評価のタイムスパン」を明確に確認していなかったことにあると見ています。

　既に第5章において，構想フェーズのプラン段階（課題抽出）では「どのようなスケジュールでＡＩツールを本格稼働に持っていくのか，どれくらいのタイムスパンでＡＩツールの精度と効果を評価するのか」など，目安を決めておく必要があると述べました。特に，消費者などの外部ユーザーを対象とする自動化では，「どれくらいのタイムスパンで成果を評価するか」は極めて重要となります。

　通常，経営者が方針・方向を示す中で，この時間軸は組織として理解され，幹部の間でも共有されます。しかし，資生堂は，2018中計でその方向を示しながらも，タイムスパンを明確に規定することはありませんでした。2020年度のコロナ禍にあって，オプチューン事業の評価がぶれていったのは，まさにそのためだったと考えられます。

　もちろん，当初より，2年のタイムスパンで評価する計画であったとすれば，2020年春のサービス終了は理解できます。しかし，2018年中計において，ＤＸ，ＡＩ，サービスのパーソナライゼーションなどが重要戦略として掲げられていたわけですから，それは，おそらく長期のタイムスパンで評価されるべき新規事業であったはずです。少なくとも2017年11月の時点では，オプチューン事業は，資生堂にとって「ＩｏＴをベースとしたパーソナライゼーション・ビジネス」へのコミットメントを象徴するチャレンジであったと言っていいはずです。それが「センシング→アナライジング→パーソナライズ・ソリューション」といった新たなビジネスモデルの象徴となっていたからです（図表7-6）。

　既述の通り，外部ユーザーを対象とした自動化では，満足できる結果は

そう簡単には得られません。社内完結の自動化では，課題（業務効率の改善）が自分事であるため，どのようなものであるかを比較的容易に自覚できますが，外部ユーザー（消費者など）の反応を確認しながらの取り組みでは，解決すべき課題を見誤る可能性が高くなってきます。そのため，外部ユーザーを対象とした自動化では，想定していたような結果は短期間ではなかなか得られないのです。

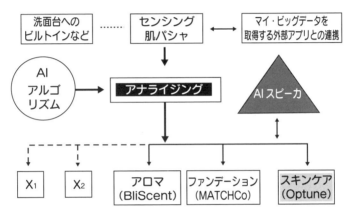

・「資生堂，IoT スキンケアシステム『Optune（オプチューン）』を開発」IoT
News，2017 年 11 月 28 日を元に作成。
https://iotnews.jp/archives/77309。

**図表7-6　資生堂のIoTをベースとしたパーソナライゼーショ
ン・サービスの展望**

　またそもそも，タイムスパンを長くとれば「何をもって結果とするか」も変わってきます。第9章において，アマゾンの事例を取り上げますが，同社はつい数年前までECビジネスで利益を出すことができませんでした。それでも，将来，必ず大きなリターンが生まれる，またECビジネスを通じて希少なノウハウや取引データが得られると信じ，サービス改善と先行投資を繰り返してきました。アマゾン・トップのジェフ・ベゾス（Jeffrey Bezos）の長期に及ぶ強力なコミットメントがあったこと，また経営幹部らがその時間軸を受け入れていたこと，その2つが揃っていたこと

で，アマゾンは後の急成長を享受することができたわけです。その意味で，構想フェーズにおいて「評価のタイムスパン」を確認しておくことは極めて重要となってくるのです。

## タイムスパンが曖昧な場合に生ずる「関心の狭隘化」

　しかし，資生堂では，それは明確に確認されず，曖昧なまま，2020年度（コロナ禍）を迎えてしました。評価の時間軸が定まらない中で，経営環境が悪化すると，いったい何が起こるのか。資生堂のケースを念頭に置き，「組織内で起こり得る事象」を3つ挙げておきましょう。

　第1は，時間軸につき幹部間に合意がなければ，各事業部が自身の部署の問題しか考えなくなってしまうことです。いわゆる，「関心の狭隘化」が起こってしまうのです。特に自部門の立て直しに追われる部署ほど，会社全体のことは見なくなり，さらには優遇された事業やプロジェクトがあれば，これに対し不満を膨らませていくものです。

　例えば，2020年，資生堂では，6つの事業セグメントすべてで営業利益が大幅に下落しました。中でも，資生堂の屋台骨である「日本事業セグメント」は，前年度比で，売上が29.7％減（3030億円），営業利益が86.3％減（105億円）となり，全セグメント中，最大の落ち込みを経験しました。資生堂は，これにつき「新型コロナウイルスの感染拡大により，緊急事態宣言による小売店の臨時休業，同解除後も続く時短営業や消費者の外出自粛等による来店客数減の影響も受け，プレステージブランドやプレミアムブランドを中心に減収となりました。加えて，訪日外国人旅行者の大幅な減少により，インバウンド需要も激減しました」と説明しています。

　この惨憺たる結果を受け，2021年2月，資生堂は「2021年〜2023年度の中期経営戦略」を策定し「2021年の営業利益見通し」を公表しています。この「見通し」によれば，2020年度の営業利益149億円を，2021年度には1565億円にV字回復させるとしています（実際には320億円にとどまりました）。これは「日本事業セグメント」の各事業に，特にSHISEIDOなどの「プレステージブランド」を扱う事業に待ったなしの復活を迫るものだったのです。

こうした環境変化の中で，立て直しに責任を負う事業部は，自部門の経営により厳しい姿勢で臨んだものと思われます。それは身を切るような努力の連続だったと考えられます。しかし，自部門のことに関心が向かえば向かうほど，それら事業部は，努力の裏返しとして軌道に乗っていない他事業に，特に全体の足を引っ張るような事業に否定的・批判的となっていくものです。仮に全社売上に大きな影響を及ぼす日本事業セグメントなどが，こうした考えをはっきり表明するようになれば，それは会社全体の「声」に変わっていくはずです。評価のタイムスパンが曖昧であったため，資生堂は，かかる事態に陥ったのではないかと推測されます。

## タイムスパンが曖昧な場合に生ずる「矛盾の鮮明化」

第2は，時間軸につき幹部間に合意がなければ，既存のビジネスモデルとの間にある「ねじれ」や「矛盾」がより鮮明になってくることです。一般論として，そもそも新たなビジネスモデルは，既存モデルの限界を克服することを目的として構想されるため，またそのモデルに沿って練り上げられる新規事業が既存の取引慣行とは異なるアプローチを採用する傾向にあるため，既存業務に馴染んできた関係者は，新規事業が生み出す「不整合」に大なり小なりの不満を持つものです。このため，経営環境などの激変で新規事業の先行きが怪しくなると，当該関係者は，当初より抱えていた不満を，歯に衣着せず口にするようになっていきます。特にマーケティング部門などは，そうした声をストレートに発するようになったのではないかと推測されます。

第6章において，トラスコ中山の事例を取り上げましたが，その際，トラスコが「全国にある物流センターと在庫保有支店を主な物流拠点とし，販売業者に商品を定期的に届ける体制を敷いている」と説明しました。トラスコの受発注・在庫処理能力から考えれば，「販売業者など介さず」，直接，最終ユーザーより注文を取り，そのまま当該ユーザーに商品を届けることも可能かもしれません（現在では，これを一部行っています）。いわゆる「中抜き」も考えられるわけです。仮にトラスコが「中抜き」を全社的に進めるとすれば，同社の経営陣は，まず間違いなく，営業部門，マーケ

ティング部門，取引先などより厳しい批判を受けることになるはずです。

　資生堂においても，中抜きに関する「矛盾」に対し，大なり小なりの指摘があったものと推測されます。既述の通り，オプチューン事業は顧客への直販方式を採用していました。しかも，それは中高所得層を主なターゲットとしていました。つまり，オプチューン事業の対象ニッチは，これまで化粧品専門店やデパートなどがターゲットとしてきた消費者層であり，ビューティ・コンサルタントなどの美容部員がスキンケアやメイクアップに関するアドバイスを提供してきた重要顧客だったわけです。

　このように，オプチューンは従来のモデルや既存事業と矛盾する形の販売方式を採用していたため，コロナ禍を契機として，デパートなどとの取引を重視してきた部門，制度品の販売に力を入れてきた部門，美容部員を養成してきた部署などから一気に厳しい批判の声があがったものと思われるのです。

## タイムスパンが曖昧な場合に生ずる「発想の短期化」

　最後は，時間軸につき幹部間に合意がなければ，経営陣は，皆，物事を短期的に考えるようになってしまうということです。これを「発想の短期化」と呼びます。

　もともと，各事業部は，そしてその責任者である事業部長は，1年単位で自身の事業のあり方を考えるものです。その経営幹部に新規事業の必要性を理解してもらうには，大前提として「長いタイムスパンでパフォーマンスを見る」という考えを，会社として共有する必要があります。新たなビジネスモデルと新規事業は，長期的には会社に高いリターンをもたらす可能性を持っていますが，短期的には既存事業に犠牲を強いるものだからです。

　例えば，今，会社Xが，ロボットアドバイザー付きのECサイトを立ち上げ，自社商品の販売を開始したとしましょう。こうしたECサイトは，利用者が多ければ多いほど，また販売される商品の種類が多ければ多いほど，より多くの利用者を呼び込むことができます。それゆえ，X社は，ECサイトが「クリティカル・マス」（一定数以上の利用者）を獲得する

と，同じサイトで自社商品の販売だけでなく，競合他社（Y社，Z社など）の商品も扱うという決断を下すかもしれません。つまり，自社を含めた業界全体のゲームチェンジを引き起こす可能性があるのです。

　オプチューン事業がそこまでの脅威になっていたとは言いませんが，このビジネスモデルが年月をかけ消費者の支持を得るようになれば，それは，化粧品業界の伝統的なビジネスモデルを抜本的に変える可能性があったわけです。例えば，サブスクリプション方式が普及すれば，化粧品の容器の形状やデザインを大切にしてきた企業は，また化粧品売場における提案を重視してきた企業は，これまでのやり方をゼロから見直すことになっていたはずです。

　さらに話を広げれば，体調分析に基づいてサービスを提供するという「サブスクリプション・プラットフォーム」は，スキンケア剤にとどまらず，ビタミン補給，栄養剤の調整，食事メニューの提案など，様々なサービスを提供するプラットフォームにまで拡充される可能性も持っていたわけです。体調に関する情報も，スマホにとどまらず，便座，ベッド，マッサージ機，腕時計などと連携すれば，利用者一人ひとりの健康美容に関わるより包括的なデータとなり，プラットフォームそのものの価値を高めることになったかもしれないのです。

　資生堂において，そこまでのタイムスパンで将来を構想する幹部はいなかったと思いますが，少なくとも5年ほどの時間軸で評価するという合意は必要だったのではないでしょうか。それがなかったため，プレステージブランドを扱う事業部門などの幹部は，各自の責任も厳しく問われていたわけですから，自然の流れとして「サブスクリプション・サービスの停止」を求める側に回ってしまったと考えられるのです。


　本章では，資生堂におけるＡＩ導入の取り組みを見てきました。資生堂の場合，課題抽出とは「新規事業を練り上げ，その中でＡＩツールの開発・導入を進めるもの」となっていましたが，あらためて構想フェーズにおける「課題抽出」が極めて重要であることをここで確認しました。端的に言えば，資生堂のチャレンジが失敗に終わったのは，開発したＡＩツー

ルの判定精度に問題があったからではありませんでした。失敗は，むしろ，新規事業の内容が十分に練り上げられていなかったためと言わなければなりません。特に外部ユーザーに対する新規サービスを始動する際には，会社視点ではなく，外部ユーザー（消費者）の視点を強く意識し，課題を捉えることが極めて重要であることを，このケースより学びました。

　ただ，この「失敗の事例」をもって資生堂を過小評価することは避けなければなりません。同社は，オプチューン事業に関わるAIツールの開発・稼働・サービス終了を通じて，デジタル・プラットフォーム全体を整備するとともに，ツール開発の手順も学習してきました。資生堂が失敗を次に活かすチャレンジ精神旺盛な優良企業であることも忘れてはなりません。事実，同社は2021中期経営計画の中で，「デジタルを活用した事業モデルへの転換・組織構築」を掲げ，さらに積極的にDXを前進させようとしています。また，これを具体的な形にするため，2021年2月，アクセンチュア株式会社と戦略的パートナーシップ協定を結び，7月には共同出資会社「資生堂インタラクティブビューティ」を設立しています。この社名から連想されるように，アクセンチュアとの提携は「構造フェーズ」での失敗を次に活かすための布石となっているのです。

# 第8章

# ＡＩとデジタル・プラットフォーマー

　さて，第7章において，資生堂の取り組みを取り上げ，構想フェーズにおける「課題抽出」が，ＡＩツールの導入にとって極めて重要であることを確認しました。とりわけ，消費者などの外部ユーザーに対するサービス自動化などでは，新たなビジネスモデルやそれに基づく新規事業の内容が重要となることを見てきました。

　ただ，独創的なモデルの構想や新規事業の練り上げは決して容易な作業ではありません。特に既存企業の場合，過去のビジネスよりいったん離れて考えることが求められるため，また現行体制の維持を望む関係者との間に葛藤や対立が生ずる可能性が高いため，それは困難極まりないものになりがちです。

　これを裏返せば，既存の業界慣行や取引関係などのしがらみがなく，社内の抵抗が小さければ，新たなモデルの構想や新規事業の練り上げも可能ということになります。さらに言えば，内外に批判や不満があったとしても，利用者視点に立って，これを断行する決意とリーダーシップがあれば，抜本的な事業改革も可能ということになります。事実，ほとんどゼロの状態からビジネスをスタートさせたＧＡＦＡＭに代表される「主要なデジタル・プラットフォーマー」（MDP）は，これを見事に成し遂げてきました。

　では「MDPは，どのようにして新たなビジネスモデルを構想し新規事業を練り上げ，ＡＩツールをその事業の中に組み込んできたのでしょうか」「既存企業でも，MDPのように，DXを推進しＡＩツールを活用すれば，過去の延長線上ではなく，それと一線を画する新たなビジネスモデ

ルや新規事業を起こすことができるのでしょうか」。本章以下，3つの章を使い，この問いに答えていくことにします。

そのための手順として，本章では，まずMDPのビジネスを理解することに焦点を当てます。具体的には，最初に，MDPに関する基本概念を整理し，その上でMDPの4つの「発展ステージ」と「AI研究・AIツール開発・普及」がどのような関係にあったのかを押さえておきます。

この2つの作業を終えた上で，第3にMDPが「取引型MDP」と「メディア型MDP」の2つに分かれることを説明します。両者の違いを押さえておくことがMDP理解を助けてくれるからです。その後，MDPと従来型事業者（既存企業など）を比較する際の6つの「着目点」を整理します。そして最後に，この着目点に沿って，MDPビジネスの特徴を確認していくことにします。


## 第1節　MDPに関する基本概念

### プラットフォームとは

プラットフォームとは，サービスや機能をやりとりするための「場」「仕組み」「メカニズム」を指し，そこを通じて異なるサイドの関係者が繋がる「共通基盤」を意味します。例えば，IT分野では，ウィンドウズやマックOSなどのオペレーション・システムをプラットフォームと呼ぶことがありますが，それは，OSがソフトウェアを開発する側とソフトウェアを利用する側を繋ぐメカニズムとなっているからです。「インターネットそのものがプラットフォームである」と言う人もいます。それは，ある機能（サービス）を提供する側と，その機能（サービス）を利用する側を繋ぐ仕組みとなっているからです。

当然，プラットフォームは，コンピュータやネットの世界に限られた概念ではありません。リアルな世界にもそれは存在します。駅の乗降場をホーム（プラットフォーム）と呼ぶことがありますが，それは，乗降場が移動手段を提供する側と利用する側を繋ぐ共通基盤となっているからです。

電力を供給する側と電力を消費する側を繋ぐという意味では，送電網もプラットフォームと言えます。荷物の待機スペースは，関係者の間でプラットフォームと呼ばれますが，それは，荷物を準備する側とそれを配送する側とを繋ぐ場になっているからです。

　この定義に従って，リアルな世界のビジネスを眺めていくと，プラットフォームに該当する「場」や「仕組み」は多数あることに気づくはずです。例えば，証券取引所はどうでしょうか。取引所は，資金を調達する企業と資金を提供する投資家を結びつけ，また投資家同士の取引を可能とする「場」になっています。銀行ネットワークも，よく見ますと，預金者と融資先を繋ぐ共通基盤となっており，また債権・債務を決済・清算する「仕組み」にもなっています。百貨店，ショッピングモール，アウトレットも，複数のテナント（出店者）と来場者（消費者）を繋ぐ「場」として機能しています。このように，例を挙げればキリがないほど，プラットフォームは様々なところに存在しているのです。

　なお，これらの共通基盤を運営・管理する主体を「プラットフォーマー」と呼びます。日常的には，鉄道会社，送電会社，証券取引所運営会社，ショッピングモール運営会社などをプラットフォーマーと呼ぶことはありませんが，これら事業者は実態として「共通基盤」の構築・管理・維持を行う運営主体と見なされます。

## デジタルな世界のプラットフォーム

　リアルな世界の共通基盤を管理する主体と対比する形で，「デジタル・プラットフォーマー」（DP）と表記した場合，それは，デジタル技術を駆使しながら共通基盤の運営・管理を効率的に行う事業者ということになります。論者によっては，「オンライン・プラットフォーマー」（OP）とも呼びますが，意味するところは全く同じです。本書では，この「DP」の中でも，特に市場に対し大きな影響力を持つ企業を「主要なデジタル・プラットフォーマー」（MDP）と規定します。

　既にMDPとは「GAFAM（ガーファム）に代表されるプラットフォーマー」と述べましたが，多くの場合「共通基盤を運営・管理する主体」と

「共通基盤」を同一視してもほとんど支障がないため，本書では，断りのない限り，「主要なデジタル・プラットフォーム」も同じく「ＭＤＰ」と表記することにします。

## 第2節　ＭＤＰの発展ステージとＡＩツールの開発・普及

### 第1ステージ：ビジネスモデルの構想

　では，このように規定されるＭＤＰはＡＩとどのような関わりを持っているのでしょうか。それは，これまでＡＩ研究，ツールの開発，利用，普及などとどう関わってきたのでしょうか。特に機械学習・深層学習が実用化される「第3次ＡＩブーム」の中で，どのような関係を形成してきたのでしょうか。

　一言で表現すれば，ＭＤＰとＡＩは，ＭＤＰが発展するとともに，ＡＩとの関係をより緊密にしてきたと言うことができます。図表8-1に示した通り，第1ステージでは，ＭＤＰは，ＡＩの議論にも研究にもほとんど関係を持っていませんでした。それが，第3ステージに入ると，ビックデータ革命を牽引し，第4ステージではビジネス界全体にＡＩツールを普及させるエンジンとなりました。このダイナミックな相互関係について，以下，解説することにします。なお，各ステージに関し具体的なイメージを持ってもらうため，図表8-1の右端には，アマゾンの成長段階も併記しておきます（同社の成長段階については第9章で詳しく説明します）。

　さて既述の通り，第1ステージにあっては，ＭＤＰビジネスと「ＡＩ研究・ツール開発」はそれほど強い関係を持っていませんでした。アマゾンで言えば，1994年前後で，同社の「ビジネスモデル」が構想され，事業内容が固まっていく時期に当たります。グーグルで言えば，1998年以前の創業雌伏期で，ラリー・ペイジ（Lawrence Edward Page）とセルゲイ・ブリン（Sergey Brin）が大学の設備を使って学術研究と検索事業を構想していた時期に該当します。

MDPの4つの発展ステージと
AIとの関わり　　　　　　アマゾンの成長段階

| | |
|---|---|
| **第4ステージ**<br>MDPがデジタル基盤やAIツールをクラウドサービスとして社外に開放<br>ビジネス界全体にAIツールが普及 | **クラウド事業期**<br>**(2006年〜2010年)**<br>クラウド・コンピューティング事業 |
| **第3ステージ**<br>MDPがAIツールの開発を進め，商業的実用化が本格化するステージ<br>ビッグデータ革命とコンピュータ処理能力の向上を受け，AIツールの開発・活用が進展 | **マーケットプレイス転換期**<br>**(2000年〜2005年)**<br>プラットフォーム事業<br>物流サービス（FBAサービス）事業 |
| **第2ステージ**<br>MDPが，消費者，利用者の高い支持を受け，膨大な量のデータを社内に蓄積するステージ<br>MDPが初歩的なAIツールを開発 | |
| **第1ステージ**<br>MDPが新たな「ビジネス・モデル」を構想し，これを形にするステージ<br>AIの議論や研究とビジネスはほとんど関係なし | **創業期**<br>**(1944〜1999年)**<br>本の仕入れ・販売 |

**図表8-1　MDPの発展ステージとAIとの関係**

　もっとも，創業期においても，アマゾンは，自動化の一環として初歩的なツールを開発していました。ただ，それは初期のレコメンデーション機能のようなもので，決して本格的な予測ツールではありませんでした。その意味で，第1ステージにおいては，MDPは「AIの議論や研究とほとんど関係を持っていなかった」と整理されるわけです。

　ただ「ほとんど関係がなかった」としても，この段階（第2次AIブームが終わる頃）で，MDPがビジネスを始動させたことは，歴史的に大きな意味を持っていました。MDPがここで独自のビジネスを始動させていな

ければ，その後のビッグデータ革命も，ビジネス界全体へのＡＩツール普及も，10年以上，遅れていたと思われるからです。

ちなみに，創業期にあっては，ＭＤＰのビジネスは内容的にそれぞれ大きく異なっていました。にもかかわらず，その後，ほとんどのＭＤＰがＡＩツールの開発・普及を促すことになったのは，ビジネスモデルの背景にあったスタンスが非常によく似ていたためでした。それは「利用者視点」「顧客視点」「視聴者視点」など，商品を購入する側あるいはサービスを利用する側の視点に立って，事業を練り上げるというものでした。

厳密に言えば，これは，いわゆる「お客様第一主義」といった態度や姿勢とは異なるものでした。創業者らが自由な発想で考え，単純に「提供したいもの」「使いやすいもの」「解決したいもの」を無我夢中で作り上げたというのが実態だったからです。そうした創業者らの行動が結果として「利用者の期待」と合致していたわけです。よって，第２ステージに入る頃には，ＭＤＰは多くの利用者・消費者の支持を得るようになっていきました。

## 第２ステージ：ビッグデータ革命とネットワーク効果

第２は，ＡＩツールの開発に必要となる「膨大な量のデータ」を，ＭＤＰが集積していくステージです。これは，利用者・消費者より高い支持を得たことで可能となりました。アマゾンで言えば，このステージは創業期後半に該当し，ＥＣサイトを利用する消費者が急速に増えていった時期となります。

さて，第２章で述べた通り，1980年代に入り，ＡＩ分野の研究者達は，多層ニューラルネットワークを訓練するための学習アルゴリズムである「誤差逆伝播法」を開発・導入し，その後，ＣＮＮなどの基本技術に磨きをかけていきました。ただ，それがビジネスの世界で実用化されるには，２つの大きなハードルを乗り越える必要がありました。

第１が，コンピュータ演算能力（処理速度と記憶容量）を向上させることでした。幸いなことに，1990年代に入ると「ムーアの法則」（半導体の集積率は18か月で２倍になるという業界の経験則）に従う形で，半導体の集積率が

上がり続け，これに伴ってコンピューティング能力は向上していきました。その結果，21世紀を迎える頃には，第1のハードルは難なくクリアされたのです。もちろん，その後も，集積率は上がり続け，処理能力は向上を続けています。

　第2のハードルはデータ量でした。既述の通り，ＭＤＰは第2ステージに入るとともに，ＭＤＰビジネスを支持する利用者・消費者を増やし続け，膨大な量のデータを集積するようになりました。これが「ビックデータ革命」を引き起こし，第2のハードル超えを可能としたのです。言うまでもなく，集積されるデータ量は，その後も，画像・音声データなどを取り込みながら，増加の一途をたどっています。

　本書の序章において「ＭＤＰがデータドリブンな組織を構築した」と述べましたが，これを実現するための大前提は，何はともあれ，材料としての「データ」を集めることでした。当然，それ以前の事業者もデータを収集していたわけですが，ＭＤＰには桁違いの量のデータが集積されていきました。これは，ＭＤＰビジネスに特有の「ネットワーク効果」によって加速化されたと言うことができます。

　このネットワーク効果とは，1つのサイドのユーザー（消費者）の増加が共通基盤の魅力を増し，他のサイドのユーザー（事業者）を増加させ，さらにその増加が元のサイドの利用者を増大させるという好循環を指します。一度，この循環に入ると，ユーザー間の相互作用はスパイラルを描きながら拡大し，トラフィックも指数関数的に増大していきます。2人の間のやりとりは単純ですが，10人，100人，1000人と参加者が増えていけば，やりとりの組合せは無限に膨らみ，ユーザーの検索・行動履歴データも爆発的に膨張していくわけです。これが「ビッグデータ革命」の背景にあったネットワーク効果と呼ばれるものです。

## 第3ステージ：ビジネス分野におけるＡＩの実用化

　第3は，データの爆発的な膨張という恩恵を活かし，ＭＤＰがＡＩツールを積極的に開発し，主要事業の中にそれを組み込んでいくステージです。つまり，この段階で，ＭＤＰ組織内における「ＡＩツールの商業的実

用化」が一気に進んでいきました。アマゾンの例で言えば，後述する「マーケットプレイス転換期」がこのステージに当たります。

　第3ステージでは，ＡＩや深層学習などに関する研究が大学研究者の枠を超え，実務の世界に影響を与えるようになっていきました。「大学研究室からビジネス界へ」というこの流れは，特にＭＤＰによる研究者の積極的な採用・招聘によって加速化されましたが，同時に，ＭＤＰも大学における研究に影響を与えるようになっていきました。

　例えば，アマゾンは，社内向けに開発した「メカニカルターク」（人為的な人工知能）というデータ収集基盤を 2005 年 11 月に，社外向けクラウドソーシング・サービスとして公開しています。メカニカルタークとは，ネットを通じて世界中のユーザーを動員するもので，特にデータのラベル付けなど「コンピュータが不得意とする作業」を迅速かつ安価に行う代行サービスです。このサービスが登場したことで，数百万の画像データは完璧なデータセットとして準備されるようになりました。ＡＩ研究者の多くがその恩恵を受け，このステージでディープラーニング技術を高度化させていったことは言うまでもありません。こうして，第3ステージでは，研究と応用の距離が急速に縮まっていったのです。

## 第4ステージ：ＡＩツールの開放とクラウド・ビジネス

　ＭＤＰは，第3ステージにおいて，ＡＩ技術を自社の事業活動に活かし，データドリブンな組織を構築していきました。これがおおよそ完了したところで，それまでのビジネスのあり方を大きく転換させていきます。自社開発したＩＴインフラやＡＩツールを「パブリッククラウド」（不特定多数の企業や団体などを対象とするクラウド）として社外に開放し，ビジネス界全体の風景を一変させていったのです。これが第4ステージです。

　ＩＴインフラの開放は，まずアマゾンが 2006 年に実行し，続いてマイクロソフトが 2010 年に，そしてグーグルが 2012 年に行っています。これら3大ベンダーによる波状的なサービス拡充が，その後，数千のスタートアップ企業の登場を後押しし，ビジネス界全体のＤＸ化を推進することになりました。現在，ＤＸ推進やＡＩ導入はビジネスの常識となっています

が，それは，まさに第４ステージに入り，３大ベンダーがデジタル・ＡＩ関連技術を社外開放したことで始まったと言っても過言ではありません。

　第１章において，ＡＩ導入を支援するＩＴベンチャーとして，「ゼロベース開発型ＩＴベンチャー」と「売り込み型ＩＴベンチャー」の２種類があると説明しましたが，実際のところ，多くは，本当の意味での「ゼロベース開発型」とは言えないことになります。支援を受ける既存企業側からすれば「ゼロベース開発型」に見えるかもしれませんが，多くはＭＤＰなどが開発したツールの活用・応用を行うＩＴベンチャーとしてスタートしたからです。

　さらに付言すれば，第４ステージ以降にある現在，様々なＡＩツールが開発・市販されており，その操作性も日進月歩で改善され続けています。このため，ＤＸ推進やＡＩ導入を図る既存企業にあっては，ゼロベースからツールを開発する必要性は薄れつつあります。そもそも，同じようなツールをゼロから開発するのは社会的にも経済的にも資源の浪費となりますから，既存企業には，これまで以上に，抽出した課題に適した「市販ツールを見つけ出す能力」が求められるようになっているのです。

## 第３節　２つのタイプのＭＤＰと比較対象

### 取引型ＭＤＰとは，メディア型ＭＤＰとは

　さて，ＤＰがデジタル技術を駆使しながら共通基盤の運営・管理を効率的に行う事業者であると述べましたが，またＭＤＰが第３ステージにおいてＡＩツールの商業的実用化を進め，第４ステージにおいてＡＩツールの社会的普及に貢献したと説明しましたが，これだけでは，まだＭＤＰのビジネスを理解したことにはなりません。より体系的に理解するには，さらにＭＤＰに２つのタイプがあることを押さえておく必要があります。それは，タイプの相違に応じて，ＭＤＰの「特徴」も異なってくるからです。

　では，その２つのタイプとはどのようなものでしょうか。ビジネスの成り立ちからして，それは「取引型」（マッチング型）と「メディア型」（関心

型）に分類されます。もちろん，検索エンジン（メディア型）として事業を開始したグーグルなどは，現在，オンライン・ショッピングや送金・決済サービスなども行っていますので，ＭＤＰを取引型とメディア型の２つに分けてしまうと，実際のビジネス・イメージを歪めてしまうかもしれません。ただそれでも各社の売上を構成する事業セグメントを見れば，依然として「取引事業」に重きを置くものと「メディア事業」に重きを置くものとに分けられますので，本書では，読者の理解を助けるという意味で，この分類法をそのまま採用することにします。

## 代表的なＭＤＰは

　取引型に分類されるＭＤＰとして，アマゾン，楽天，エアビーアンドビー，ウーバー，アリババなどを挙げることができます。これらは基本的に「消費者サイド＝出店者サイド」や「利用者サイド＝サービス提供者サイド」など，２つ以上のサイドをマッチさせることで，新たな価値を創出するものです。

　これに対し，メディア型には，グーグル，フェイスブック，ツイッター，LINE，ユーチューブ，インスタグラム，ウィチャット，ウェイボーなどのＭＤＰが挙げられます。これらは，利用者やユーザーの「関心」に応えようとするもので，検索などを行うユーザーを増やすこと，情報発信するユーザーを増やすこと，利用者間におけるコミュニケーションを促すことなどを目的としています。

　取引型が複数サイド間の売買を仲介するのに対し，メディア型は基本的に売買仲介には関与しません。ユーザー自身が関心を持つテーマや精通する話題を，他のユーザーと共有すること，これがメディア型の本来の狙いとなります。よって，メディア型ＭＤＰでは，情報発信者は，情報の見返りとして，直接，ユーザーより金銭を受領することはありません。

　例えば，メディア型の中には「分野特化型」（バーティカルメディア）と呼ばれるコミュニティがあります。それは，スポーツ，アウトドア，ペット，医療，介護，子育てなど，ある特定分野のコンテンツを関係者間で共有するサイトです。こうした情報を利用する側も，情報を発信・アップ

デートする側も，営利目的でこのコミュニティに参加するわけではありません。確かに，関連分野の事業を展開する企業は，バーティカルメディアに強い魅力を感じ，そのコミュニティに参加してきますが，一般のユーザーは，そこに参加してくる企業に魅力を感じて，コミュニティのメンバーになるわけではありません。ユーザーは，あくまでも「自身の関心」を満たすために参加しているだけです。

### 比較対象となる２つの従来型事業者

　ＭＤＰを取引型とメディア型に分類した場合，比較対象となる「従来型事業者」も２つに分けておく必要があります。まず取引型との比較では，製造・小売を営む「既存企業」を想定しておきましょう。便宜上，これを「伝統的企業」と呼ぶことにします。また，メディア型との比較では，同じくメディア事業を行う「既存の新聞社など」を念頭に置き，特に不特定多数の生活者に対し，報道，解説，啓蒙，娯楽，広告などを全国一律的に提供する「伝統的なマス・メディア」を想定することにしましょう。便宜上，これを「マスコミ」あるいは「伝統的報道機関」と呼ぶことにします（図表8-2）。

| 従来型事業者 | | 主要なデジタル・プラットフォーマー | |
|---|---|---|---|
| 伝統的企業 | マスコミ 伝統的報道機関 | 取引型MDP | メディア型 MDP |
| 製造・小売などを営む既存企業 | マス・メディア | アマゾン，楽天，エアビーアンドビー，ウーバー，アリババなど | グーグル，フェイスブック，ツイッター，LINE，ユーチューブ，インスタグラム，ウィチャット，ウェイボーなど |

**図表8-2　従来型事業者とMDPを比較する枠組み**

## 第4節　MDP事業者と従来型事業者を分ける6つの着目点

### 顧客理解，ビジネスの形態，責任の所在

　さて，MDPと従来型事業者の整理はできました。そこで次に，これら
事業者を対比する上での「着目点」を6つ挙げておきます（図表8-3）。

| | | |
|---|---|---|
| 着目点1 | **顧客理解** | 利用者側の制約を取り除く姿勢の違い |
| 着目点2 | **ビジネス形態** | 単線的・複線的なビジネスの違い |
| 着目点3 | **責任の所在** | 製品・サービスに対する責任所在の有無 |
| 着目点4 | **データドリブン** | 集積・活用するデータの範囲と規模の違い |
| 着目点5 | **資産・費用特性** | 資産規模・利益率の違い |
| 着目点6 | **成長軌道** | 線形関数的か指数関数的かの違い |

**図表8-3　MDP事業者と従来型事業者を分ける6つの着目点**

　その第1は「事業者による消費者・読者・視聴者に関する理解」です。
「顧客理解」に着目するのは，消費者や読者などの顧客が抱えている意思
決定上・情報処理上の「制約」をどう捉えているかによって，MDP事業
者と従来型事業者の「対応」が大きく異なってくるからです。
　第2は「ビジネス形態」です。「制約に対する対応」がそれぞれのビジ
ネスのあり方に影響を及ぼし，最終的には「単線的なビジネスか，複線的
なビジネスか」という形態の違いとなって現れてきます。それゆえ，これ
を第2の着目点とします。
　第3は「責任の所在」です。特定の「ビジネス形態」を通じて，それぞ
れの事業者は製品やサービスを提供するわけですが，この形態の相違か

ら，製品・サービスに対する「責任」の受けとめ方が違ってきます。例え
ば，製品・サービスに何らかの瑕疵があった場合，ＭＤＰ事業者と従来型
事業者は真逆の方向に動いていきます。このため，責任の所在を第3の重
要な着目点とします。

## データドリブン，資産規模・利益率，成長軌道

　第4は「データドリブン」です。事業者が利用者視点に徹するには，ど
うしても消費者・読者・視聴者に関するデータを集め，彼らを理解し，ま
たそれを踏まえて，合理的な行動をとる必要があります。データ主導がど
こまで徹底されているか，これも両者を分ける決定的な着目点となりま
す。

　第5は「資産・費用特性」です。従来型事業では，いわゆる「規模の経
済」が働いてきます。このため，伝統的事業者やマスコミはできるだけ生
産量や発行部数を増やし，単位当たりの費用を下げ利益をあげようとしま
す。これに対し，ＭＤＰ事業では，こうした経験則は明確には働きませ
ん。それはそのまま事業者の資産規模や利益率（総資産営業利益率）などの
違いとして現れてきます。

　最後は「成長軌道」です。以上のような違いから，ＭＤＰ事業者と従来
型事業者が描く成長軌道は大きく異なってきます。両者の違いは，ＭＤＰ
事業者が享受する「ネットワーク効果」によるものとも言われています。
それゆえ，これを最後の着目点とします。

　以下，6つの着目点に沿って「ＭＤＰはどのような特徴を持っているの
か」について説明していきます。その際，最初に従来型事業者の特徴を挙
げ，次にそれと対比させる形で，ＭＤＰの特徴・優位性を整理していきま
す。もっとも，現実を細かく見ていけば，従来型事業者についても，ＭＤ
Ｐ事業者についても，多くの例外事象は存在します。ただ，ここでは，必
要最小限を除き，例外に関する記載は割愛することにします。一般的な違
いを鮮明にすることで，ＭＤＰに関する理解を助けるのが，ここでの狙い
となるからです。

## 第5節　従来型事業者との比較を通じてのＭＤＰの優位性

### 着目点１：従来型事業者の特徴

　第1に，従来型事業者は「消費者・読者・視聴者」が，意思決定上・情報処理上，3つの制約を負っていることを理解しながらも，特に制約解消のための措置をとろうとしてきませんでした。その制約とは，第1に，消費者の場合であれば，比較考量する商品の種類が僅かなものに限られるということです。ある消費者が，電池を購入するため，近くのスーパーに出かけるとしましょう。この場合，消費者は，そのスーパーの棚に並べてある「限られた種類の電池」の中から1つを選ぶことになります。

　制約の第2は，ショッピングをするためには，時間を使わなければならないということです。例えば「もっと多くの電池の中から選びたい」と希望すれば，消費者は2日，3日と時間をかけ，多くの店舗を訪ねて廻る必要があります。

　制約の第3は，選択肢を増やそうとすれば，追加のコストを負担しなければならないということです。他の店舗を訪ねるのであれば，移動手段が必要となります。公共交通機関を使うのであれば，交通費がかかり，自分の車を使うのであれば，ガソリン代がかかります。時間を節約するために，誰かに協力を依頼するのであれば，バイト代を用意しなければなりません。つまり，より良い電池を探そうとすれば，より多くのコストをかけなければならないのです。

　ここで重要な点は，これら3つの制約を負った消費者は，取引情報に関し，常に企業側よりも不利な立場に置かれてきたということ，またこの情報格差が存在していたため，消費者は「最適の電池」ではなく，結局「ほどほどの電池」で納得するしかなかったということです。

　新聞やテレビの読者・視聴者も同様の制約を負ってきました。想像がつくと思いますが，目にすることのできる記事や報道，その他趣味に関する情報は「紙面の範囲」あるいは「テレビ・ラジオの時間枠」に縛られてき

ました。仮に読者・視聴者がもっと多くの記事や報道，趣味に関する情報を得たいと欲すれば，情報収集に「時間」を割く必要がありました。また，新聞を読むには，新聞代を支払わなければならず，それ以上の情報が欲しければ，別途，雑誌などを購入する必要がありました。要は，マスコミも，伝統的企業と同様に，これら3つの制約を負った読者・視聴者を前提としてビジネスを行ってきたわけです。

## 着目点1：MDPの特徴と優位性

　これに対し，MDPは，消費者・読者・視聴者が負っていた意思決定上・情報処理上の3つの制約から目を逸らさず，「利用者視点」に立ってその解消を目指してきました。

　例えば，取引型MDPは，検討対象となる選択肢の数を爆発的な規模に増やし，第1の制約をほぼ解消してしまいました。今，仮にアマゾンで電池を検索するとしましょう。すると，1万件以上の電池がリストアップされます。この時，商品は，消費者各自の価格や品質に関する嗜好などに従って優先度の高いものより順に並べられます。このサービスにより，現在，消費者は最初のページに来る上位数件を比較検討するだけで「ほどほどの電池」ではなく「最適の電池」を選択できるようになっているのです。しかも，リストアップは「一瞬」のうちに「無料」で完了します。言い換えれば，取引型MDPは，伝統的企業と消費者の間に存在していた情報格差を解消してしまったわけです。

　同様に，メディア型MDPも読者・視聴者（ユーザー）を3つの制約から解放しました。MDPには「紙面」も「時間枠」もありません。目にすることのできるネット上の情報はほぼ無限です。また欲しい情報を探すのに，MDPでは「時間」も「費用」も使う必要はありません。検索機能が導入されたことで，欲しい情報は瞬時かつ無料で得られるようになっています。さらに，このサービスは，ユーザーの国籍，信条，宗教，文化的背景，所得などの違いに関係なく，誰に対しても等しく公平に提供されます。そこには差別など一切ありません。

　つまり，取引型もメディア型も，従来型事業者が手を付けなかった「消

費者・読者・視聴者の3つの制約」に目を向け，ＤＸとＡＩツールを駆使し，それら制約からユーザーを解放したわけです。ＭＤＰ事業者と従来型事業者のいずれが競争優位にあるか，それは火を見るよりも明らかです（図表8-4）。

| 従来型事業者 | | 主要なデジタル・プラットフォーマー | |
|---|---|---|---|
| 伝統的企業 | マスコミ伝統的報道機関 | 取引型MDP | メディア型MDP |
| 消費者が3つの制約を負っていることを理解しながらも，これを改善する措置をとらなかった | 読者・視聴者が3つの制約を負っていることを理解しながらも，これを改善する措置をとらなかった | 消費者を3つの制約から解放するビジネスを展開し，事業者との間にあった情報格差の解消に努めてきた | 読者・視聴者を3つの制約から解放し，誰に対しても差別なく，必要な情報を無償で提供しようとしてきた |

図表8-4 顧客理解に関する比較

## 着目点2：従来型事業者の特徴

第2に，従来型事業者は，消費者・読者・視聴者に一方的に製品・サービス・情報を流す「パイプライン・ビジネス」を主な形態としてきました。例えば，伝統的企業であれば，インプット，スループット，アウトプットという「単線的な流れ」に沿ってモノを動かし，常に「最終の売り先」を念頭に置いて事業を展開してきました。

自動車メーカーであれば，社外よりパーツを調達し，自社工場で組み立て，品質に問題がなければ，完成車を消費者に届けてきたわけです。したがって，このビジネス形態では，強力で確実なサプライチェーンを構築・維持すること，そのサプライチェーンを通じて適正な価格で良質な部品をジャストインタイムで調達すること，生産工程では不具合などの原因を特定し，不良品を出さないこと，全社的な改善活動を展開するため，良好な労使関係を構築・維持すること，広告などにより自社ブランドや商品の知

名度をあげること，販売網を整備しアフターケアを充実すること，これらの取り組みが重視されてきました。

　この単線的な流れは，そのままマスコミのビジネスにも見られます。各報道機関は記者を使い情報を集め，本社で整理し，内容に問題がなければ，その情報を一律的に「不特定多数の読者・視聴者」に新聞や報道番組として配信してきました。この情報のインプット，スループット，アウトプットという流れは，まさにパイプライン・ビジネスそのものだったわけです。

## 着目点２：ＭＤＰの特徴と優位性

　これに対し，ＭＤＰは全く異なる「ビジネス形態」を採用しています。それは単線的な流れではなく，マルチ・サイドを繋ぐ複線的な流れとなっています。例えば，取引型ＭＤＰであるアップルストアは，消費者サイド（アプリ利用者）と供給者サイド（アプリ開発者）の二者を繋いでいます。宿泊仲介サービスのエアビーアンドビーは，利用者サイド（ゲスト）と宿泊施設提供者サイド（ホスト）の二者を結び，料理宅配サービスのウーバーイーツは，消費者サイド（発注側），飲食店サイド（受注側），宅配自営業者サイド（パートナー）の三者を繋いでいます。取引型ＭＤＰは，言わば「ツーサイド型」「マルチサイド型」のビジネスを展開しているのです。

　メディア型ＭＤＰにおいても状況は同じです。ユーチューブを例に挙げて説明しておきましょう。このプラットフォームは，コンテンツ制作者サイド，視聴者サイド，事業者（広告主）サイドが集う場となっています。三者の関係は，最初にコンテンツ制作者サイドが「自身の関心」に沿って制作したもの（情報）を不特定多数の視聴者に発信することから始まります。次に「自身の関心」に近いと感ずるユーザーが，このコンテンツを見つけ視聴を開始します。この時点では，まだ事業者（広告主）サイドの関与はありませんが，そのコンテンツを視聴する利用者が増えてくれば，自社の広告を同コンテンツに絡めて掲載したいと考える事業者が参加してきます。こうしたプロセスを経て，メディア型ＭＤＰも，マルチサイドのビジネス形態を構築していくわけです（図表8-5）。

| 従来型事業者 | | 主要なデジタル・プラットフォーマー | |
|---|---|---|---|
| 伝統的企業 | マスコミ 伝統的報道機関 | 取引型 MDP | メディア型 MDP |
| 消費者に一方的に製品・サービスを流すパイプライン・ビジネスを行ってきた | 不特定多数の読者・視聴者に同一の情報を一律的に流すビジネスを行ってきた | 消費者と出店者などの間の取引を繋ぐ複線的な仲介ビジネスを展開してきた | 関心を中心に, コンテンツ制作者, 視聴者, 広告主などマルチサイドの関係者を繋ぐビジネスを展開してきた |

図表8-5　ビジネスの形態に関する比較

## 着目点3：従来型事業者の特徴

　第3に，従来型事業者は，自身が製造・販売した製品やサービスの品質に関し，また自身が発信した情報の内容に関し，法的・倫理的な責任を負ってきました。パイプラインという「ビジネス形態」を取る限り，これは避けて通ることのできない前提だったと言えます。例えば，製造物に問題あれば，それを製造したメーカーが，また輸入品に問題があれば，それを輸入・販売した流通・小売業者が責任を負わなければならず（製造物責任法にもこれは規定されています），消費者・顧客はその理屈をよく心得ています。ビジネスが単線的であるため，責任がどこにあるかは誰の目にもはっきりしているからです。

　マスコミについても同様のことが言えます。報道内容などについて誤りがあれば，すぐにそれを訂正し謝罪する必要があります。また報道内容に名誉毀損があれば，損害賠償の責任を負うことになります。そもそも，伝統的報道機関は，そうしたリスクを回避するため，自らが発信する情報の信頼性確保に多くのコストをかけてきました。記者は，手間のかかる裏取りを重視し，捏造などに手を染めることもありませんでした。これは，ジャーナリズムの倫理に従って行動することが強く求められたからであり，信頼を確保するための仕組みや手続きが社内に確立されていたからで

す。

## 着目点３：ＭＤＰの特徴と優位性

　これに対し，ＭＤＰは基本的に「自らは責任を負わない」「各自は自己責任で取引を行う」「ユーザー自身の責任において情報を発信・受信する」とのスタンスをとってきました。例えば，取引型ＭＤＰは，製品・サービスに対する苦情が１つのサイドから出てきても，売り手と買い手の間で解決するよう促してきました。それは，問題の製品やサービスが，ＭＤＰのものではなく，テナント（出店者）による製品・サービスとなっていたからです。

　同様のスタンスは，メディア型ＭＤＰにも見られます。メディア型は，マスコミなどが発した情報を参照するとともに，ユーザー間での情報共有を促してきました。つまり，ＭＤＰは，自社によるマスコミ情報の要約・発信だけでなく，ユーザーによるマスコミ情報の借用，ユーザーによる発信，リツィートなどには介入しないとのスタンスを取ってきました。

　その際，ＭＤＰは「ユーザーによる情報発信」について，たとえ内容に問題があったとしても，責任は負わないとの立場を貫いてきたわけです。それは「電話での通話内容に関し責任を負うのは各利用者であって，通信会社でない」という理屈と同じです。またそれは「言論の自由を守るため」とも言われてきました。このため，メディア型は，基本スタンスとして，ユーザーが何処かで得た情報を，あるいはユーザー自身の感想を，他のユーザーに向けて発信したとしても，その内容に関し責任を負わないとしてきたのです。

　もっとも，ＭＤＰは「ユーザーによる自己責任」という原則が受け入れられるよう，つまり，各ユーザーが合理的な判断を下せるよう，製品やサービス，報道内容などを評価するための「付加情報」も併せて提供してきました。例えば，製品の購入者には，製品の「レビュー」（評価）を促し，またレビューアーに対する評価も求めてきました。また最近では，フェイクニュース，ヘイトスピーチ，暴力的言動などが大きな社会問題となっているため，疑義のある情報には，自動的に「事実確認」（ファクト

チェック）というラベルを添付するようになっています。これらはいずれも「自己責任原則を機能させるための措置」として導入されているのです。

　責任を負うために多くのコストをかける従来型事業者と責任を各ユーザーに転嫁するＭＤＰ事業者，そのいずれがビジネス上有利かと問えば，ほぼ間違いなく，責任とそのためのコストを負担しないＭＤＰ側に軍配が上がるはずです（図表8‐6）。

| 従来型事業者 | | 主要なデジタル・プラットフォーマー | |
|---|---|---|---|
| 伝統的企業 | マスコミ伝統的報道機関 | 取引型 MDP | メディア型MDP |
| 自身が製造・販売した製品やサービスの品質に関し常に責任を負ってきた | 自身が発信した情報の内容に関し常に責任を負ってきた | 基本的に「MDPは責任を負わない，ユーザの自己責任で取引を行う」とのスタンスをとってきた | 基本的に「ユーザが発信する情報に関し，MDPは責任を負わない」とのスタンスをとってきた |

図表8‐6　責任の所在に関する比較

## 着目点4：従来型事業者の特徴

　第4に，従来型事業者は，顧客の傾向や嗜好に関するデータではなく，主に事業者自身に関するデータを用いて，特に過去の活動データを中心に，事業戦略や事業計画を策定してきました。例えば，伝統的なメーカーであれば，前年度の生産量や売上高を基準として，翌年度の生産計画を立ててきました。複数の製品を扱っている場合には，製品毎の売上を確認し，特に売れ筋商品があれば，前年度比で目標を設定し，工場稼働率の引き上げ，営業活動の強化，各種費用の削減などを推し進めてきました。もちろん，伝統的企業も，過剰在庫を抱えることのないよう，適宜，在庫水準を確認しながら生産活動をコントロールしてきましたが，その場合も，

利用する情報はやはり「事業者自身の過去の活動データ」でした。

　コンビニやスーパーなどの小売業者でも事情は同じです。確かに，最近は多くの店舗がＰＯＳシステムを導入していますので，複数の店舗を持った小売業者は「何が，いつ，どこで，どれくらい売れているか」を把握でき，かつこの情報を蓄積・活用できるようになっています。本社に集積されたデータを使えば，商品別，地域別，季節・時間帯別，店舗別などの比較が可能となるため，より効率的・戦略的に発注・在庫管理，商品開発，店舗管理などを行えるようになっているわけです。ただ「何が，いつ，どこで，どれくらい売れているか」という情報も，基本的には「事業者自身の陳列・販売データ」ということになります。

　伝統的報道機関も，スタンスは，これら伝統的企業と変わりありません。マスコミは，記事や情報を一方的に配信するだけで，それを目にする読者や視聴者がどのような関心を持っているか，その記事にどのような反応を見せたかなどについて，ほとんど情報を集めてきませんでした。もちろん，報道機関毎に一定の主義・主張があるわけですから，購読者がいずれの新聞をとっているかを見れば，おおよその政治的関心や傾向は分かりましたが，それ以上の情報を収集・分析することはありませんでした。逆を言えば，従来のマスコミは，相手を理解することなしに，自分達が伝えたい情報だけを一方的に発信してきたわけです。これは，従来型事業者が総じて「マーケットイン」ではなく「プロダクトアウト」に陥っていたことを意味します。

## 着目点４：ＭＤＰの特徴と優位性

　これに対し，ＭＤＰは，利用者理解に役立つデータを積極的に収集・分析し，これを経営に活かしてきました。取引型ＭＤＰであれば，ＭＤＰ自身の売上動向や在庫状況だけでなく，購入者の「購買傾向」「嗜好・関心」「購入に至らなかった経緯」など，様々な情報を収集・分析してきました。つまり，本格的なデータドリブンで組織の運営を進めてきたということです。

　例えば，消費者がネットを使ってある商品を探すとします。通常，その

消費者の検索行動は履歴という形でMDP側に記録されます。仮に，その消費者が特定分野の品物（テニス関連のグッズなど）や特定ブランドの商品（ナイキやリーボックなど）を頻繁に購入していれば，取引型MDPは，この傾向が反映されるよう，検索結果の優先順位などを微修正し，またその消費者に送信する広告なども変更していきます。優先順位や広告に対する関心も，消費者毎に異なっているため，MDPはこうした措置を取るわけです。

　さらに，検索した商品につき，購入するかどうかを検討したものの，結局，コンバージョンに至らなかった場合，取引型MDPは，その消費者の検討過程に関する情報を分析し，これを業務改善に役立てていきます。例えば，いずれの外部サイトから，このECサイトに入ってきたか（アクセス経路の把握），このサイトを訪れる頻度はどれくらいか（リピート率），サイト内の滞在時間はどれくらいか，商品を検討する際のカーソルの動きはどうか，ショッピングカートにいったん入れながら，最終的に購入を取消した商品は何かなど，ユーザー一人ひとりの行動履歴を追跡し，消費者理解を深めようとするのです。

| 従来型事業者 | | 主要なデジタル・プラットフォーマー | |
|---|---|---|---|
| 伝統的企業 | マスコミ伝統的報道機関 | 取引型MDP | メディア型MDP |
| 消費者の傾向や嗜好に関するデータではなく，企業自身の過去の行動データを事業戦略や事業計画の策定に役立ててきた | 読者・視聴者の傾向や嗜好に関するデータは収集せず，不特定多数に同一の情報を発信してきた | 事業者自身の情報だけでなく，消費者・利用者に関する情報を収集・分析し，これに基づいて合理的な行動をとってきた | 読者・視聴者の関心や反応を理解し，これに基づいて，各ユーザに適した情報を配信・提供してきた |

**図表8-7　データドリブンに関する比較**

これは，メディア型MDPにおいても同じです。メディア型は，読者・

視聴者がどのような関心を持っているか，記事や情報に関して，どのよう
な反応を示したかなどの情報を蓄積していきます。またこの情報に基づ
き，ＭＤＰは配信アルゴリズムを使い，各ユーザーに提供すべき記事や情
報を精査・選別していきます。これまで一律的に同じ情報を与えられてき
た読者・視聴者ですが，メディア型ＭＤＰの登場で，各自は，読みたいも
の，見たいもの，知りたいものに，より簡単にアクセスできるようになっ
ているのです。

　つまり，従来型事業者が「プロダクトアウト」に終始したのに対し，Ｍ
ＤＰは利用者を理解するための情報を収集・分析し，徹底した「マーケッ
トイン」を実践するようになっているのです（図表8-7）。今世紀に入り，
ＭＤＰが市場を一気に席巻するようになった理由は，まさに消費者・読
者・視聴者データに基づいて組織を動かしてきたところにあるわけです。

## 着目点5：従来型事業者の特徴

単位：億円

| | アップル | | | グーグル | | | トヨタ | | |
|---|---|---|---|---|---|---|---|---|---|
| 会計年度 | 2019.9 | 2020.9 | 2021.9 | 2019.1 | 2020.1 | 2021.1 | 2019.3 | 2020.3 | 2021.3 |
| 総資産 | 338,516 | 323,888 | 351,002 | 275,909 | 319,616 | 359,268 | 519,369 | 539,723 | 622,671 |
| 有形固定資産 | 37,378 | 36,766 | 39,440 | 73,646 | 84,749 | 97,599 | 106,854 | 105,340 | 114,111 |
| 営業利益 | 63,930 | 66,288 | 108,949 | 34,231 | 41,224 | 78,714 | 24,675 | 23,992 | 21,977 |
| 総資産営業利益率（ROA） | 18.9% | 20.5% | 31.0% | 12.4% | 12.9% | 21.9% | 4.8% | 4.4% | 3.5% |

・数字は簡略化して1ドル＝100円で換算。アップルの業績については，Apple Inc.,
Form 10-K (September2020), pp. 31-34 及び Form 10-K (September 2021),
pp. 29-32 を，グーグルの業績については，Alphabet Inc., Form 10-K (December
2019), pp. 48-49), Form 10-K (December 2020), pp. 54-55　及 び Earning
Release (Fiscal Year 2021 Results) pp. 4-5 を，そしてトヨタの業績については，
トヨタ自動車株式会社『有価証券報告書』(2020 年 3 月期 ), pp. 98-102 及び『有
価証券報告書』(2021 年 3 月期 ), pp. 100-103 を参照し作成。

**図表8-8　ＭＤＰとトヨタ自動車の資産規模と利益率**

　第5に，従来型事業者は，相対的に大きな資産を，中でも「有形固定資

産」を保有する傾向にあります。有形固定資産が膨らむ理由は「規模の経済」が働くことを前提としてビジネスを展開してきたからです。例えば，自動車メーカーであれば，大規模な生産拠点（工場や機械などの有形固定資産）を国内外に抱え，大量生産することで一台当たりの製造コストを引き下げてきました。ただ，大量生産・大量販売を基本とする従来型ビジネスでは，どうしても減価償却費・人件費などの固定費が膨らみ，利益率は相対的に低くなってしまいます。

例えば，日本企業の中でも営業利益の大きいトヨタ自動車と，ＭＤＰの中でも歴史の長いアップルとを比較してみましょう（図表8-8）。トヨタは総資産（62兆2671億円）及び有形固定資産（11兆4111億円）のいずれにおいても，アップルを凌いでいますが，総資産営業利益率（3.5%）では，アップル（31.0%）には遠く及びません。メディア型ＭＤＰのグーグル（アフファベット）と対比した場合でも，同様の傾向が見られます。これが「規模の経済」を前提とした伝統的ビジネスの資産・費用特性と言えるものなのです。

単位：億円

| 会計年度 | グーグル | | | 日本経済新聞社 | | |
|---|---|---|---|---|---|---|
| | 2019.12 | 2020.12 | 2021.12 | 2019.12 | 2020.12 | 2021 |
| 総資産 | 275,909 | 319,616 | 359,268 | 6,060 | 5,859 | 6,077 |
| 有形固定資産 | 73,646 | 84,749 | 97,599 | 1,976 | 1,893 | 1,907 |
| 営業利益 | 34,231 | 41,224 | 78,714 | 143 | 85 | 198 |
| 有形固定資産比率 | 26.7% | 26.5% | 27.2% | 32.6% | 32.3% | 31.4% |
| 総資産営業利益率（ROA） | 12.4% | 12.9% | 21.9% | 2.4% | 1.5% | 3.3% |

・数字は簡略化して1ドル＝100円で換算。グーグルの業績については，Alphabet Inc.,Form 10-K (December 2019), pp. 48-49, Form 10-K (December 2020), pp. 54-55 及びEarning Release (Fiscal Year 2021 Results) pp. 4-5 を日経新聞社の業績については，『決算短信』(2019年12月期，2020年12月期，2021年12月期), pp. 3-6 を参照し作成。

図表8-9　グーグルと日本経済新聞社の有形固定資産比率

　この特徴は，伝統的報道機関においても同様に観察されます。例えば，グーグルと日本経済新聞社を比べてみましょう。両社は企業規模が大きく異なっていますので，「有形固定資産比率」（総資産に占める有形固定資産の割合）と「総資産営業利益率」（ROA）の2つで比較してみましょう。図表8-9によれば，日本経済新聞社の有形固定資産比率は31.4%となり，グーグル（27.2%）を上回っていますが，総資産営業利益率（3.3%）を見ますと，グーグル（21.9%）の足元にも及ばない状況となっています。

## 着目点5：MDPの特徴と優位性

　もっとも，MDPの中にあって，アマゾンは，この資産・費用特性に関し，例外的な事業者となっています。それは，マーケットプレイスの運営者としてだけでなく，自ら小売業者として直販ビジネスも営んでおり，フルフィルメントセンター，仕分けセンター，配達ステーションなどの物流施設，トラック，航空機，ドローンなどの輸送手段，AWS向けのデータセンターなどの有形固定資産を世界各地に保有しているからです。

　ただ，アマゾンを除く大半のMDPは，総じて少ない資産・有形固定資産で高い利益をあげていると言うことができます。例えば，配車サービスを運営するウーバーでは，車や車庫などの有形資産を保有する必要がなく，宿泊サービスを提供するエアビーアンドビーでは，ホストが自宅などのスペースを提供するため，宿泊施設などの資産を抱える必要がないからです。

　さらに，アップルやグーグルなどのMDPが棚卸資産を僅かしか保有していないことも追記しておきましょう。これは，プラットフォーマーであることに加え，デジタル商材を扱っていることから来る特徴です。トヨタは独自の生産方式で徹底的に在庫を減らしてきた優良企業ですが，アップル（1.9%）やグーグル（0.3%）と比較すれば，棚卸資産比率（総資産に占める棚卸資産の割合）は4.6%となっており，依然として高い状態にあると言わざるを得ません（図表8-10）。

単位：億円

| 会計年度 | アップル | | | グーグル | | | トヨタ | | |
|---|---|---|---|---|---|---|---|---|---|
| | 2019.9 | 2020.9 | 2021.9 | 2019.12 | 2020.12 | 2021.12 | 2019.3 | 2020.3 | 2021.3 |
| 棚卸資産 | 4,106 | 4,061 | 6,580 | 999 | 728 | 1,170 | 26,563 | 25,338 | 28,880 |
| 総資産 | 338,516 | 323,888 | 351,002 | 275,909 | 319,616 | 359,268 | 519,369 | 539,723 | 622,671 |
| 棚卸資産比率 | 1.2% | 1.3% | 1.9% | 0.4% | 0.2% | 0.3% | 5.1% | 4.7% | 4.6% |

・数字は簡略化して1ドル＝100円で換算。アップルの業績については，Apple Inc., Form 10-K(September 2020), pp. 31-34 及び Form 10-K (September 2021), pp. 29-32 を，グーグルの業績については，Alphabet Inc., Form 10-K (December 2019), pp. 48-49), Form 10-K (December2020), pp. 54-55 及び Earning Release (Fiscal Year 2021 Results) pp. 4-5 を，そしてトヨタの業績については，トヨタ自動車株式会社『有価証券報告書』(2020年3月期), pp. 98-102 及び『有価証券報告書』(2021年3月期), pp. 100-103 を参照し作成。

**図表8-10　MDPとトヨタ自動車の棚卸資産比率**

　メディア型MDPについては，有形固定資産の割合が小さいことに加え，印刷や配達にコストがかからないこと，情報の信頼性確保に関わるコストも，情報の借用を基本とするため，低く抑えられています。それらだけでも，大きなメリットになっているのですが，メディア型は，さらに制作費を抑えながら，より多くの視聴者を獲得するという強みまで持っています。通常，制作費を抑えれば，ユーザー数は減少するのですが，メディア型では，この業界の常識に反し，制作費を削りながら，マスコミが取りこぼしてきた読者・ユーザーを実にうまく取り込んできたと言えるのです。

　この指摘は，グーグルが買収したユーチューブとテレビ局を対比してみれば，すぐに理解できるはずです。周知の通り，従来型テレビ局は「限られた時間枠」で番組を制作してきました。これに対し，ユーチューブでは「時間枠」という概念はなく，そのコンテンツも自ら制作せず，外部制作者に任せっ放しできました。一つ一つのコンテンツで見れば，それを視聴するユーザーの数は限られていますが，コンテンツ制作者の数が増え続けているため，ユーチューブ全体の視聴者数は，テレビとは比較にならな

いほどの規模に達しているのです。また多様な制作者が各自の関心に沿って奇抜なテーマや話題を発信するため，ユーチューブは，従来の一律的な番組に満足しなかった視聴者を漏らすことなく広く取り込んでいるのです。

　MDPが総じて高い総資産営業利益率や売上高営業利益率を誇っているのは，まさにこうしたメリットや強みによるものと言うことができます（図表8-11）。

単位：億円

| 会計年度 | グーグル | | | 日本経済新聞社 | | |
|---|---|---|---|---|---|---|
| | 2019.12 | 2020.12 | 2021.12 | 2019.12 | 2020.12 | 2021.12 |
| 総資産 | 275,909 | 319,616 | 359,268 | 6,060 | 5,859 | 6,077 |
| 売上高 | 161,857 | 182,527 | 257,637 | 3,569 | 3,308 | 3,529 |
| 営業利益 | 34,231 | 41,224 | 78,714 | 143 | 85 | 198 |
| 総資産営業利益率（ROA） | 12.4% | 12.9% | 21.9% | 2.4% | 1.5% | 3.3% |
| 売上高営業利益率 | 21.1% | 22.6% | 30.6% | 4.0% | 2.6% | 5.6% |

・数字は簡略化して1ドル＝100円で換算。グーグルの業績については，Alphabet Inc., Form 10-K (December 2019), pp. 48-49, Form 10-K (December 2020), pp. 54-55 及び Earning Release (Fiscal Year 2021 Results) pp. 4-5 を，日経新聞社の業績については，『決算短信』（2019年12月期，2020年12月期，2021年12月期），pp. 3-6 を参照し作成。

**図表8-11　グーグルと日本経済新聞社の利益率**

　以上を整理すれば，伝統的企業とマスコミは相対的に資産規模が大きく，それに占める有形固定資産の割合も高くなっています。これは「規模の経済」に従って，単位当たりのコストを下げ，利益を出すビジネスモデルを採用してきたためです。これに対し，MDPは言わば「持たない経営」（相対的に小さな有形固定資産）を追求し，コストを大幅に抑えてきました。いずれが競争上優位かと尋ねられれば，やはり，MDP事業者と言わ

ざるを得ないのではないでしょうか（図表8-12）。

| 従来型事業者 | | 主要なデジタル・プラットフォーマー | |
|---|---|---|---|
| 伝統的企業 | マスコミ 伝統的報道機関 | 取引型 MDP | メディア型 MDP |
| 規模の経済を念頭に事業規模を拡大してきたため，多くの資産を抱え，また一定以上の棚卸資産を抱える組織となっている | 規模の経済を念頭に発行部数を増やしてきたため，多くの資産を抱え，また印刷や配達，校閲などに多額の費用を支出する組織となっている | 生産設備を持たないことでROAを高め，デジタル商材で扱うことで，規模の経済の影響をほとんど受けない組織となっている | 印刷や配達，校閲，制作にほとんどコストをかけず，規模の経済の影響をほとんど受けない組織となっている |

図表8-12　資産規模・利益率に関する比較

## 着目点6：従来型事業者の特徴

　最後に，従来型事業者の成長軌道が「線形関数的」な形になることを挙げておきましょう。例えば，上記のような自動車メーカーが利益を出すためには，まずは固定費を超える売上をあげる必要がありました。ただ，生産量に応じて変動費も併せて膨らむため，固定費以上の売上を出したとしても，利益が急増することはありませんでした。これは，メーカーだけでなく，小売業者についても同様に言えることです。

　従来型のマスコミも，伝統的企業と同じような成長軌道を描いてきました。例えば，伝統的報道機関は，収入の多くを広告に頼ってきました。これを大幅に伸ばすには，広告主（主に企業）に対し「いかに広告の効果が大きいか」を合理的に説明する必要があったわけですが，不特定多数の読者・視聴者に「一律的な広告」しか打たないマスコミには，それをアピールすることはできませんでした。「購読者数が多いこと」「視聴率の高い番組を用意していること」を訴えることくらいが精一杯だったのです。

## 着目点6：ＭＤＰの特徴と優位性

　これに対し，売上にしろ，利益にしろ，データ量にしろ，ＭＤＰは，いったん，成長軌道に乗ると「指数関数的」な伸びを示してきました。伝統的企業では，損益分岐点を超える売上を出しても，変動費が増え続けるため，利益はそれほど膨らまないと指摘しましたが，取引型ＭＤＰでは，売上がある一線を超えると，市場が飽和するまで，利益も急速に膨らんでいくのです。例えば，デジタル商材の場合，追加の生産コストはほとんど生じないため，開発費（固定費）を回収すれば，そこから先は，売上がそのまま利益として認識されます。この傾向は，デジタル商材の利益についてだけでなく，サービス向上に要する費用に関しても言えることです。

　例えば，伝統的なホテルチェーンが宿泊用の部屋を増やす場合には，新たに土地を取得しホテルを建設するか，あるいは既存ビルのフロアを借り受け，部屋を増設するしかありませんでした。これに対し，エアビーアンドビーでは，部屋の「追加」はリストに載せるだけで済むわけですから，新たな費用はほとんど発生しないのです。

　指数関数的に成長する究極の理由は，既に触れた通り，ＭＤＰのビジネスに「ネットワーク効果」が働くためです。通常，事業を始めたばかりの取引型ＭＤＰは赤字を出します。それは，初期段階で採算を度外視し様々なインセンティブを用意し，できるだけ多くのユーザー（例えば，出店者と消費者）を取り込もうとするからです。

　しかし，いったん「クリティカル・マス」と言われる規模の人数を獲得すれば，ＭＤＰの魅力は一気に高まっていきます。多くの消費者がそのサイトを利用し始めると，他の事業者がこのサイトに強い関心を示し，テナントとして参加してくるからです。しかも，出店者の参加が増えれば，これが次の段階の呼び水となり，さらに多くの消費者を呼び込むことになるからです。もちろん，ＭＤＰビジネスでは離陸までの助走期間が長くなるため，クリティカル・マスを超える前に破綻してしまうＤＰ事業者もいます。ただ，それでもクリティカル・マスに達すれば，測り知れないほどのメリットを享受できるため，これまで多くの取引型ＤＰがこれにチャレンジしてきたわけです。

メディア型ＭＤＰについては，伝統的なマスコミとは対照的に，広告の効果をデータに基づいて強くアピールすることができます。情報を受け取る側の関心や趣味・嗜好を押さえ，関連する広告を打つわけですから，またユーザーが探している商品と関連する広告をユーザーのデバイスに表示するわけですから，それには相当の説得力があります。

　これと併せ，メディア型も「ネットワーク効果」による恩恵を受け，急成長してきたことを指摘しておかなければなりません。今一度，ユーチューブのビジネスを例に挙げておきましょう。(1) まずＭＤＰは事業者より広告料を徴収します。(2) 次に徴収した広告料の中から，視聴回数に応じてコンテンツ制作者に報酬を支払います。(3) これにより，制作者は動機づけられ，より多くの，より充実したコンテンツを制作・発信するようになります。(4) その結果，ＭＤＰはより多くの，より多様な視聴者を獲得していきます。(5) ユーザーの増加と多様化は，より多くのデータをＭＤＰにもたらし，ターゲッティング広告の精度を押し上げていきます。(6) 精度の高い広告を販売するＭＤＰは，広告主よりさらに多くの広告収入を得ることになります。この広告収入の一部を制作者に支払うことで，再び (2) からのプロセスが繰り返されていきます。

　こうして，コンテンツ製作者，視聴者，広告掲載者の間に，拡大循環の「ネットワーク効果」が生じてくるわけです。GAFAMを初めとするＭＤＰの株価が時価総額で膨らみ続けたのは，まさにそのためと言ってよいでしょう (図表8-13)。

| 従来型事業者 | | 主要なデジタル・プラットフォーマー | |
|---|---|---|---|
| 伝統的企業 | マスコミ 伝統的報道機関 | 取引型 MDP | メディア型 MDP |
| 損益分岐点を超えたとしても，そこから利益が急上昇することはなく，成長は線形関数的な軌道を描いてきた | 購読者数が多いことや視聴率の高い番組を用意していることなどを広告主に訴えてきたが，それだけでは，広告収入を一気に増やすことはできなかった | ネットワーク効果により，ユーザ数がある一線を超えたことで，MDP の売上，利益，データ量も指数関数的に膨らんできた | ネットワーク効果により，データ量が一定数を超えたことで，関心や趣味・嗜好に沿った広告が打てるようになり，MDP の売上，利益などが指数関数的に膨らんできた |

図表8-13　成長軌道に関する比較

　以上の通り，本章では，ＭＤＰに見られる４つの発展ステージが「ＡＩ研究やＡＩツールの開発・普及」とどのような関係にあったのかを整理し，特にＭＤＰが第３ステージにおいてＡＩツールの商業的実用化を進め，第４ステージにおいてＡＩツールの社会的普及に貢献したことを見てきました。その上で，ＭＤＰ事業者と従来型事業者を分ける６つの着目点を整理し，ＭＤＰが従来型事業者に対し優位な立場にあることを確認してきました。

　これで読者はMDPビジネスがどのようなものであるか，またそのビジネスとＡＩツールがどのように発展してきたかを理解できたはずです。そこで，次章では，本章の冒頭に掲げた「ＭＤＰは，どのようにして新たなビジネスモデルを構想し新規事業を練り上げ，ＡＩをその事業の中に組み込んできたのか」「既存企業でも，ＭＤＰのように，ＤＸを推進しＡＩツールを活用すれば，過去の延長線上ではなく，それと一線を画する新たなビジネスモデルや新規事業を起こすことができるのか」という問いに戻り，本書の結論を出すことにしましょう。

# 第9章

# ＡＩツールを価値創出に結びつける

## ——アマゾンのケースに学ぶ

　「ＭＤＰは，どのようにして新たなビジネスモデルを構想し新規事業を練り上げ，ＡＩをその事業の中に組み込んできたのでしょうか」また「既存企業でも，ＭＤＰのように，ＤＸを推進しＡＩツールを活用すれば，過去の延長線上ではなく，それと一線を画する新たなビジネスモデルや新規事業を起こすことができるのでしょうか」。

　本章では，この２つの問いのうち，「第１の問い」に詳しく答えていくことにします。第２の「既存企業でも……できるのか」という問いは，「第１の問い」に答えることで，おのずと「新規事業を起こす上で，既存企業に必要なものは何か」も見えてくるからです。

　さて，今一度，第１の問いを読み直してください。この問いには，異なる次元の２つの内容が含まれていることに気づくはずです。すなわち，１つは「ＭＤＰは，どのようにして新たなビジネスモデルを構想し，そのモデルに基づく新規事業を練り上げてきたのか」という「全体的なプロセス」に関する問いで，他の１つは「ＭＤＰは，どのようにＡＩツールを開発し新規事業の中に組み込んできたのか」という「より具体的なプロセス」に関する問いとなっています。後者については「新規事業に組み込む上で，ＡＩツールに対する事前テストなどはどのように実施してきたのか」といった具体的な事項も問われているわけです。以下，２つの問いのレベルを分けるため，それぞれを（問1）（問2）と表記することにします。

(問1)

　**ビジネスモデルから新規事業を練り上げる「全体的なプロセス」**

　「ＭＤＰは，どのようにして新たなビジネスモデルを構想し，そのモデルに基づく新規事業を練り上げてきたのか」

(問2)

　**新規事業の中にＡＩツールを組み込む「具体的なプロセス」**

　「ＭＤＰは，どのようにＡＩツールを開発し新規事業の中に組み込んできたのか，特にツールに対する事前テストはどのように実施してきたのか」

　以上の整理を前提として，本章は次のように議論を進めていきます。まず第1節で，ビジネスモデルや新規事業などの主要概念の意味と，それら概念の相互関係を確認し，併せて本章でアマゾンをケースとして取り上げる理由を説明しておきます。これを行った上で，第2節で，上述の（問1）（問2）に対する結論を示します。その後，第3節で，結論の根拠となったアマゾンのケースを細かく見ていきます。ケースを取り上げる前に「結論」を示すのは，これによって，アマゾンにおける「価値創出パターン」がよりはっきりと見えてくるからです。

　なお，ケースに関する細かな説明は「今のところ必要ない」と考える読者は，第3節を飛ばし，そのまま最終章に進んでください。第3節を飛ばしても，最終章の主張は理解できるはずです。逆に「アマゾンの創業から現在までの動きを押さえておきたい」と考える読者は，時間をかけ第3節も読み込んでください。最終章では，既存企業に対し，4つの実践的な提言を行いますが，ケースの内容を押さえていれば，提言の背景にある考え方もより深く理解できるはずです。


## 第1節　主要概念とアマゾンを取り上げる理由

### 4つの主要概念

　本書では，これまで「ビジネスモデル」「新規事業」「ＡＩツール」「価

値創出」などの概念を用いてＡＩとビジネスの関係を説明してきましたが、「それら諸概念がどのような関係にあるのか」「ビジネスモデル、新規事業、ＡＩツールが、どのようにして価値創出と結びつくのか」については、第１章で簡単に触れたのみで、明確には規定してきませんでした。そこで、まず４つの概念とその相互関係を整理しておきます。

　第１の「ビジネスモデル」とは、新規事業に関する全体的なイメージを指します。それは、言わばアイディア・レベルにとどまるものとします。これに対し、第２の「新規事業」はそのイメージを形にしたもので、対外的に公表され、経営側が追加的に経営資源を割り当てる新たな事業を指します。

　よって、ビジネスモデルについては、外部者は当然のこと、内部関係者も、それがいつ構想されたかは厳密に特定することはできません。これに対し、新規事業については、投資家や外部者でも、その立ち上げ時期を知ることができます。それゆえ、本章で取り上げるケースでは、時期の特定が可能な「新規事業」に着目し、その視点から成長段階を区分することにします。

　第３の「ＡＩツール」とは、要素技術であるＡＩを組み込んだ「分類・予測などを行うためのアルゴリズム」で、デジタル基盤の上で稼働する装置を指します。それは「業務効率の改善」や「一部業務の自動化」などに利用されます。第４の「価値創出」とは、ある取り組みが一定以上の売上や利益を生み出す場合、より正確に言えば、既存の売上・利益構成を変える「新たな収益源」を作り出す場合を指します。

　誤解のないよう、繰り返し強調しますが、ＡＩツールはあくまでも「手段」ですので、ＡＩツールが価値（収益源）を創出するわけではありません。ＡＩツールが価値創出に貢献できるかどうかは、ＡＩツール自体ではなく、それが組み込まれる既存業務や新規事業の内容によって、つまり、事業内容が市場の需要を的確に捉えているかどうかによって決まってくるということです。以上が４つの概念の意味と相互関係です。

## アマゾンを取り上げる４つの理由

　続いて，アマゾンをケースとして取り上げる理由について整理しておき
ます。主な理由は次の４点です。

　第１は，アマゾンがＭＤＰの中でも創業期においてパイプライン・ビジ
ネスという形をとっていたこと，第２は，同社が小売業・物流業に関わり
ながらも，その枠を超え，新規事業を次々と起こしていったことです。こ
の２つの理由は特に重要です。既存企業の多くは，パイプライン・ビジネ
スの形態をとっており，また小売業・物流業などの従来型事業に一定の関
わりを持っているからです。共通する前提を有するアマゾンのケースであ
れば，既存企業の経営者や関係者も，自身の経験やビジネスと重ねて，や
るべきことやとるべき戦略などを考えることができるはずです。

　残り２つの理由は，アマゾンが「パブリッククラウド」（不特定多数の企
業や団体などを対象とするクラウド）を提供する３大ベンダーの中で最も早く
この事業を始動したこと，ＤＸとＡＩを積極的に推進し，デジタル（FBA
や融資事業など）とリアル（物流や実店舗経営など）の双方において変革を引き
起こしてきたことです。

　厳密に言えば，アマゾンのケースだけで，ＭＤＰ全般を語るには無理が
あります。ただ「アマゾンが他のいずれのＭＤＰよりも積極的に既存秩序
にチャレンジし，新たな価値を創出してきた」という理解は社会で広く共
有されています。多くの人は，アマゾンが引き起こした経済・社会の変化
や変革を「アマゾン・エフェクト」（アマゾン効果）と呼びますが，アップ
ル，グーグル，フェイスブック，マイクロソフトが起こした事象について
「……エフェクト」などとは言いません。それだけ，ＭＤＰの中でもアマ
ゾンは象徴的な存在となっているわけです。この点を重視し，本章では，
アマゾンをＭＤＰの典型として取り上げることにします。

## 第2節　2つの問いに対する結論

### いかにビジネスモデルを構想し新規事業を練り上げてきたか

　さて，（問1）に関しては，Ｍ＆Ａによる新規事業の始動などを除けば，ＭＤＰは「過去のビジネスモデルを継承する形で，新たなビジネスモデルを構想してきた」，そして「過去の事業を継承しながらも，利用者などを転換することで，新規事業を起こしてきた」と答えることができます。これが（問1）に対する結論です。

　一般に，独創的なビジネスモデルや新規事業は，過去の延長線上ではなく，それと一線を画する形で構想され，練り上げられる，と考えられがちですが，アマゾンのケースを見る限り，創業期を除けば，過去のモデルと新たなモデルの間には，また既存事業と新規事業の間には明確な「連続性」があります。つまり，過去の継承を前提として，「書籍購読者向け事業」や「自社向けサービス」を，「消費者全般向け」「他社（外部利用者）向け」などに「転換」しながら，新たな価値を創出してきたのです。「連続性（継承）」と「転換」，この繰り返しが，アマゾンに見られる「価値創出パターン」だったわけです。

　もちろん，ビジネスモデルの構想や新規事業の練り上げには，それなりの努力や工夫が求められます。オープン・イノベーションと言われるように，外部の技術やアイディアを取り込むことなども必要です。しかし，アマゾン史を見る限り，新たなビジネスモデルを構想する上で，また新規事業を練り上げる上で，決定的に重要な役割を果たしたのは，過去のビジネスモデルであり，過去の事業群でした。この点は強調しておかなければなりません。

### いかにＡＩを新規事業に組み込み，テストを実施してきたのか

　（問2）に関しては「新規事業の主要なコンポーネントであるＡＩツールやアルゴリズムは，新規事業の立ち上げ時には，既に実装化されていた」

「それゆえ，主要なコンポーネントに対する本格的な事前テストはほとんど不要であった」と言うことができます。これが（問2）に対する結論です。

　現在，ＤＸやＡＩの意義が必要以上に強調されるため，新規事業を練り上げる際，ＡＩツールやアルゴリズムなども同時に開発・導入され，またそれにより，新たな価値が創出されるかのように考えられがちですが，アマゾンのケースに即して言えば，そのプロセスは，(i) 最初に自社における業務効率の改善を目的として，ＡＩツールやアルゴリズムの開発が始まり，(ii) その後，社内関係者の協力やフィードバックを幾度も受け，ツールの精度や使い易さを磨き，(iii) 最後に，戦略的判断（転換）により，それらのツールやアルゴリズムを，新規事業の中で流用・利用する，という流れになっているのです。

　ここで特に強調したい点は，新規事業を始動する前のステージで，ＡＩツールやアルゴリズムなどのコンポーネントは「既に社内で十分なフィードバックを受け，磨き上げられ，利便性の高いものになっていた」ということです。

　例えば，物流業務の効率化を進める中で，アマゾンは，無数のＡＩツールを開発していきました。しかも，その開発過程で，社内利用者のフィードバックを幾度も受け，ツールの精度に磨きをかけていきました。物流問題に取り組むことで，アマゾンは，完成度の高いツールを取り揃えていったわけです。ですから，新規事業を開始する時には，豊富なツールのレパートリーの中から，あるいは開発済みのアルゴリズムの中から，必要なものを選び出し，活用することができたわけです。

　第1章において，新規事業では，ＡＩツールの開発・導入で「手戻り」が発生しやすいため，簡単には軌道に乗らないと述べました。本格稼働する前に，ツールを利用者に使ってもらい，有益なフィードバックが得られれば，十分な改善措置も講じられますが，消費者などの外部ユーザーを相手とする新規サービスでは，提供予定のサービスや機能に関し実際に使ってもらった上で，フィードバックを受けるのは決して容易なことではありません。確かに「ベータ版」を使ってフィードバックを受けるという方法もあります。しかし，その場合でも，完成度の高いベータ版を用意する必

要があるため，ベータ版以前の段階で，できるだけ多くのフィードバックを受けておくことが求められるのです。

　アマゾンのケースでは，ＡＩツールの大半は，社内利用者のフィードバックを受け，改良に継ぐ改良を重ねていました。簡単に言えば，新規事業を始動する前の段階で，利用予定のツールは既に十分な精度を上げ，使い勝手の良いものになっていたということです。以下に取り上げる主要な新規事業が，立ち上げ後，それほど時間をかけることなく（手戻りもなく），短期間で成長軌道に乗ったのは，まさにこれが理由だったと言ってよいでしょう。

　以上が，アマゾンのケースより導き出された（問1）と（問2）に対する結論です。順序は逆となりますが，以下，この結論の根拠となったアマゾンの取り組みを時系列的に見ていくことにします。既に指摘した通り，新たな収益源を生み出す「新規事業」にＡＩツールが組み込まれ，その事業が成長し始めた時，そのツールは価値創出に貢献したと言います。この定義に従って，アマゾンの新規事業と言えるものをプロットしてみると（創業を除き），過去には少なくとも８つの事業があったことが分かります（図表9-1）。

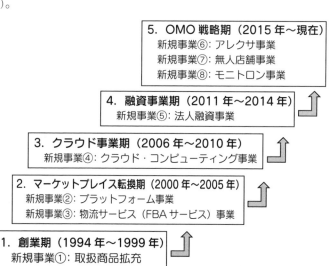

**図表9-1　アマゾンの５つの成長段階と８つの新規事業**

中でも重要な新規事業は５つとなりますので，この５つの事業に着目し，同社の成長段階を５つに区分することにします。各成長段階における新規事業と，次の成長段階に向けての「社内の動き」を追うことで，（問1）と（問2）に対する結論の背後にあった事実関係を理解していくことにしましょう。

## 第3節　アマゾンの5つの成長段階

### 成長段階 I

### 創業期（1994 年～ 1999 年）

　アマゾン史における第１の節目（ターニングポイント）は 1994 年の「創業」です。同年７月，ジェフ・ベゾス（Jeffrey P. Bezos）は，ワシントン州でネット通販会社を設立し，10 月に社名を「アマゾン」と改めています。設立後は，ＥＣサイトの整備・改善に力を注ぎ，翌 1995 年４月３日，同サイトを通じての初めての取引を行い，７月 16 日，サイトの一般公開に踏み切っています。

　後に，アマゾンは「地球上で最もお客様を大切にする企業を目指す」との理念を掲げることになりますが，これは「利用者視点」「消費者視点」の徹底を謳うものです。創業段階では，この理念はまだ明文化されていませんが，利用者視点で考える姿勢は，創業時より貫かれていたと考えられます。確かに，ベゾスは，当初，「お客様を大切に」などではなく，ウェブが急拡大する中で「ネット・ビジネスは儲かる」と感じ，「早くでかくなろう」といった野心的なスローガンを掲げています。このため，創業時には消費者視点など無かったと指摘されるかもしれませんが，彼の行動は「利用者視点」より出てくるものが大半であったと言うことができます。

### 3つの機能と仕組み

　例えば，書籍の購入を考える消費者であれば，売り手側の売り文句でなく，他の購入者の読後感を知りたいと思うものです。また自分自身の関心

に近い図書があれば，紹介して欲しいと感ずるものです。さらには，クレジットカードを使った支払いも安全を確保した上で簡便に済ませたいと考えるはずです。

　ベゾスらは，消費者のこうした思いや期待を捉え，1995年に「レビュー機能」，1996年に「リコメンデーション機能」などをECサイトに導入し，また支払いに関しても「ワン・クリック・オーダー」という仕組みを開発し，その特許を取得しています。

　最初のレビュー機能については，それが「書籍販売ビジネスを始める上での鍵」と考え，一般消費者向けサービス開始（1995年7月）の1か月前に導入を済ませています。この機能を組み込んだ当初は，社員達が手分けして本を読み，レビューを書いたと言います。大変な手間と労力を要したわけですが，その後，レビュー機能は，他のリアル書店にはない，アマゾン独自の魅力となっていきました。

　1996年秋に開発・導入されたリコメンデーション機能は，購買履歴が似ている顧客をグループ化し，そのグループ内の消費者が購入している図書を同一グループ内の他の顧客に紹介するものです。現在の技術レベルや分類・予測精度からすれば，まだ初歩的なＡＩツールに過ぎませんが，これは，創業期より一貫してアマゾンの販売促進・マーケティング活動を支える重要なツールとなっていました。

　最後のワン・クリック・オーダーは，1997年5月にその着想を得たと言います。当時，ECサイトは，情報セキュリティ上の不安に加え，カード支払いが複雑という問題を抱えていました。アマゾンは，これを解消するため，1回クリックするだけで注文が完了するという仕組みを考案・導入し，消費者にとっての煩わしさを解消したわけです。

　これらは，いずれも消費者視点，利用者視点に立つことなく，開発・導入される機能や仕組みではありませんでした。またこうした実践があったからこそ，後に「地球上で最もお客様を大切にする企業」というスローガンが生まれ，アマゾンの経営理念として定着していったと見るべきでしょう。

## 書籍の販売から消費財全般の販売へ

### 新規事業①：取扱商品の拡充

さて，創業にあたり，ベゾスは候補となる取扱商品を20種類ほど挙げ，これらを比較検討し，最終的に「書籍」をアマゾンが扱うべき商品としました。書籍であれば，どの店で買っても品質がほとんど同じであること，仕入れや買い揃えでは，出版各社（版元）に個別に当たる必要がないこと，商品数が300万点以上あり，大手書店でもすべて取り揃えられないこと，梱包・配送など取扱いが簡単なこと，これらの特徴を踏まえ，取扱商品を書籍に絞り込んだわけです。

しかし，書籍販売EC事業を起こしたアマゾンも，1998年頃より，利用者の期待や要望が膨らんでいくのを捉え，「取扱商品拡充」の方向を探っていくことになります。その方法として，この段階では，2つのアプローチが採られました。第1は，単純に商品カテゴリーを増やすというアプローチです。これは，厳密には「新規事業」とは言えませんが，アマゾン史の中で同社が最初に着手した「新たな収益源の創出」に当たります。

1998年初頭，ベゾスは，それまでの書籍販売ビジネスの経験を踏まえ，「在庫可能な品目が多く，リアル店舗では見つかりにくくて，郵送しやすい製品カテゴリーを探せ」との指示を出します。これを受け，検討チームは候補カテゴリーを絞り込み，まず1998年に音楽とDVDを，翌1999年に玩具と家電を，取扱商品に加えていきました。これ以降も，取扱商品カテゴリーを増やしていったことは言うまでもありません。

さて，（問1）に対する結論との関連で，このチャレンジの特徴を整理すれば，それは，アマゾンが，創業以来，構築してきた「書籍購入者向けサイト」を「消費財全般購入者向けサイト」に転換する試みだったということになります。まさに，過去のビジネスモデルや事業を引き継ぐ形で，販売対象者・取扱商品を「転換」（拡充）していったわけです。また（問2）に対する結論との関連で言えば，これは「転換」によるチャレンジであったため，取扱商品拡充の中で利用される主要なコンポーネント（機能や仕組み）それぞれについて，改めて本格的なテストを実施する必要はありませんでした。テスト済のものを流用しただけということになるのです。

## アマゾンオークションの始動

　取扱商品を拡充するための第2のアプローチは，零細小売業者などの
サードパーティにアマゾンの EC サイトを活用してもらうというものでし
た。この方式は，自社の在庫点数を増やすことなく，取扱商品（非在庫商
品）を拡充できるというメリットを持っていました。

　当時，マイクロソフトやアップルなどは OS をプラットフォームとして
開放し，その OS 上でソフトを開発するＩＴベンチャーの数を増やす戦略
を推進していました。また，IBM や AT&T なども，独自のプラット
フォームを構築しようとしていました。そうした競争環境の中で，アマゾ
ンも，他の小売業者などに EC 取引の場を提供するプラットフォーマーを
目指したわけです。

　その結果が1999年3月に正式始動した「アマゾンオークション」でし
た。これにより，小売業者などのサードパーティは，アマゾンの 800 万人
の登録ユーザーにアクセスできるようになり，また消費者を始めるとする
ユーザーも，実質的にあらゆるものをオンライン上で検索・入手できるよ
うになりました。もちろん，それは，購入するだけでなく，オークション
形式で販売することも可能なプラットフォームとして立ち上がりました。
また，この事業では，ユーザーの不安や不信を払拭するため，販売側
（サードパーティ）が約束した商品を購入者側に届けない場合には，一件当
たり 250 ドルまでアマゾンが補償するという仕組みも併せて導入しまし
た。そこまでの措置を講じた上で，オークション事業を始動したわけです
が，結局，消費者・利用者の目にはとまらず，アマゾンオークションは低
迷を続けることになりました。

## 物流システムの機能不全

　この時期，取扱商品を増やしていったことで，アマゾンは「物流システ
ムがまともに機能しなくなる」という問題を頻繁に経験するようになりま
した。特に 11 月〜12 月にかけてのホリデーシーズンには注文が殺到し，
出荷が間に合わなくなるという危機的事態に陥り，1998 年には「サンタ
を救え」を合言葉に，本社スタッフ，その家族，友達などまで倉庫の出荷

作業に駆り出されたと言います。翌年も同じ事態に陥ることが予想されたため，アマゾンは，倉庫の新増設や庫内の自動化を進めていきましたが，それを超えるペースで物流量は増え続け，1999年のホリデーシーズンも，混乱を極めることになりました。

　人海戦術ではもはや対応できないことを痛感したアマゾンは，ここから物流問題を抜本的に解決するため，デジタル基盤の強化とAIツールの開発を本格化させていきます。

　まず1999年，マサチューセッツ工科大学（MIT）出身のジェフ・ウィルケ（Jeff Wilke）を迎え入れ，科学や工学に強いエンジニアを物流部門に集め，具体的な解決策を練り上げていきます。そして「ある商品をアマゾン物流ネットワークのどこに，いつ在庫するのがいいのか」「同時に注文された複数商品をどう組み合わせて箱に入れれば最も効率がいいのか」といった在庫管理，仕分・梱包管理，輸配送管理の課題に，数学的・統計学的手法を駆使し，アルゴリムの開発を進めていきました。ただ，当時の利用可能な「技術インフラ」では，開発効率は悪く，また増え続ける膨大なデータを処理するだけのコンピューティング能力もなく，結局，実用的なツールを完成させるまでには至りませんでした。

　この成長段階が終わる1999年末，アマゾンの総売上高は前年比95%増を達成し，顧客も新たに300万人を獲得し，登録利用者数は2000万人超となっていました。しかし，ここまでのアマゾンの成長は，アマゾンオークションは開始していたものの，結局，伝統的企業と同様，「パイプライン・ビジネス」に終始するものでした。取扱商品の数は増加の一途をたどっていましたが，自社のECサイトで注文を受け，自社で仕入れ，自社の倉庫で管理・荷捌きし，その倉庫から消費者宅に配送するという「単線的な流れ」が，依然としてビジネスの基本となっていたからです。

**成長段階 II**

**マーケットプレイス転換期（2000年〜2005年）**

新規事業②：プラットフォーム事業

第2の節目は「アマゾンオークション」を「マーケットプレイス」に衣

替えする 2000 年 11 月に訪れます。既述の通り，サードパーティ向けに
サービスを開始したアマゾンオークションは低迷を続けていました。この
ため，2000 年秋，アマゾンでは，オークション・ビジネスが実を結ばな
い原因について，分析を進めていきます。その結果，オークション・サイ
トとアマゾンの EC サイトは消費者の目には「別物」に見えていた，とい
うことが判明します。

　この結論を踏まえ，アマゾンは，サードパーティの売り手にもレビュー
機能やリコメンデーション機能がそのまま使えるよう，つまり，同じ
フォーマット上でサードパーティの商品も扱えるよう，EC サイトをすべ
て統一していきました。これがサードパーティをテナント（出店者）とし
て受け入れる「プラットフォーム事業」（マーケットプレイス）の始まりだっ
たのです。

　（問 1）に対する結論との関連で，このプラットフォーム事業の特徴を整
理すれば，それは，アマゾンが，創業以来，直販ビジネスのために構築し
てきた「自社向けサイト」を「他社向けサイト」に「転換」する試みだっ
たということになります。また（問 2）に対する結論との関連で言えば，
これは「転換による試み」であったため，マーケットプレイスの中で利用
される主要なコンポーネント（ＡＩツールやアルゴリズム）に対し，改めて本
格的なテスト（PoC や市場テスト）を行う必要はほとんどなかったというこ
とです。

　なお，このマーケットプレイスの構想が具体化すると，内外より厳しい
批判の声が上がってきました。業界慣行が破壊されることを恐れた出版社
協会や作家協会からは，新刊や新 CD などの「販売が妨げられる」との非
難が，またアマゾン社内の直販部門からも「外の売り手に客が奪われる」
とった不満が，ベゾスにぶつけられることとなりました。こうした反発
は，数年にわたって続き，この間，ベゾスはアマゾン社員を含む関係者ほ
ぼ全員を敵に回したと伝えられています。

## マーケットプレイスがもたらしたメリット
　ただ，これは間違いなく利用者視点に立った「転換」と言うべきもので

した。アマゾン単体では調達できない無数の商品が同一サイトで，しかも同一フォーマットで購入可能となり，消費者にとっての利便性は大きく改善されていったからです。購買プロセスについても，すべてアマゾン経由の支払いとなったため，サードパーティの信用を気にすることなく，消費者は安心してクレジットカードを利用できるようになりました。

　当然，プラットフォーム事業は，消費者のみならず，アマゾンにも大きなメリットをもたらしました。在庫費用を抑えながら商品点数を拡充できたこと，販売実績に応じてテナントより仲介手数料を徴収できたこと，取引量（トラフィック）の拡大で購買履歴などのデータが広範かつ頻繁に収集できるようになったこと，消費者が検索したキーワードに連動する形で広告を打てるようになったこと，これらはアマゾンにとっての大きなメリットとなりました。その後，アマゾンは，2009年11月に「アマゾン・ベーシック」というプライム会員向けPB製品（アマゾンブランドの商品）の販売を開始し，取扱商品の充実を図っていきますが，これもマーケットプレイスへの転換がもたらした副次効果だったのです。

## マーケットプレイス関連の売上動向

　現在，あらゆるジャンルの業者（サードパーティ）が，あらゆる商品をアマゾン・マーケットプレイスで販売しており，その取扱商品は全世界で2億品目を超えると言われています。パイプライン・ビジネスから事業を起こしたアマゾンの売上は，かつては直販（自ら仕入れて販売すること）が大半を占めていたわけですが，2000年以降，マーケットプレイス関連事業によるサービス収入（FBA手数料なども含みます）が増え続け，2021年末には，2014年末の約9倍となる1033億ドルにまで膨んでいます。直販収入の場合，仕入原価が発生するため，売上総利益は小さくなりますが，手数料などのサービス収入の場合，仕入原価はなく，また管理に要する追加コストも適度に抑えられるため，営業利益への貢献が大きくなるわけです（図表9-2）。その意味で，2000年のプラットフォーム事業の始動は，アマゾンの将来を左右する重要な分岐点だったのです。

単位：百万ドル

| 会計年度 | 2014 | 2015 | 2016 | 2017 | 2018 | 2019 | 2020 | 2021 |
|---|---|---|---|---|---|---|---|---|
| 総売上高 | 88,988 | 107,006 | 135,987 | 177,866 | 232,887 | 280,522 | 386,064 | 469,822 |
| 直販収入 | 70,080 | 79,268 | 94,665 | 118,573 | 141,915 | 160,408 | 215,915 | 241,787 |
| サービス収入 | 11,747 | 16,086 | 22,993 | 31,881 | 42,745 | 53,762 | 80,461 | 103,366 |

・直販収入にはECを通じての売上と実店舗を通じての売上が含まれます。サービス収入は，マーケットプレイス関連の手数料収入（Third-party seller services）を指し，AWS関連の手数料収入などは含まれていません。Amazon, Annual Report (December 2016), p. 17, 37, 68, Annual Report (December 2018), p. 23, 37,67, Annual Report (December 2020), p. 18, 39, 66 及び Amazon, Form 10-K (December 2021), p. 37, 65 を参照し作成。

## 図表9-2　2014年以降のアマゾンの売上高推移

## 物流効率化とＡＩツールの開発

　マーケットプレイス転換期の特徴として，さらに「物流業務の効率化」「アマゾンプライムの誕生」「社内向けウェブサービスの構築」という3つの取り組みを追記しておきます。

　第1の物流業務の効率化に関しては，2000年，物流の新たなアルゴリズムの開発を進めていたウィルケらが「既存のITインフラやソフトウェアを使っている限り，自分たちがやりたいことはできない，注文を流れるように処理・予測するには，プログラムすべてを作り直すしかない」との結論に至ります。そしてこれ以降，彼らは，本格的なAIツールやアルゴリズムの開発に着手し，物流業務全体の効率化を進めていきます。例えば，取扱商品が増え続ける中で，固定ロケーション方式（在庫する場所・棚を事前に決めておく方式）からフリーロケーション方式（空いてる棚に在庫する方式）へと移行を進め，ピッキングにおいても，庫内スタッフが商品の処に行くのではなく，商品がスタッフのところに届く仕組みなどを構築していきます。

　ちなみに，この過程で，ウィルケらは，アマゾンの物流倉庫を「フルフィルメントセンター」と呼ぶようになっていきました。注文されたこと，要求されたこと，さらには自分たちがやりたことを「充足するセンター」という意味で，この名前を使うようになったわけです。

## フルフィルメント・バイ・アマゾンの始動

### 新規事業③：ＦＢＡサービス事業

　フルフィルメントセンターは，基本的に自社商品の処理を行う「物流インフラ」だったわけですが，その後，処理の正確さや梱包・配送の迅速さなどが社外関係者より高く評価されるようになっていきました。これに自信を得たアマゾンは，2006年，フルフィルメントセンターを自社商品の処理に限定せず，出店者商品の処理にも活用するとの決定を下し，「フルフィルメント・バイ・アマゾン」（ＦＢＡ）というサービスを始動させます。

　これは，サードパーティが扱う商品の注文，保管，出荷，決済，配送，返品対応のすべてをアマゾンが代行するもので，現在でも，人手が足りない中小事業者にとって魅力的なサービスとなっています。ＦＢＡ事業は，マーケットプレイス事業の一部として整理することもできますが，これは「新たな収益源の創出」にも繋がっていますので，本書では，ＦＢＡサービス事業をこの成長段階におけるもう１つの新規事業として捉えておきます。

　さて，このＦＢＡ事業の特徴を，（問1）に対する結論との関連で整理すれば，それは，アマゾンが，物流業務を効率化するために構築した「自社向けサービス」を「他社向けサービス」に「転換」する試みだったということになります。また（問2）に対する結論との関連で言えば，これも「転換による試み」であったため，ＦＢＡ事業の中で利用される主要なコンポーネント（在庫管理，仕分・梱包管理，輸配送管理などに関するＡＩツールやアルゴリズム）に対し，改めて本格的なテストを行う必要はほとんどなかったということです。

## ＦＢＡから派生した債権管理という新たな業務

　なお，ＦＢＡを始動したことで，アマゾンは，その後，ＦＢＡサービスを利用するテナントの債権管理・回収業務に着手することになります。テナントがアマゾンに負う債務（ＦＢＡ使用料）は，テナントがあげた売上より自動的に引き落とされる仕組みとなっていましたが，それでも不履行リ

スクはゼロではありませんでした。このため，着実に債権を回収する目的
で，アマゾンは「債権管理・回収に関する業務」を整備していったわけで
す。

　当然の流れとして，その後，アマゾンは債務不履行リスクを最小化する
ためのツール開発を進めていくことになります。それは，言わば「自社の
利益」（債権の確実な回収）を守るための業務を効率化・自動化するもので
あったと言うことができます。

## アマゾンプライムの誕生

　第2の特徴的な取り組みは，2004年のアマゾンプライムの始動でした。
物流インフラ改革が進んだことで，アマゾンはより柔軟かつ積極的に利用
者視点に立った施策が打てるようになっていきました。その端緒は2002
年にありました。この年，ウィルケらは，注文方式を改良し，消費者が，
翌日配送，2日配送，3日配送の中よりいずれかを選択できるようにした
のです。その施策の一環として，アマゾンは，優先的に仕分・梱包・配送
する「最短配送」（特急注文）という仕組みを導入しています。これが，価
格よりも時間に敏感な消費者を対象とした2004年の「迅速配送クラブ」
に，そして2005年の「アマゾンプライム」に結実していったわけです
（日本では2007年にプライムは導入されます）。

　その後，アマゾンは，ビデオ，ゲーム，音楽，電子書籍などのデジタ
ル・コンテンツをプライム会員向けに提供し，特に会員向けで成功したも
のについては，独立のサービスとして一般向けに事業化していくことにな
ります。「アマゾンプライム・ビデオ」という配信事業がその典型例です。

　（問1）に対する結論との関連で言えば，ここにも類似した「価値創出パ
ターン」が見られます。すなわち，いったん，「プライム会員向けのサー
ビス」として提供し，その反応を見た上で「非会員向けのサービス」に
「転換」するというアプローチが採られていたわけです。ただ，マーケッ
トプレイスの場合には，「自社向けサイト」を構築した後，事後的に「他
社向けサイト」への転換を図っていますが，プライム会員向けサービスで
は，当初より「非会員向けへの転換」を想定し，会員を言わば「クローズ

ドベータ」の被験者として利活用していました。その違いがあるため，本書では，プライム会員向けサービスを新規事業の1つとしてではなく，次元を異にする実証フィードバックの仕組みとして捉えておくことにします。

## ＩＴインフラの分解

マーケットプレイス転換期を象徴する最後の取り組みは，2002年〜2005年にかけてアマゾンが進めた「ＩＴインフラ改革」であり，その結果としての「社内向けアマゾンウェブサービス（AWS）」の構築でした。それは，(1) ＩＴインフラの分解（コンポーネント化）と (2) 社内開発者によるサーバへの自由なアクセス，という2つのステップを踏んで進められています。それぞれのステップに関し説明しておきましょう。

まずＩＴインフラの分解とは，ＩＴの機能やサービスを細かくコンポーネント化することで，具体的には，ＩＴインフラが提供するサーバ機能，ストレージ機能，ネットワーク機能を部品化することを指していました。事実，これにより，アマゾンは，各種ミドルウェア（Windows, Linux, UNIX などの OS，Web サーバ製品，AP サーバ製品，DB サーバ製品，システム運用製品など）や開発済みアルゴリズム，ＡＩツール，アプリなどを，それぞれ独立した形で利用できるＩＴインフラを構築していくことになりました。そうしたインフラが用意できれば，利用中のコンポーネント以外に影響を及ぼすことなく，システム開発・更新，ＡＩツール開発・導入などが図れるため，開発業務は大幅に改善されると期待されたわけです。

当時，自社のＩＴインフラが既に限界に達していたこともあり，アマゾンは，そのメリットを高く評価し，これを次世代アーキテクチャーとして採用しました。その後，3年以上の歳月を費やし，開発チームは，堅牢なコンポーネントから成るＩＴインフラを整備していきました。その間，社内関係者より，膨大な数のフィードバックを受け，改良に継ぐ改良を重ねていきました。社内におけるこのやりとりがあったことで，アマゾンの技術開発業務は，大幅に改善されることとなりました。

## サーバへの自由なアクセス

　しかし，ＩＴインフラ改革を完了させるには，さらに「アクセス上の問題」も解決する必要がありました。当時，開発チームが新しい機能やＡＩツールを開発・試験稼働したくても，本社の技術スタッフにいちいちＩＴリソースを割り当ててもらわなければならず，手続上・技術上の煩わしさが残っていたのです。つまり，社内開発者であっても，本社スタッフの許可がなければ，システムやサーバに自由にアクセスできない状態が続いていたのです。これが第２ステップの課題でした。

　それに先立つ2002年，アマゾンは，ＡＩによる業務改善や独自検索技術の開発を進めるため，ヤフーよりウディ・マンバー（Udi Manber）を迎え入れています。そして，2003年10月，アマゾン初の開発センターをシリコンバレーに設立し，その初代所長にマンバーを着任させています。同センターには，様々なアルゴリズムを開発する研究拠点という意味を込め，「A9」（Algorithm）という略称が付けられたと言います。

　2004年末，A9の開発業務が軌道に乗る頃，アマゾンは，ケープタウンにもリモート開発センター（事務所）を開設しています。本社より地理的にかなり遠いということもあり，このセンターでは，本社サーバ上で様々なアプリを走らせるためのアクセス技術の開発に力を入れることになります。その研究が実を結び，成果が実用化されると，世界中のリモートセンターが，これを使い，本社サーバに自由にアクセスするようになっていったのです。言うまでもなく，これにより，アマゾン全体の研究開発ペースは大幅に改善されることとなりました。

　このアクセス技術の外販こそ，後のクラウド事業で公開される「エラスティック・コンピュート・クラウド」（EC2）と呼ばれるコンポーネントだったわけです。他方，シアトルでは，後に「シンプル・ストレージ・サービス」（S3）と呼ばれるコンポーネントの開発も進められていました。現在のCEOであるアンディ・ジャシー（Andrew R. Jassy）は，その時の開発メンバーとして活躍しました。

　以上に述べた通り，アマゾンは，マーケットプレイス転換期中，ＩＴインフラのコンポーネント化，ＩＴインフラへの自由なアクセスを進め，

「社内向けクラウドサービス」（AWS）という技術開発インフラを整備していきました。強調すべきは，これらの取り組みが，いずれもアマゾン社内の物流管理や研究開発などの業務を効率化するために進められたということです。

### 成長段階 III
#### クラウド事業期（2006年〜2010年）
##### 新規事業④：クラウド・コンピューティング事業

第3の節目は，2006年の「クラウド・コンピューティング事業」の始動です。既述の通り，ＩＴインフラの分解と社内開発者による自由なアクセスという2つのステップを踏んで進められた「ＩＴインフラ改革」は，言わば，社内開発業務の効率を上げるための取り組みでした。しかし，その社内利用が進むにつれ，アマゾンは「自社向けＩＴインフラ」が持っている潜在価値の大きさに気づくことになります。そして，これを収益化するため，ＩＴインフラを社外ユーザーに開放する決断を下すのです。

（問1）に対する結論との関連で言えば，これは，アマゾンが2002年〜2005年にかけて技術開発プロセスを効率化させるために構築した「自社向けＩＴインフラ」を「他社向けＩＴインフラ」に「転換」する試みだったということになります。また（問2）に対する結論との関連で言えば，これが「転換による試み」であったため，クラウド事業の中で利用される主要なコンポーネントに対し，あらためて本格的なテストを行う必要はほとんどなかったということです。

ちなみに，クラウド事業は，ベゾスが知人と会話する中で，着想を得たと言われています。サードパーティがアマゾンのデータやＩＴインフラを利用できる仕組みを作ってみてはどうか，という知人の助言がきっかけだったそうです。その会話から5年経過した2006年，アマゾンは「自社向けクラウドサービス」を「他社向け」のサービスとして開放したわけです。

思いも寄らない方向転換であったため，アマゾン内部では，この決定に対し，否定的な声も上がったと聞きます。社内向けに構築したＩＴインフ

ラは言わばアマゾンの売りであり，強みであったわけですから，反対の声が上がるのは自然な流れだったと言えるでしょう。特に，エンジニアの確保が難しい状況下であったため，ある幹部からは，なぜＩＴインフラを開放し，本業と関係のない事業に進出しなければならないのか，といった発言もあったと伝えられています。ただ，ベゾスとジャシーは，こうした反対の声を受け流し，クラウドサービスという新規事業の細部を固めていきました。

## 従量課金制による効果

　2006年初頭，アマゾンは，社外開発者を招待し，自社のＩＴインフラ（ストレージ，データベース，処理能力など）を提供するサービスについて説明会を開催しています。「アマゾンウェブサービス」（ＡＷＳ）という言葉は，もともと社内用語として使われていたものですが，これを社外に開放する際も，「ＡＷＳ」はクラウド事業の正式名称としてそのまま使われました。

　説明会の後，まず2006年3月に，アマゾンは「シンプル・ストレージ・サービス」(S3) を外に開放し，その数か月後の7月に，「エラスティック・コンピュート・クラウド」(EC2) をパブリックベータ（試験用）として公開しています。とりわけ，ＥＣ2のサービス開始にあたっては，スタートアップ企業を始めとする多くの社外開発者が殺到し，用意した処理能力は直ぐに売り切れたと言います。スタートアップの人気を集めた理由の1つとして，「従量課金制」を導入したことが挙げられます。

　かつてであれば，スタートアップ企業は，事業を始めるにあたり，物理サーバー（物理的に存在するサーバー）を購入し，ストレージとコンピューティングを用意する必要がありました。しかし，これでは，サーバーを購入するための現金が必要となり，購入後には，毎期の減価償却費，保守・管理に係る人件費などが膨らむという課題がありました。資金に乏しいスタートアップ企業にとって，これが一種の創業の壁となっていたわけです。従量課金制がこの壁を壊したことで，多くのスタートアップ企業がこぞってＡＷＳに飛びついたわけです。

## 余ったＩＴリソースのクラウド事業化

　2020年現在，ＡＷＳは，コンピューティング，ストレージ，データベース，ネットワーキング，データ移行，開発者用ツール，管理系ツール，セキュリティ，コンプライアンス，分析，機械学習，IoT，拡張現実，ブロックチェーン，ロボティクスなどの多様な分野で，約200のサービスをコンポーネント（独立の機能，独立の仕組み，独立のサービス）として提供しています。

　それらコンポーネントの中で，Ｓ３（ストレージ）とＥＣ２（コンピューティング）は，現在でも中核的なサービスとなっています。Ｓ３については，静的コンテンツの保存に特化し「高いデータ耐久性」を，またＥＣ２については，必要に応じて「起動可能なサーバ」（インスタンス）の数や性能を変更できるサービスを利用者に提供しています。特にＥＣ２を利用し，ＯＳを走らせれば，任意のソフトやアプリもインスタンス上で実行できるため（クラウド上にコンピュータを保有しているのと同じ状況になるため），多くのスタートアップ企業がこれを利用しています。

単位：百万ドル

| 会計年度 | 2014.1 | 2015.1 | 2016.1 | 2017.1 | 2018.1 | 2019.1 | 2020.1 | 2021.1 |
|---|---|---|---|---|---|---|---|---|
| 総売上高 | 88,088 | 107,006 | 136,087 | 177,866 | 232,887 | 280,522 | 300,664 | 400,000 |
| AWS 売上 | 4,644 | 7,880 | 12,219 | 17,459 | 25,655 | 35,026 | 45,370 | 62,202 |
| 営業利益 | 178 | 2,233 | 4,186 | 4,106 | 12,421 | 14,541 | 22,899 | 24,879 |
| AWS 営業利益 | 458 | 1,507 | 3,108 | 4,331 | 7,296 | 9,201 | 13,531 | 18,532 |

・Amazon, Annual Report (December 2016), p. 17, 23, 24, Annual Report (December 2018), p.23, 24, Annual Report (December 2020), p. 18, 25, 26 及び Amazon, Form 10-K (December2021), p. 65, を参照し作成。

**図表9-3　2014年以降のAWSの業績推移**

　なお，AWSは対外的なサービスとして公開されながらも，アマゾン・ビジネスを支える重要なＩＴインフラであることに変わりありません。外部への開放は，ビジネス界全体にＡＩツールを普及させる契機となったわけですが，それは，言わば「アマゾン社内で余ったＩＴリソース」を社外

に開放するものだったのです。

　図表9-3に示す通り，クラウド事業は，その後も成長を続け，2021年
末現在，アマゾンの営業利益248億ドルのうち7割強（185億ドル）を生み
出すまでに成長しています。またこれまでの売上・営業利益の拡大ペース
を見れば，今後もクラウド事業は成長を続けるものと予想されます。その
意味で，2006年の「社内ITインフラの開放」はアマゾンが次の成長ス
テージにギア・チェンジする上での英断だったわけです。

### 成長段階Ⅳ
融資事業期（2011年〜2014年）
新規事業⑤：法人融資事業

　第4の節目は，出店者（テナント）向けの融資ビジネスを開始する2011
年となります（日本では2014年の開始）。銀行などが行う法人向け融資は
「運転資金」の提供と「投資資金」の提供に大別されますが，アマゾンは，
このうち，前者の運転資金融資を新たな事業として立ち上げました。

単位：百万ドル

| 会計年度 | 債権残高 |
|---|---|
| 2015年度末 | 337 |
| 2016年度末 | 661 |
| 2017年度末 | 692 |
| 2018年度末 | 710 |
| 2019年度末 | 863 |
| 2020年度末 | 381 |
| 2021年度末 | 1000 |

・レンディングサービスそのものの融資残高は明らかでないため，アマゾンが
　マーケットプレイス販売業者に対し保有している債権残高（Seller receivable）
　を記載します。Amazon, Annual Report (December 2016), p. 45, Annual
　Report (December 2018), p. 45, Annual Report (December 2020), p. 47
　及び Amazon, Form 10-K (December 2021), p. 46 を参照し作成。

**図表9-4　アマゾンのテナント向け債権残高**

ただ，法人融資サービスは，銀行法などの規制があるため，図表9-4
の通り，アマゾンの「新たな収益源」と言えるところにまでは成長してい
ません。確かに，2015年度末の債権残高（債権残高と融資残高は正確には一致
しませんが）である3億3700万ドルは，2021年度末には10億ドルにまで
増えていますが，これもアマゾン全体の事業規模からすれば，僅かな残高
と言わなければなりません。にもかかわらず，アマゾン・レンディングを
主要な新規事業としてここで取り上げるのは，これが，将来，大きな利益
を生み出す可能性を十分に秘めているからです。

## ＦＢＡサービスの拡充

　アマゾンの歴史からして，法人融資事業はほぼ必然的に出てくるもので
あったということを指摘しておく必要があります。それは，2000年にマー
ケットプレイス事業を開始したことで，さらには2006年にＦＢＡサービ
スを開始したことで，出店者（テナント）をケアすることがアマゾンの重
要な使命の1つとなったからです。特に，ＦＢＡの始動により，アマゾン
は，ＦＢＡを利用するテナントよりサービス使用料を回収する業務を社内
に整備し，その流れの中で債権管理のデジタル基盤やＡＩツールを開発し
ていきました。言わば「自社利益を守るための債権管理インフラ」を構築
したわけです。

　（問1）に対する結論との関連で言えば，この融資事業は「自社利益を守
る債権管理インフラ」を，ＦＢＡサービスの一環として「出店者利益を図
る融資インフラ」に「転換」する試みだったということになります。「守
りのツール」をほとんどそのまま「攻めのツール」に転用したわけです。
また（問2）に対する結論との関連で言えば，これは「転換による試み」
であったため，法人融資事業の中で利用される主要なコンポーネントに対
し，あらためて本格的なテストを最初からやり直す必要はなかったという
ことになります。

## 融資事業における2つの強み

　もっとも，融資サービスは既存の金融機関がこれまで展開してきた分野

ですから，新規参入するには，それなりの勝算がなければならなかったはずです。それゆえ，融資事業立ち上げ時に，アマゾンが強みと考えていた点，２つについて説明しておきます。

第１の強みは，アマゾンが各種ＡＩツールを様々な業務で既に実装化し，またその分類（判別）精度や予測精度を高めていたことです。もちろん，延滞・不履行リスクに関し，どのようなＡＩツールやアルゴリズムを導入したかは，アマゾン自身が公表していませんので，断言できませんが，多様なツールを既に導入していたことが「融資ビジネスの実務に耐え得るツールの開発を可能にした」と言って，まず間違いないでしょう。

第２の強みは「融資先の事業に関するリアルタイム情報」を得ていたことです。一般に，金融機関では融資の依頼があれば，貸し倒れリスク（債務不履行リスク）を抑えるため，融資希望企業に決算書類などの提出を求め，貸付の可否を検討します。ただ，金融機関内における審査には，通常，１か月以上の時間がかかるため，融資希望企業は，これを嫌う傾向にあります。特に自社商品への注文が膨らみ，売上が伸びる局面では，必要書類を作成・準備し，審査結果を待つ時間的余裕などほとんどなく，そんな悠長なことをしていたら，目の前のチャンスを逃しかねないからです。

そもそも，金融機関が時間をかけて審査する決算書類は，過去の財務状態をまとめたもので，リアルタイム情報ではありません。また，中小零細企業の場合には，公私の区別が曖昧で，決算書類は必ずしも経営実態を正しく反映しているとは限りません。これに対し，アマゾンは，ＥＣサイトを出店者に開放したことで，通常の金融機関では入手できないテナントの商流・金流情報を常時把握できるようになっていきました。例えば，「どのテナントのどの商品がどれくらい売れているか」「いずれの時期に集中して売れるか」「どれくらいの運転資金が必要か」などを，リアルタイムで捕捉できるようになっていったのです。

このリアルタイム情報さえ押さえることができれば，融資側は，融資希望企業からの要請を待つことも，書類審査を行うことも不要となります。要請を待たなくても，必要な資金と融資のタイミングは事前に分かり，さらに審査を省略しても，融資先の貸し倒れリスクは合理的に捕捉・コント

ロールできるからです。

　ちなみに，アマゾンが行う融資の提案では，テナント側の入出金管理画面に，借入可能な金額，借入期間，借入金利が表示されます。テナントが借入を望むのであれば，希望の金額，希望の返済期間などをクリックするだけですべて完了します。借入金利は一般の銀行が提示する金利よりも高めに設定されますが，それでも，利用者は面倒な作業から解放されるため，抵抗なくこれを利用すると言います。

## 融資事業が伸び悩む２つの理由

　ただ，既述の通り，2011年から2014年までの融資事業期，法人に対する融資は決して顕著に伸びているわけではありません。銀行法などの規制が壁となり，融資残高は伸び悩んでいるのでしょうが，他にも，いくつか理由はあります。

　第1は，マーケットプレイスに登録されているテナント数に比べ，融資先数は決して多くないということです。2018年現在，マーケットプレイスには，約600万の出店者が登録されていますが，実質的に活動しているのは250万の事業者と言います。そのうち100万ドル以上の売上をあげているのは2万4000程度にとどまります。その全てが融資を受けているとは限らないわけですから，貸出先数はこれよりもさらに少ないということになります。例えば，中小企業を主な融資先とする日本の大手地方銀行では，20万前後の法人口座を持っていますが，アマゾンの融資先はこれよりも少ないことになります。このため，アマゾンは，これまで蓄積してきた融資関連ノウハウを活かすべく，2016年にバンクオブアメリカと，2019年に金融DPのペイオニアと，そして2020年にはゴールドマン・サックスと提携し，ビジネスの新たな方向を探り始めています。

　融資事業が伸び悩むもう1つの理由は，小売総売上に占めるオンライン取引規模が相対的に小さいということです。2021年現在，ネット通販は米小売売上高全体の約2割と言いますが，逆を言えば，8割は依然として実店舗での売上が占めているということです。そもそも，すべてのテナントがアマゾンのECサイトだけでビジネスを行っているわけではありませ

ん。単純に考えれば，5分の4の売上はオフラインであげている可能性が
あるわけです。もし実態がそうだとすれば，アマゾン・レンディングで
使っているデータは，融資先の事業をリアルタイムで捕捉しているとは言
い切れないことになります。こうした状況を踏まえ，現在，アマゾンは，
残り5分の4を占めるオフライン取引もビジネスの射程に入れようと動い
ているのです。

## 実店舗事業への布石とアマゾンエコーの開発

　オンラインからオフライン（実店舗事業）への布石は，2011年から2014
年までの融資事業期中に打たれています。それは，小売業を巡る環境が，
1990年代後半から2010年代にかけ，大きく変貌してきたためです。

　1997年初頭，最大のライバルであるウォルマートが電子商取引に乗り
出しますが，その時の試みは失敗に終わっています。その間，アマゾンは
デジタル化を着実に進め，「商品の検索，閲覧，購入，受取」をシームレ
スで提供する体制を固めてきました。一見，順調に進んでいるかに見えた
わけですが，2010年頃になると，潮目が変わり始めます。ECでは，生鮮
品を扱えないこと，配送コストが急速に上昇すること，新規顧客獲得のた
めのマーケティングコストも膨らむこと，これらが鮮明となってきたので
す。

　その打開策として，アマゾンは，2011年に消費者が商品を受け取るた
めのアマゾンロッカーを開設し，2014年にはショッピングモール内にア
マゾンポップアップストアなどを設置しました（ポップアップストアは，その
後，2019年に全店閉鎖となります）。ただ，こうした試みは，リアル世界に進
出するための「試行錯誤」にとどまっていました。

　アマゾンが新たな方向を模索していたこの時期，それまで実店舗中心で
あった複数の大手小売業者がECビジネスに本格参入してくることになり
ます。特に2016年のウォルマートによる再参戦は，アマゾンにとって象
徴的な出来事となりました。それが単なるネット通販の模倣ではなく「オ
ンライン・オフラインの融合モデル」（OMO）を目指すものとして登場し
てきたからです。

この成長段階で，アマゾンは，もう1つ重要なアクションを起こしています。それが2011年に始まるスマート・スピーカ「アマゾンエコー」の開発です。このアクションを重要と見るのは，これにより，それまでのタイプやクリックによる入力がハンズフリーとなり，アクセス・ポイントやゲートウェイを着実に多様化させる可能性を持っていたからです。なお，同スピーカは，後の2014年11月に利用者限定で販売されることになります。

## 成長段階V

### OMO戦略期（2015年～現在）

最後の節目は2015年です。この年，実店舗の「アマゾンブックス」が開業し，それまで「プライム会員限定」であったアレクサ搭載スマート・スピーカ（アマゾンエコー）が一般消費者向けに販売開始（2015年6月）となります。この段階に入り，アマゾンは，バーチャルな世界で培ってきたこれまでの技術やノウハウを，リアルな世界に拡張展開していくことになります。それゆえ，本書では，第5の成長段階を「OMO（Online Merges with Offline）戦略期」と呼ぶことにします。

この時期の大きな特徴は，アマゾンが，試行錯誤を続けてきた実店舗事業に本格参入したことです。既述の通り，アマゾンの強みは，オンライン上でシームレスに取引を成立させるところにありました。これをオンライン・オフラインの間においても実現しようと動き出したのです。具体的な実店舗として，上述のアマゾンブックス（2015年設立）に加え，2017年に買収した高級食材を扱うホールフーズ，2018年にオープンした無人コンビニのアマゾンゴー（シアトル1号店）などがあります。

かつて，アマゾンはワン・クリック・オーダーを導入することで，注文と支払いの流れをシームレス化しましたが，このOMO戦略期にあっては「手のひら認証・決済」（アマゾンワン）システムを導入し，オフライン世界まで含めた形で，シームレス化を実現しようと動いているのです。これまでのところ，その導入は，2021年4月にホールフーズの一部店舗で，翌5月にアマゾンゴー・ニューヨーク店で，それぞれ完了しています。

## オンライン向け機能をオフライン向けにも活用

　実店舗進出の直接的な狙いは，配送コストの削減，顧客リピート率の向上，新規顧客の獲得などと言われていますが，より長期的な視点で見れば，アマゾンは，画像・音声認識技術などを駆使し，リアル世界で起こっている行動履歴データを取得・集積することを目指していると考えられます。既述の通り，創業以来のレビュー機能，リコメンデーション機能，在庫最適化機能，配送最適化機能などは，オンラインを通じて取得したデータによって稼働してきました。今後，アマゾンは，オフラインを通じて得られるデータをこれに加え，従来の機能を「オフライン向け」にも提供することになるわけです。

単位：百万ドル

| 会計年度 | 2016.12 | 2017.12 | 2018.12 | 2019.12 | 2020.12 | 2021.12 |
|---|---|---|---|---|---|---|
| 総資産 | 83,402 | 131,310 | 162,648 | 225,248 | 321,195 | 420,549 |
| 総売上高 | 135,987 | 177,866 | 232,887 | 280,522 | 386,064 | 469,822 |
| 直販収入 | 94,665 | 118,573 | 141,915 | 160,408 | 215,915 | 241,787 |
| オンライン売上 | 91,431 | 108,354 | 122,987 | 141,247 | 197,346 | 222,075 |
| 実店舗売上 | --- | 5,798 | 17,224 | 17,192 | 16,227 | 17,075 |
| 営業利益 | 4,186 | 4,106 | 12,421 | 14,541 | 22,899 | 24,879 |

・2017年8月28日にホールフーズマーケットを買収したため，2017年度に総資産が増加し，実店舗売上が別途計上されるようになっています。Amazon, Annual Report (December 2016), p. 17, 37, 67, Annual Report (December 2018), p. 23, 37, 67, Annual Report (December 2020), p. 18, 39, 66 及び Amazon, Form 10-K (December 2021), p. 37, 39, 65 を参照し作成。

**図表9-5　2017年以降の実店舗売上推移**

　そうした近未来を見据え，アマゾンでは，2017年度の有価証券報告書より，直販収入の内訳として「オンライン売上」と「実店舗売上」を別々に開示するようになっています（図表9-5）。確かに，直販収入における実店舗売上は2417億ドル中170億ドルと，まだ全体の7％にとどまっていますが，「オフラインで受け取れるので，オンラインで注文する」といった相乗効果も働くため，実店舗事業進出の意義は，直販収入総額（オ

ンライン売上＋実店舗売上）の中で押さえておく必要があります。

　ＯＭＯ戦略期の全体的なイメージは以上の通りです。ただ，この成長段階は始まったばかりで，いずれの新規事業やチャレンジが，今後，伸びてくるかはまだ明確には見えていません。したがって，ＯＭＯ戦略期における新規事業がどのようにして新たな価値を創出するかは断定できませんが，ここでは，３つの新規事業を取り上げ，それらが新たな収益源となる場合のプロセスについて，仮定的な説明を加えておくことにしましょう。

## アレクサを中心としたエコシステムの構築

### 新規事業⑥：アレクサ事業

　第１はアレクサ事業です。この成長段階で，アマゾンはアマゾンエコーの一般消費者向け販売の開始とともに，「アレクサ・ファンド」（ＩＴベンチャーを育成・支援する基金）を立ち上げ，アレクサを中心とする「エコシステム」（多様な事業が群生する経済圏）の構築に乗り出しています。技術面では，音声設計分野のノウハウや成果を公表し，様々なデバイスへのアレクサ導入を支援しようとしています。さらにＩｏＴ機器に「アレクサ・ボイス・サービス」（AVS）を提供する「ＡＶＳインテグレーション」という開発環境を公開し，サードパーティのアレクサ圏への参入を促しています。それらが功を奏し，現在，アレクサは，電子機器・家電製品などを音声で操作する中核技術となりつつあります。

　仮に家庭内のすべての機器（さらには自動車などの移動手段）にアレクサが組み込まれ，消費者がハンズフリーでこれを利用するようになれば，アマゾンが目指すＯＭＯはより現実的なものになってくるはずです。小売業への影響に限って言えば，アマゾンとのタッチポイントは確実に増え，消費者・利用者は，いつでも何処でも，デジタルでもリアルでも，アマゾンでショッピングができるようになるわけです。

　（問１）に対する結論との関連で，アレクサを巡るこのチャレンジを整理すれば，それは，アマゾンが，金融融資事業期以降，開発してきた「スピーカー向けＡＩ」を「あらゆるデバイス向け」に「転換」する試みと捉えることができます。また（問２）に対する結論との関連で言えば，これ

は「転換によるゲートウェイの拡充」であるため，検索・受注・決済など
に使われるコンポーネント（ＡＩツール，アルゴリズムなど）について，あら
ためて本格的なテストを実施する必要はほとんどないということになりま
す。

## 無人店舗は新たなリアル世界との接点

### 新規事業⑦：無人店舗事業

　第2は無人店舗事業です。この成長段階に入り，実店舗事業に本格参入
したアマゾンですが，ホールフーズのような「生鮮品販売事業」と，アマ
ゾンゴーのような「無人店舗事業」は分けて捉えておく必要があります。
前者については，オフラインの弱いところを補いながら，直販事業全体を
伸長させるという効果がありますが，後者の無人店舗事業については，当
面，売上への貢献は期待できないからです。例えば，2018年に無人コン
ビニ1号店をオープンしていますが，それ以降，アマゾン以外の事業者も
この分野に参入し，それぞれが実験店を運営しています。今のところ，い
ずれの無人店舗も単体では採算が合わず，苦戦しているところです。

　それでも，アマゾンが無人店舗事業にチャレンジする理由は「リアルな
世界における取り組みがやがて新たな価値とテクノロジーを生み出す」と
信じているからです。かつて，アマゾンの物流センター（フルフィルメント
センター）は，ＥＣビジネスの利益を蝕むコストセンターでしかありません
でした。これが足枷となり，利益を出せない状態が長く続くことになった
わけです。しかし，「物流」というリアル世界と接点を持ち続けたことで，
アマゾンは，その後，デジタル基盤の強化，ＡＩツールやアルゴリズムの
開発，ＩＴインフラのコンポーネント化などを進めていくことができまし
た。

　つまり，物流を抱えていたことで，否応なしにリアル世界の問題を考え
ることとなり，これを解決するためのテクノロジーを発展させてきたわけ
です。逆に見れば，接点がなければ，問題の存在さえ気づかず，解決する
ためのテクノロジーも生み出し得なかったことになります。アマゾンは，
過去のこの体験から，リアル世界との接点を強く意識し，改めて「無人店

舗事業」に参入してきたと考えられるのです。

　それゆえ，たとえこの事業を独立採算化できなかったとしても，アマゾンは，無人店舗事業で培ったノウハウやテクノロジーを，将来のどこかの時点で，他の小売業者に外販する可能性も持っているのです。例えば，この事業で開発した顔認証システム，商品補充システム，決済システム，各種センサーなどをセットとして販売することもあり得るわけです。これまでのアマゾンの取り組みからして，これは決して非現実的なシナリオではないでしょう。

　今，そうなると仮定した場合，（問1）に対する結論との関連で整理すれば，それは，アマゾンが2015年頃より開発してきた「自社向け無人店舗システム」を「他社向け・小売業者向け」に「転換」する試みと捉えることができるはずです。また（問2）に対する結論との関連で言えば，これも「転換（拡充）による試み」となるため，無人店舗事業で使用されるコンポーネント（AIツール，アルゴリズムなど）について，あらためて本格的なテストを実施する必要はないということになります。

## モニトロン事業と価値創出パターン

### 新規事業⑧：モニトロン事業

　最後はモニトロン事業です。無人店舗事業でのノウハウを外販する可能性について言及しましたが，このOMO戦略期において，アマゾンは，既に過去のノウハウやテクノロジーを外販する事業を立ち上げています。既述の通り，アマゾンは，フルフィルメントセンターなどの物流システムの自動化を進めてきましたが，その一環として庫内で稼働する支援機器やロボットの異常を検知するシステムを構築してきました。ラストワンマイルの克服を追求してきたアマゾンにとって，物流システムの安定稼働は「絶対的な条件」となっていたため，この早期異常検知システムには多くの資金を投じてきたわけです。

　2020年12月，アマゾンは，磨き上げられたこの検知システムの外販に乗り出しています。それは，監視対象となる機器の振動や温度に関するデータを取得するセンサー，そのデータをAWSに転送するゲートウェ

イ・デバイス，機械学習により異常パターンを検知するサービス，分析結果をレポートし潜在的な障害についてアラートを鳴らすアプリ，これらをセットとしてメーカーなどに販売するビジネスです。

　この検知システムは「アマゾンモニトロン」と呼ばれ，機械学習や開発作業の経験がない既存企業でも簡単に導入できると言われています。無駄な在庫を抱えず，生産活動を効率的に行おうとするメーカーであれば，工場や機械が突然止まることは避けたいと考えるはずです。アマゾンは，そこに目を付け，この事業を立ち上げたわけです。

　（問1）に対する結論との関連で，この新規事業の特徴を整理すれば，それは，アマゾンがフルフィルメントセンターで培った「自社向け異常検知システム」を「他社向け」あるいは「メーカー向け」に「転換」したものと捉えることができます。また（問2）に対する結論との関連で言えば，これも「転換によるチャレンジ」であったため，異常検知システムで使われるコンポーネント（センサー，ゲートウェイ・デバイス，異常検出ＡＩツール，アルゴリズムなど）に対し，あらためて，一つ一つを細かくテストする必要はなかったということになります。


　さて，本章は問うべき事項を2つに分け，（問1）「ＭＤＰは，どのようにして新たなビジネスモデルを構想し，そのモデルに基づく新規事業を練り上げてきたのか」と，（問2）「ＭＤＰは，どのようにＡＩツールを開発し新規事業の中に組み込んできたのか，特にツールに対する事前テストはどのように実施してきたのか」とするところから話を始めました。そして，第2節において，それらの問いに対する結論を示し，続く第3節で，アマゾンのケースに触れながら，結論の根拠を見てきました。

　その際，アマゾン史を，創業期（1994年〜1999年），マーケットプレイス転換期（2000年〜2005年），クラウド事業期（2006年〜2010年），融資事業期（2011年〜2014年），ＯＭＯ戦略期（2015年〜現在）の5つに分け，各成長段階を牽引してきた新規事業を取り上げ，それらが「連続性（継承）」と「転換」を繰り返すことで新たな価値を創出してきたこと（ＯＭＯ戦略期の3つの事業については，創出する可能性があること）を確認しました。

（問1）と（問2）に対する結論は，これらを踏まえたものだったわけです。ただ，2つの結論は「MDPは，どのようにして新たなビジネスモデルを構想し新規事業を練り上げ，ＡＩをその事業の中に組み込んできたのか」について，一般的な価値創出パターンを示しただけで，それ以上のことを示唆するものではありませんでした。デジタル基盤の強化やＡＩの開発・導入を進める既存企業は，こうした「パターン」に関する説明だけでなく，そこから導き出される教訓や提言も求めているはずです。それゆえ，最終章では「価値創出パターン」を含むここまでの内容を踏まえ，今後，既存企業は何をやるべきかについて提言することにします。

# 第 10 章
# 既存企業に対する４つの提言


　既存企業は，今後，どのような点に留意し，デジタル基盤の整備やＡＩ
ツールの開発を進めていったらよいのでしょうか。これまで見てきたMD
Pの動きや「価値創出パターン」（連続性と転換）を踏まえれば，筆者らは，
少なくとも次の４点を意識し，取り組みを進めるべきと考えています。

　第１は，既存企業は，手順としてまず業務効率の改善を図るため，ＡＩ
ツールの開発・導入に力を注ぐことです。前章で確認した「価値創出パ
ターン」が示しているように，アマゾンはまずは自社が抱える問題の解決
に経営資源を集中させてきました。これに倣うとすれば，既存企業は焦る
ことなく，業務効率の改善を目的として，ツール開発の経験を積み上げて
いくべきです。

　第２は，新規事業を本格始動する前の段階で，事業そのものの実現可能
性を十分にテストしておくことです。既にＡＩツールの精度について
PoCを実施すること，事前のテストを実施することの重要を確認しまし
たが，新規事業を始動する際には，コンポーネント（部品としてのＡＩツー
ルやアルゴリズム）のテストだけでなく，事業全体の実現可能性について，
周到なテストを実施しておくことが不可欠となります。

　第３は，新規事業が「社会課題の解決」に資するものであるかどうかを
確認することです。既存事業を転換させた事業であろうと，ゼロから始め
る新規サービスであろうと，それが新たな価値の創出となるには，練り上
げられた事業が社会課題の解決に繋がっていなければなりません。それゆ
え，始動する事業が社会課題の解決に資するものであるかどうかを見極め
ておく必要があるのです。

最後は，ＭＤＰ自身が生み出した問題も「新たな社会課題」であるとの認識を持つこと，そして，その課題のうち，市場で解決可能なものについては，既存企業こそがイニシアチブをとって解決するという発想を持つことです。

　以下，これら４つの点に関し提言をまとめましょう。

## 第1節　ＡＩツールの開発・導入に力を注ぐこと

### 業務効率の改善から始める

　既に，ＡＩツールは単なる手段であって，それが価値創出に貢献するかどうかは，練り上げられた事業の内容によって決まると述べました。この指摘をそのまま受け止めれば，多くの読者は「ＡＩツールに関する開発・導入経験をいくら積んでも，それだけでは新たな価値の創出には繋がらない」と考えるかもしれません。しかし，ＡＩツールは手段でありながらも，その手段の開発・導入に投入されたリソースは，結果としてその企業に大きなメリットをもたらすことになります。

　前章で確認した「価値創出パターン」が示しているように，ＭＤＰは，まずは自社が抱える問題の解決に経営資源を集中させてきました。アマゾンの場合，(1) 書籍の効率的販売を目的として，(2) 物流システムの効率的運用を目的として，(3) テクノロジーの効率的開発を目的として，また(4) 債権の効率的回収を目的として，新たな機能や仕組みを構築し，ＩＴインフラのコンポーネント化を進め，ＡＩツールやアルゴリズムの開発に力を入れていきました。これらの社内課題を解決するための取り組みが，後にアマゾンの新たな収益源を生み出してきたわけです。この点に着目する必要があります。

　第６章において，武蔵精密工業が検査業務の効率改善を目的としてＡＩツールを開発・導入したこと，そしてその後，これをＡＩ画像検査システムとして売り出したことに言及しましたが，この転換も，社内課題が実は社外課題になり得ることを示していました。それゆえ，まずは自社の業務

に関する課題を特定し，できるところからデータドリブンで解決していくことが賢明な取り組みとなるのです。

## M＆Aによる新規事業とガバナンス

　もちろん，企業は，M＆Aによっても新規事業を立ち上げることができます。例えば，グーグルは，2006年にユーチューブを買収し，メタ（フェイスブック）も，2012年にインスタグラム，2014年にワッツアップを買収し，それぞれ新規事業を始動させてきました。それらは，いずれも自社が抱える問題の解決（業務効率の改善）から生まれたものではありません。その意味で，既存企業は，過去との「連続性」を深く考えることなく，M＆Aによって新規事業を起こすことができるわけです。

　ただ，ITテック企業などを買収する場合，既存企業そのものにAIツール開発やデジタル基盤整備の経験が乏しければ，買収先企業に対するガバナンスは思うように効かず，そのため，PMI（ポスト・マージャー・インテグレーション）もうまくいかず，宝の持ち腐れとなってしまう可能性があるのです。それゆえ，M＆Aを通じて取得したAI関連技術を新規事業に活用しようと考えるのであれば，既存企業は，より一層積極的にAIツールによる業務効率の改善に動いておく必要があるわけです。

　既に第1章において「まずは既存業務の中で不効率と思われる『特定のタスク』を抽出し，この部分にAIツールを導入するというのが定石」と指摘しましたが，以上に述べたことが，その理由です。ただ，後日，どこかで応用・転用される可能性があるから，という理由だけで「まずはAIツールに関する開発・導入経験を積むべき」と言っているわけではありません。さらにもう1つ重要な理由があります。それは，AIツール開発・導入の経験が増えれば増えるほど，より柔軟にビジネスモデルを構想できるように，またより独創的に新規事業を練り上げられるようになっていくということです。

## 経験が独創性を生み出す

　分かりやすい例を挙げておきましょう。将棋やチェスの素人は，一つ一

つの駒の種類とその移動可能範囲を確認し，敵駒の位置もチェックしながら，頭の中で時間をかけ，試行錯誤を繰り返し，次の一手を言わば「論理的に」決定します。これに対し，プロ棋士の場合，盤面を見た瞬間に「直感的に」次の一手がひらめきます。確かに，対局中のプロ棋士は，かなりの時間をかけ次の一手を考えていますが，それは「直感的に見えた『次の一手』が正しいかどうか」を確認するために時間をかけているからです。素人とプロの間にあるこの違い（論理と直感）は何処から生まれてくるのでしょうか。

　人間が，頭の中で処理できる情報容量（稼働記憶の容量）は「意味単位」（チャンク）でカウントすると「７±２」と言われています。素人にとっては，駒の種類と名前，各駒の移動可能範囲に関する規則などが，すべて「意味単位」を構成するため，それらの基本情報だけで，稼働記憶の大半を使ってしまうことになります。これに対し，プロ棋士は，駒同士の位置パターンやある手を打った後に続く反撃パターンなどを１つの「意味単位」として集合的に処理できるため，稼働記憶にほとんど負荷をかけずに思考を巡らすことができるのです。言い換えれば，プロは，稼働記憶に十分な余裕を持っているため，素人では思いつかないような「独創的な一手」に気づくわけです。

　では，一つ一つの意味単位をより豊かなものにするには，どうすればよいのでしょうか。それは，それぞれの分野において豊富な経験を積んでおくことです。これが素人とプロの違いを生み出すものです。ビジネスモデルの構想においても，新規事業の練り上げにおいても，理屈はこれと全く同じです。

　構想フェーズにおける課題抽出，PoC，再検証などを繰り返していけば，様々な部署や職場が，その経験とノウハウを蓄積することになります。これが組織内に蓄えられていけば，ＡＩツールを使って何ができるか，データドリブンで行けば，何が解決可能か，組織として自然に考えられるようになっていきます。そうした経験を積んだＤＸ・ＡＩ人材が増えていけば，またそうした人材に権限が与えられれば，かつてなかったような「柔軟かつ斬新な発想」も生まれてくることになります。そのメリットの大き

さを踏まえ，本書は，第１に「業務効率の改善を図るため，ＡＩツールの開発・導入に力を注ぐこと」を提言しておきます。

## 第２節　事業全体の実現可能性を十分にテストすること

### 軌道に乗った事業と失敗した事業

　第５章において，ＡＩツールの開発・導入では，PoC において目標とする分類精度や予測精度が出ない場合には「手戻り」が発生するため，これを念頭に置いて余裕のあるスケジュールを組むべきと指摘しました。既存事業に組み込まれるコンポーネント（ＡＩツールやアルゴリズム）についても，こうした事態が起こるわけですから，新規事業を始動する際には，より一層包括的かつ慎重に事業の諸側面を検討しておく必要があります。

　既に第９章で，事業の中で利用されるコンポーネントについて事前テストがどのように行われるのかを見てきましたが，新規事業の場合には，コンポーネント・レベルだけでなく，事業レベルの全体的な実現可能性に関するテストも求められることになります。アマゾンにおいて，新たな価値創出に成功した事業は，いずれも過去の取り組みを「転換」していましたが，それは，言い換えれば「転換前」の段階で，事業全体の実現可能性が社内的に検証されていたことを意味するのです。

　前章では取り上げませんでしたが，アマゾン史を細かく見ていけば，既に見た８つの新規事業以外にも，様々な個別事業やプロジェクトがありました。しかし，その多くは途中で断念・淘汰されていきました。軌道に乗った事業と淘汰された事業，この２つを分けたのは，つまるところ，事業を正式に立ち上げる前の段階で「どれだけ周到な準備ができていたか」「どこまで本格的に実現可能性についての事前テストがなされていたか」にあったと言うことができるのです。

### 自社向けサービスは「ベータ版」

　ソフトウェア開発の世界では，正式版をリリースする前にサンプルを開

発し，これをユーザーに試用してもらうことが多々あります。これを「ベータ版」（試験版）と言います。その目的は試用してもらったユーザーより使い勝手などのフィードバックを受け，これを正式版の開発・改善に活かすことにあります。通常，ベータ版には「クローズドベータ」と「オープンベータ」があり，前者のクローズドベータは，関係者などの特定ユーザーに限定し，利用と協力を求めるものです。これに対し，後者のオープンベータは，広く一般に試験版を公開し，社外のユーザーよりフィードバックを受けるものです。言うまでもなく，最終的に公開される完成品は，利便性が高く安全でユーザーフレンドリーなものでなければなりません。そのため，こうした事前テストが行われるわけです。

　あらためて，アマゾンにおいて「成功した新規事業」を見てみると，それらはいずれも「自社向け」を「他社向け」などに転換するものばかりでした。これは，既述の通り，新規事業を始動する前の段階で，事業の実現可能性が言わばベータ版として検証されていたことを意味するのです。

## データ処理に要するコストも検討する

　さて，この提言との関係で，資生堂のオプチューン事業を振り返ってみましょう。これについては，もしオプチューン事業を始動する前の段階で，より多くのフィードバックを受け，改善や見直しを行っていたならば，結果は違っていたと言えるはずです。確かに，資生堂としても，約1年間，オープンベータを用いて一般消費者よりフィードバックを受けています。しかし，ベータ版以前の段階で，もっと社内関係者より，広範かつ頻繁にフィードバック（率直な意見）を受ける必要があったはずです。もっとも，この指摘は「完璧なものができるまで外に出してはならない」という意味ではありません。強調したいのは，対外的なサービスを目指す新規事業の場合，ベータ版であっても，できるだけ完成度の高いものを用意する必要があるということです。

　なお，実現可能性に関するテストでは「消費者などのユーザーがこれを本当に求めているか」という問いに加え，「このサービスを仕組みとして持続的に提供できるか」ということも慎重に確認しておく必要がありま

す。特に外部ユーザーを対象とするサービスでは，また外部ユーザーより画像のような「容量の大きなデータ」を収集する事業では，これをデータレイクに蓄積するにしても，クラウドに転送するにしても，必ずコストがかかってきます。またデータを加工・前処理するにしろ，分析するにしろ，すべての局面でコストが発生してきます。

　それゆえ，対外的なサービスを中心に据えた新規事業では，どれくらいの利用者数を想定するか，どれくらいの頻度で利用者よりデータを収集するか，どれくらい詳細にサービスをパーソナライズするかなどを，実現可能性という観点から，時間をかけ検討しておく必要があるのです。

　ＡＩツールの開発やデジタル基盤の整備では，しばしば「アジャイル開発」（小さな単位で実装とテストを繰り返す）という言葉が使われますが，この開発手法は，あくまでも事業全体の実現可能性が見えた後の話であることも改めて強調しておきます。以上を踏まえ，筆者らは，第2に「新規事業を開始する際には，その前段で，事業全体の実現可能性をテストしておくこと」を提言しておきます。


## 第3節　社会課題の解決に資するものであるかを確認すること

### 単純な「転換」ではなかったこと

　既存事業を転換させる新規事業であろうと，またM＆Aなどによる新規事業であろうと，これが「新たな価値の創出」（新たな収益源の創出）に繋がるかどうかは，結局，提供するサービスや製品が「社会課題の解決」に資するかにかかっています。それを確認することなしに，過去の取り組みを単純に「転換」しただけでは，新たな価値の創出には結びつきません。

　では，社会課題とは何か。この言葉の響きからすると，何か社会全体の課題でなければならないかのように聞こえますが，企業が具体的な行動を通じて課題解決に貢献するには，どうしても，会社を取り巻く様々なステークホルダーの不満や期待に，これを翻訳し直す必要があります。消費者が求めること，地域や一般市民が求めること，出店者（テナント）が求

めること，取引先が求めること，ＩＴベンチャー企業が求めること，小売事業者が求めること，メーカーが求めること，未来世代の人々が求めること，これらに翻訳できなければ，具体的なアクションを描くことができないからです。

アマゾンの場合，既存の仕組みやサービスを引き継ぎながら，それらを提供する人や対象を「転換」し，新規事業を軌道に乗せてきましたが，これにあたり，同社も「その転換がステークホルダーの期待に応え得るものであるかどうか」を慎重に検討し，具体的な課題に落とし込んできたことを指摘しておきます。

## アマゾンが認識した社会課題

では，アマゾンにおいて軌道に乗った新規事業は，どのような課題に応えるものだったのでしょうか。まず「書籍購入者向けサイト」を「消費者全般向けサイト」に転換した時，アマゾンは，消費者がＥＣサイトにおいて書籍以外の商品を簡便な形で入手できていなかったこと，特に書籍以外では，検索・注文・決済の全プロセスにおいて不便を感じていたこと，他の購入者によるレビューを参照できなかったこと，少なくともこれらを解決すべき課題と捉えていました。

マーケットプレイス事業を始動する際には，消費者が選択できる商品の数が限られていたこと，中小零細事業者による販売の機会が所在地域に限定されていたこと，またＦＢＡ事業を始動する際も，中小事業者が十分な経営資源を有しておらず，そのために注文処理や顧客対応などに苦戦していたこと，これらを課題として認識していました。

続くクラウド事業では「自社向けＩＴインフラ」を「他社向けＩＴインフラ」に転換しましたが，その際，多くの企業がデータドリブン型の組織を構築できていなかったこと，ＩＴベンチャーなどが創業の壁に苦しんでいたこと，社会全体がＤＸの恩恵に浴していなかったこと，これらを社会課題と捉えていたはずです。

また，法人融資事業を始動するにあたっては，中小事業者が，金融面での制約により，ビジネスチャンスを掴み切れていなかったことを，またモ

ニトロン事業を立ち上げる際には，多種多様な機器やロボットを使う製造現場が突然の稼働停止リスクに晒されていたこと，多くの企業がサプライチェーン・リスクを低減するための合理的な措置をとっていなかったこと，これらを課題として捉えたと言えるはずです。

　では，なぜアマゾンはこれらを「対処すべき社会課題」として捉えることができたのでしょうか。それは，ベゾスが，また社内の物流関係者や技術開発者が，それらを自分の問題あるいは自身の職場の問題として認識し，これを実際に解決できた時の意義や感動を経験していたからです。その実体験があったからこそ，自信をもって転換に踏み切れたと言うことができるのです。

　以上を踏まえ，第3の提言として，新規事業や新規サービスの始動にあたっては「社会課題の解決に資するものであるかを事前に確認すること」を掲げておきます。

## 第4節　市場で解決可能な課題は　　　　　事業化できるとの発想を持つこと

### どこに社会課題はあるのか

　では，既存企業はどのようにすれば，解決すべき社会課題を特定できるのでしょうか。アマゾンのケースで言えば，「まずは企業内の業務に目を向ける」，そして「ステークホルダーの期待を理解する」ということになります。

　もちろん，企業は「社会全体の課題」に取り組むことも期待されています。その課題の典型は，国連開発計画が推進する「持続可能な開発目標」（SDGs）に掲げられており，分かりやすいものを挙げれば，例えば，9番目の「産業と技術革新の基盤をつくろう」，12番目の「つくる責任，つかう責任」，13番目の「気候変動に具体的な対策を」などとなるでしょう。既に見てきたMDPは，特に9番目の「産業と技術革新の基盤」の発展に貢献してきたと言えるはずです。

ただ，ＳＤＧｓも一般的な記載にとどまっていますので，特定の社会課題の解決を事業化するには，それぞれの企業が置かれた状況を踏まえ，つまり，身近な業務やステークホルダーの期待などに目を向け，着手すべきことを絞り込んでいく必要があります。それゆえ，解決すべき社会課題については，結局，各社の責任と裁量において，特定するしかないのです。

　ただしかし，本書は，伝統的企業・伝統的報道機関との対比を通じて，ＭＤＰの優位性を強調してきましたので，最後に議論のバランスをとる意味で，ＭＤＰが生み出した「社会課題」を明確にし，それらが既存企業にも十分にチャレンジできる深刻な課題になっていることを指摘したく思います。仮に既存企業がその解決に動き出すとすれば，そしてこれを事業化できるとすれば，その試みは社会全体にとっての貢献であるばかりか，既存企業の復権にも繋がるチャレンジだと，筆者らは強く感じています。

　では，ＭＤＰが生み出した問題とはどのようなものでしょうか。大別して，それは，独占禁止法，民主主義，プライバシーと自由意思，この３つに関する課題となります。これを「ＭＤＰ問題」と総称しておきましょう。欧米を中心とする先進国政府は，これらの問題を，法改正や法執行の強化により解決しようとしています。しかし，ＭＤＰ問題は，政府によって一気にすべて解決できるようなものではありません。仮に法整備や執行が強化されたとしても，実質的な解決までには相当の時間を要することになります。それゆえ，既存企業は，ＭＤＰ問題を社会課題として捉え，これをビジネスチャンスに変えるという気概を持つことが期待されるのです。では，その問題とは，具体的にどのようなものなのでしょうか。


## ＭＤＰが生み出した独占禁止法上の問題とは

### ①プラットフォームと利益相反

　第１は，市場における競争を歪め，消費者に不利益をもたらす可能性があるという問題です。第８章において，ＭＤＰがネットワーク効果を享受し指数関数的な成長軌道を描いてきたと説明しましたが，そうした「ＭＤ

Ｐの急速な成長」が独禁法上の問題を生み出しているわけです。そもそも，プラットフォームは「多数の利用者が参加する社会基盤」にまで成熟すると，それを律する厳格なルールがない場合，プラットフォーム運営者自身が，利用者の利益に反する行動（利益相反）をとる危険性が高まってくるのです。このため，通常は，プラットフォームがある規模に達すると，運営者は，同一基盤上での取引を控えなければなりません。これは，証券取引所や送電網などのリアル・プラットフォームの運営を見れば，すぐに分かることです。

　東京証券取引所（運営主体）は，投資家や上場会社などの市場利用者に，安全かつ公正な取引の場（取引所）を提供することを目的としています。このため，市場における情報をリアルタイムで把握できる運営主体は，自らが株式売買などの取引に参加することは許されません。また送電網の運営者である送電会社も，発電事業に関与することは許されません。電力会社が送電と発電の双方を行えば，自身で料金を高めに設定し，電気利用者の利益を損ないかねないからです。もちろん，送電と発電が厳格に分離されていない国や地域もあります。そうした処では，電力会社は自由に電気料金を設定・変更することができず，国などの第三者が価格決定プロセスに介入することになります。

　以上の通り，運営者は，プラットフォームが成熟した時，原則として，その基盤上での取引を控えることが求められるのです。この基本原則があるにもかかわらず，アマゾンや楽天などの取引型ＭＤＰは，自身が管理する基盤上で，自社商品の販売を続けているわけですから，「優越的地位の濫用」という懸念が生じてくるのは当然の帰結です。自らの立場を利用すれば，テナントの売れ筋商品と類似した商品を開発・販売することも，利用規約を自己に有利な内容に変更することも難なくできてしまうからです。

## ②一社総取り的な独占と消費者利益

　ＭＤＰが一社総取り的に成長する理由は他にもあります。データそのものを独占的に収積していること，規模の経済という経験則が働かないこ

と，増え続けるキャッシュを利用し，将来のライバル企業を買収すること，などがそれです。特に，ＭＤＰは，ＡＩを駆使し，データドリブンで有望先を探し出し，成長の芽が出たところで，有望先を買収していきます。例えば，2006年にユーチューブを買収したグーグルは，2010年以降，こうしたM&Aを拡大し続けています。2014年以前は広告系企業の買収が多かったのですが，それ以降は，クラウド，ＡＩ，VR，AR関連のテック企業の買収に力を入れています。同様の傾向は他のＭＤＰにも見られます。

　ＭＤＰの一社総取り的な行動が社会課題とされるのは，究極的には，それが「消費者の不利益に繋がる」と危惧されているからです。例えば，独占が進めば，やがて商品の価格は上昇するかもしれません。より多くの広告料を企業より徴収するようになれば，その分だけ商品の品質は劣化するかもしれません。また将来のライバル企業が買収されれば，社会全体のイノベーションは停滞し，未来世代の利益が損なわれてしまうかもしれないのです。


# ＭＤＰが生み出した民主主義に関わる課題とは

## ①差別の固定化

　第2のＭＤＰ問題は，ＭＤＰのビジネスが民主主義を脅かしかねないことです。既述の通り，ＭＤＰは，求められる情報を利用者に性別，国籍，人種，宗教，職業などの区別なく平等に，しかもほとんどコストをかけることなく提供してきました。それは，経済のみならず，政治や言論の場においても提供され，一人ひとりの合理的な判断を助けてきました。その意味で，ＭＤＰは，特にメディア型ＭＤＰは，国家の暴走や独裁を許さない「より高度な民主主義を実現する社会基盤」として機能してきたわけです。そのＭＤＰが，今，民主主義を脅かす問題を生み出しているのです。

　中でも大きな脅威は次の3つとなります。第1は「差別の固定化」です。ＭＤＰは，データドリブンでパーソナライズしたサービスを提供する

ことを強みとしますが，これには，どうしても，利用者の「属性によるセグメント化」が，つまり，ＡＩツールによる「分類・判定」が不可欠となります。この前提が，設計者の意図とは関係なく，差別を生み，さらにその差別を固定化させるリスクを抱えているのです。

そもそも，アルゴリズムは，プログラムを書く人の個人的な考え方や先入観を反映します。また第４章第４節でも触れましたが，ＡＩが学習する元データ（教師データ）に偏り（人種の偏り，性別の偏り，宗派の偏り，所得の偏りなど）があれば，学習後のアルゴリズムも，その偏りの影響を受け判断することになります。それが差別を生むかもしれないのです。

これに加え，過去に行った一度限りの行動が，その後の人生に影響を与え続けるという問題（デジタルタトゥー）も抱えています。現実の社会であれば，職場での人間関係の悪化，地域でのトラブルなどは，職場や住所を変更することで，やり直しが効きますが，デジタル世界では，一度，問題行為がファイリングされると，それは簡単には変更できなくなってしまいます。過去の支払遅延，ルール違反，思想・政治運動に関する情報は，また場面に応じてアカウントを使い分けるやり方さえも，データとして残り，その後の各自の人生に影響を及ぼしてくるのです。

デジタル世界における自身のプロフィールを書き直すには，結局，セグメント化を進める評価アルゴリズムを理解し，良い評価が得られるよう，自身の行動を改めていくしかありません。しかし，デジタル世界では，ディープラーニング技術でもって，アルゴリズムが更新され続けるため，本来の設計者でさえ，評価アルゴリズムの内容を理解できなくなっています。その意味で，デジタル世界では，一度，差別が始まると，それは実質的に固定化されてしまうのです。

## ②偽情報の拡散

第２の脅威は「偽情報の拡散」です。既に第８章において，疑義がある情報には「ファクトチェック」というラベルが添付されると説明しましたが，それでも偽情報の拡散は続いています。

そもそも，人は「現状の肯定的な情報」よりも「否定的な情報」に敏感

に反応するものです。このため，フェイク情報を，悪意を持って意図的に発信する者が出てくるわけです。それ以外の良識的なユーザーであっても，「いいね」狙いで，事実の「断片（否定的側面）」を過度に強調し，情報を発信するものです。この強調された情報は，多くの場合，人から人に伝わる中で，完全な嘘に変わっていきます。その意味で，良識的なユーザーも偽情報の拡散に加担していることになるわけです。

　偽情報の拡散は情報を発信する側だけの問題ではありません。それを受ける側の問題でもあります。ある情報を受けたユーザーは，そのメッセージや主張を「直感的に処理できればできるほど，またそれが馴染みのものであればあるほど，ますます真実である」と考えてしまいます。例えば，ある友達が「いいね」をつけ再投稿したメッセージを，別の友達がそのまま投稿すれば，その友達グループのユーザーは，ほぼ全員，内容の真偽など検討することなく，同一メッセージに対する共感を強めていきます。

　本来であれば，ＭＤＰは，疑義情報や偽情報の拡散を抑えるべき立場にあるのですが，これまで「言論の自由」を大義として掲げ，静観するだけでした。「拡散すればするほど，広告収入が増える」というビジネス構造がそうさせた，とも指摘されています。この問題に関し，さらに難しいのは，偽情報の拡散を抑えようとして，ＭＤＰが裁量を働かせると，今度は，逆に「ＭＤＰの主観で世論をコントロールしている」との批判が出てくることです。

　元来，マスコミは，伝統的報道機関であろうと，メディア型ＭＤＰであろうと，完全に中立的であるとは言えません。情報収集，情報の優先順位付け，情報の削除，情報のカスタマイゼーション，情報送信，これらすべてのプロセスに，一定の信条や方針が反映されるからです。それぞれが主義主張を持っているわけですから，これは当然のことです。かつては，地方新聞など，多数の情報発信源があったため，個社に思想的な偏りがあったとしても，社会問題になることはありませんでした。しかし，現在，メディア型ＭＤＰの独占化が進むことで，特定メディアによる「世論のコントロール」が問題視されるようになっているのです。

### ③社会的分断

　第3の脅威は「社会的分断」です。第8章において，メディア型MDP
は，利用者・視聴者が抱える情報処理上・意思決定上の制約（紙面の範囲や
時間枠，情報にアクセスするための時間やコスト）を取り除くため，データドリ
ブンで利用者の政治的傾向や趣味・嗜好を踏まえ，記事その他情報を選択
的に提供するようになった，と説明しました。マーケットインの発想で，
ＭＤＰのフィルタリング・メカニズム（情報配信アルゴリズム）が，膨大な
情報の中から，ユーザーの関心に近い情報だけを抽出・配信するように
なったわけです。その結果，多くのユーザーは，自身の考えと異なる情報
に触れる機会を失い，意見が同じ「共鳴グループ」にだけ身を置くように
なってしまいました。この現象は，あたかもバブルに包まれ「触れたくな
い情報を遮断」（フィルター）するという意味で，「フィルター・バブル」と
呼ばれています。ユーザー側からすると，合理的に見えるサービスかもし
れませんが，実はこれが「社会の分断」を引き起こすことになっているの
です。

　メディア型ＭＤＰにとって「完全に中立的で穏健な人は良きユーザーで
ない」と言われています。逆に，僅かでも右か左に偏っていれば，その利
用者・視聴者は最良のユーザーに変わると見られているのです。例えば，
僅かでも右に偏っていれば，アルゴリズムは，そのユーザーの嗜好に沿
い，右寄りの情報を発信します。これを繰り返すうちに，僅かに右寄りで
あったユーザーはより右寄りとなり，メディア型ＭＤＰの利用頻度を上げ
ていくことになります。左に偏ったユーザーについても，同様のことが起
こるわけです。

　こうして，もともと僅かに右寄り，僅かに左寄りであった穏健な人達
も，配信アルゴリズムの介入で，思想を先鋭化させていくのです。そして
最後には，社会そのものを真っ二つに分断してしまうわけです。その典型
が，2016年のアメリカ大統領選であり，その後も続く「トランプ対反ト
ランプの対立」という社会的分断です。

　グーグルでは，一時期，この問題に対処するため，コンテンツの多様性
と質を高めることを目的としたプロジェクトが立ち上げられました。しか

し，ユーザーの利用時間・試聴時間が短くなるという理由で，結局，プロジェクトは消えて無くなりました。フィルター・バブルによる「社会的分断」という脅威は，既存のMDPに任せるだけでは解決できない社会課題として残っているのです。


## プライバシーと自由意思に関する問題

### ①倫理と自由意思

　最後のMDP問題は，MDPが一人ひとりの「自由意思」に過剰介入することです。第7章でも触れましたが，消費者は，相手側より受け取るサービスとの関係で，メリットとデメリットを比較考量し，最終的にメリットが勝ると判断すれば，そのサービス提供者を信頼し，当該事業者に限って自らの情報を提供します。これが個人情報を提供する際の基本です。この基本を徹底させるため，各国政府は個人情報保護に関する法規制を整備・強化していますが，自由意思への介入に関しては「ダークパターン」（人間の行動バイアスを利用した誘導）などの問題も含め，その規制を「過剰と考えるか，適度と考えるか」は議論の分かれるところとなっています。それゆえ，ここでは「倫理」という視点より，これに関し何が社会課題となり得るのかを整理しておきましょう。

　MDPが伝統的企業や伝統的報道機関よりも優位に立てたのは，突き詰めれば，それが情報処理上・意思決定上の制約から利用者・消費者を解放したことにあります。MDPが登場するまでは，従来型事業者と消費者の間には明確な「情報格差」があり，そのため，従来型事業者は常に消費者・利用者よりも優位な立場に立っていました。MDPはこの格差を無くし，両者の取引・交渉関係を対等なものに引き戻したわけです。言わば，両者の間に介入し，各自がより自由かつ自律的に判断できる状況を創出したと整理されるのです。

## ②契約と信認

　企業倫理の分野では，取引関係は「契約」と「信認」に大別されます。契約とは，同程度の情報を持った2人が，互いを手段として，自己の利益を追求する，という近代社会に見られる典型的な関係を指します。その特徴は，取引・交渉する2人の情報量がほぼ拮抗している点にあります。企業同士の価格交渉などがその典型です。これに対し，信認とは，取引を行う2人の間に圧倒的な情報格差があり，一方が他方を信頼する以外に，取引は成立しない関係です。典型は医者と患者の関係に見られます。

　通常，消費者が商品を購入する際，それは「契約関係」に従って行われると解されがちですが，実際には，消費者と従来型事業者（伝統的企業など）の間には大きな情報格差があり，このため，多くの消費者は，商品を製造・販売する企業の知名度やブランドを「信頼」し，その企業の商品を購入してきました。例えば，保険商品を考えてみてください。保険を購入する人は，保険約款（保険契約に関する権利・義務・条件などを記載した文書）を隅から隅まで読むことはありません。最後は保険会社が信頼に足る会社であるかどうかで，その購入を決定してきました。これは食品についても言えることです。消費者は，食品を購入する際，食品の値段や味は別として，食材の調達先，製造ラインで働く人のモラール，梱包工程における衛生状態などを調べることはありません。細かな点については疑うことをやめ，「食品会社が信頼できるかどうか」で，購入を決めてきたはずです。その意味で，多くの取引は，信認関係を前提としていたのです。

　MDPがやったことを，今一度，繰り返せば，それは，取引する消費者と一般企業の間にあった情報格差を無くし，これまでの「信頼」や「ブランド」に依拠した取引（保険商品や食品の購入などに見られた取引）を，つまり，「信認関係的な取引」を，対等を前提とする「契約関係」に引き戻したことなのです。

## ③MDPと消費者の間に圧倒的な情報格差が生まれた

　ただ，他方で，MDPは，消費者・利用者の行動履歴や検索履歴などのデータを大量に収集・蓄積してきました。その結果，MDPは，ユーザー

のことを，言わば「本人以上に詳しく」理解するようになったと言われているのです。つまり，ＭＤＰは，消費者と従来型事業者の間にあった情報格差を解消しながらも，別途，ＭＤＰと消費者・利用者の間に，かつて存在し得なかったほどの「圧倒的な情報格差」を生み出してしまったのです。

　既述の通り，情報格差がある者同士の関係は，当事者がどのように考えていようと，否応なしに「信認関係」へとシフトしていきます。事実，多くの消費者・利用者は「ＭＤＰがデータドリブンで顧客理解に努めてきた」「その結果，ＭＤＰが消費者・利用者視点に立ったサービスを充実させてきた」と理解しています。またそれゆえ，ＭＤＰがこの情報格差をビジネスに利用していると感じながらも，「これを逆手に取るようなことはしない」と信じているはずです。一方のサイドにおいて，この「信ずるという行為」が生まれれば，またその信頼がＭＤＰとの関係を繋ぐ鍵となれば，両者の関係は「信認関係」にシフトしたことになります。

　しかし，ここでの問題は，総じてＭＤＰが消費者・利用者との関係が「信認関係的なもの」に移行したことを強く自覚していない点にあります。さらに言えば，信認関係に置かれた事業者（信頼される側）が負うべき責任（信認義務）の重さを十分に自覚していないことにあります。第８章で触れた特徴ですが，ＭＤＰは「責任を他に転嫁すること」で業績を上げ，効率を高めてきた経緯があるため，信認義務に関する認識は極めて甘いと言わざるを得ないのです。

　では，その認識が甘く，ＭＤＰが自らの優位な立場を都合の良いように利用した場合，いったいどのようなことが起こってくるのでしょうか。様々なケースが考えられますが，ここでは特に問題となりやすい２つを取り上げることにしましょう。

## ④脆弱な消費者を狙ったマーケティング

　第１の課題は「脆弱な消費者」を特定し，その消費者の利益を損ねてしまうことです。脆弱な消費者とは「社会経験の乏しい未成年者」や「認知症を患った高齢者」などに限定されません。それは「理性に基づいて合理

的に判断できない人」すべてを指します。

　マーケティングの目的は，消費者・利用者に商品やサービスを購入してもらうことにあります。これまでも，企業は，テレビコマーシャルや営業マンのセールストークなどを使い，消費者の意思に影響を及ぼしてきました。それゆえ，ＭＤＰによるマーケティングをそのまま「消費者・利用者の自由意思への過剰介入」などと批判するつもりはありません。しかし，もし合理的な判断が難しい人を見つけ出し（あるいは，そうした判断が難しい状況に導き），その弱みに付け込み，広告や案内を集中的に送りつけるとしたら，どうでしょうか。

　もちろん，脆弱さに狙いを定めたマーケティングは，通常，ＭＤＰが直接行うものではありません。ＭＤＰなどのデータを利用するマーケティング会社などが，顧客企業のために行うというのが一般的です。その意味で，ＭＤＰは，この問題に直接関与することはほとんどありません。ただ，それが間接的なものであったとしても，脆弱な消費者を狙ったマーケティングを助ける限り，ＭＤＰは倫理的責任を免れることはできないのです。既述の通り，ＡＩツールは極めて高い分類機能と予測機能を有しています。このため，ＭＤＰがユーザーの機微情報（プロファイリングされた情報など）の管理を誤れば，特にマーケティング会社における利用目的の確認などを蔑ろにすれば，ＭＤＰも等しく責任を問われることになります。

　例えば，悪質な事業者は，ＳＮＳ上のやりとり，所属するコミュニティ，頻繁に視聴するコンテンツなどから「鬱状態にある人」「双極性障害のある人」「健康上の問題に悩んでいる人」「悲しみに明け暮れている人」「特異な性癖を持っている人」「最愛の人を亡くした人」などを特定し，巧みな表現や手法を用いて，実際にはほとんど効果のないモノを，あたかも「苦しみを和らげる商品」「願望を叶える商品」であるかのように売り込んでいきます。

　かつては，消費者一人ひとりの弱さや悩みは，そう簡単に企業側には伝わることはありませんでした。しかし，ツールの分類機能を使えば，膨大なデータの中から，いとも簡単に弱さや悩みを抱えた人を特定できるようになっているのです。さらに，ツールの予測機能を用いれば，誰にどのよ

うな広告や案内を送れば，またどのようなタイミングで関連記事を送信すれば，購買率（コンバージョン率）が上がるのかも合理的に推測できるようになっているのです。

　もしAIツールがその目的で使われるならば，それは「自由意思への過剰介入」として批判されるのではないでしょうか。悪質マーケティングに直接手を染めないとしても，健全なサプライチェーン・マネジメントが求められる時代に，MDPが「取引先のことは関係ない」と言い通すのはますます難しくなっているはずです。

## ⑤ダイナミックプライシングとパーソナルプライシング

　もう1つの大きな社会課題は「パーソナルプライシング」という価格設定方式に絡むものです。脆弱な消費者への意思介入は，たとえその消費者個人にとって深刻であったとしても，すべての消費者がターゲットとなるわけではありません。このため，多くは，脆弱な消費者への意思介入という問題を「自分には関係ないもの」と片付けてしまう可能性があります。しかし，パーソナルプライシングは，消費者・利用者全体の利益に関わってくる問題です。それゆえ，これが様々な領域で多用され，かつその実態が消費者・利用者に正しく伝えられなければ，MDPビジネスは，ある時，突然，失速してしまうかもしれません。

　ちなみに，大半の消費者は「ダイナミックプライシング」について知悉しており，実際に利用もしているはずです。これは，需要と供給に基づいて，商品やサービスの価格を時間帯や時期の違いに応じて変動させる価格設定方式です。既にホテルの宿泊料金，航空券価格，ゴルフ場のグリーン・フィー，アミューズメントパークの入場券などで導入されています。AIやDXが進むことで，このダイナミックプライシングは，さらに飲食店，駐車場，美容室など様々な業種に広がっていくはずです。

　ダイナミックプライシングでは，需給に応じて価格は変化しますが，一人ひとりの消費者に応じて価格が異なることはありません。同一サイト内であれば，消費者Aに「安い価格」を示し，消費者Bに「高い価格」を示す，などということはありません。また消費者側も，本人が確認しよう

とすれば，誰でも変化する価格をトレースすることができます。それゆえ，どのタイミングで予約・購入するかは，消費者一人ひとりの自由意思に基づいて判断できるわけです。

　これに対し，パーソナルプライシングでは，消費者・利用者一人ひとりの購買履歴，検索履歴，行動バイアスなどを踏まえ，それぞれに異なる価格を提示します。行動バイアスとは，不合理な行動をとってしまう人間的傾向で，例えば，同一アプリを頻繁かつ長期に使っていれば，たとえ他に良いアプリがあっても，同一アプリを利用し続けるといった行動特性を指します。

　今仮に，２人のユーザーＡとＢが同じＭＤＰ配車サービスを利用するとしましょう。ユーザーＡは，よく運転手に対しチップをはずみますが，ユーザーＢはほとんど払わないとします。ある日，同じ時間帯に，それぞれ，別の車を手配し，同じ場所から同じ目的地に，しかも同じルートで移動したとします。手配した車が違うだけで，残りすべての条件が同一であるとします。にもかかわらず，ＡとＢの運賃が異なっていたら，利用者はどう感じるでしょうか。特にチップを奮発するユーザーＡの料金の方が高いとしたら，そしてその事実をＡが知らないとしたら，どうでしょうか。

　パーソナルプライシングでは，通常，ユーザーには，そうした価格差があることを伝えません。しかし，取引を行う二者（ＭＤＰとユーザー）が「信認関係」にある場合（圧倒的な情報格差がある場合），価格差の存在は，またどのようなロジックで格差を設けているかは，利用者に伝える必要があるのです。仮にその事実を隠すとすれば，それは信認を逆手にとった裏切り行為となります。

　もともと，ＭＤＰを含む多くの企業は，企業間取引において，同一商品・同一サービスに異なる価格を適用してきました。ある部品・商品を他企業に販売する際，取引先の購入歴，購入量，納期などを踏まえ，販売価格・支払条件などを変更してきたわけです。相手に応じた価格変更が許容されるのは，企業双方の間に極端な情報格差がないこと，またそれゆえに交渉次第で価格が異なることを，双方が事前に理解・合意してきたからです。

ＭＤＰは，この企業間の取引慣行（契約関係的慣行）をそのまま消費者・ユーザーに対しても流用してしまうかもしれないのです。仮に「信認関係」にある消費者・利用者に対し，その事実を隠したまま，パーソナルプライシングを適用した場合，これは，優位な立場を濫用した「自由意思への過剰な介入」と見なされることになります。独占が進む市場では，それが起こる可能性は確実に高まっています。

　以上，本章では，既存企業に対し，４つの提言を行いました。その第１が，業務効率の改善を図るため，ＡＩツールの開発・導入に力を注ぐこと，第２が，新規事業を本格始動する前の段階で，事業そのものの実現可能性を十分にテストしておくこと，第３が，新規事業が「社会課題の解決」に資するものであるかどうかを確認することでした。そして最後に，ＭＤＰ自身が生み出した問題も「新たな社会課題」であるとの認識を持ち，市場で解決可能な課題については，事業を通じて解決するという発想を持つよう提言しました。
　特に最後の指摘に関しては，ＭＤＰ自身が生み出した問題を３つに分けて整理しました。これらのＭＤＰ問題に関しては，各国政府が，現在，緩和・解決を目指し知恵を絞っているところです。しかし，既述の通り，現状では，法改正や法執行の強化によって解決できることは限られています。
　それゆえ，既存企業に対し，市場で解決可能なＭＤＰ問題については，事業を通じて解決することを求めたいのです。もちろん，ＭＤＰ自身も，これらの問題が深刻であることを自覚し，それなりのアクションも起こしています。しかし，その取り組みは，ＭＤＰのこれまでの行動を否定することにもなりかねないため，成果をあげることができず，苦戦しているところです。それだけに，ＭＤＰ問題と無縁であった既存企業は，有利な立場にあり，迅速にアクションを起こすことができるのです。志ある既存企業が，そこに向けて動き出すことを，筆者らは心より期待しています。

# 参照・参考文献

第 1 章

・石川和幸 (2017)『図解で分かる販売・物流管理の進め方』日本実行出版社.

・下田幸祐他 (2020)『本当に使えるＤＸプロジェクトの教科書』日経 BP.

・中谷祐治 (2020)『物流（ロジスティックス）の基本教科書』日本能率協会マネジメントセンター.

・中西崇文 (2019)『稼ぐＡＩ』朝日新聞出版.

・西村泰洋 (2020)『クラウドのしくみ』翔泳社.

・日本経済新聞 (2020)「必需品『物流危機』なくせ」12 月 15 日, 12 頁.

・日本経済新聞 (2021)「クボタ, デジタル農業開拓」1 月 21 日, 14 頁.

・日本経済新聞 (2021)「『データ×人知』ＡＩ, 実務革新」1 月 22 日, 13 頁.

・日本経済新聞 (2021)「GAFA『日本株超え』」8 月 27 日, 11 頁.

・朴　尚洙 (2020)「クボタが目指す"完全無人農機", ＡＩ開発に NVIDIA をエンドツーエンドで採用」10 月 08 日. https://monoist.atmark ＩＴ .co.jp/mn/articles/2010/08/news044.html

・松尾友幸 (2020)「ＡＩとビッグデータでサプライチェーンを最適化！物流ベンチャー Hacobu とライナロジクスが業務提携」『ダイヤモンド・チェーンストア』4 月 28 日. https://diamond-rm.net/management/54851/.

・村上　均 (2018)『最新 SAP の導入と運用』, 秀和システム, 2018 年.

・Ledge. ＡＩ 編集部 (2020)「クボタ, NVIDIA のＡＩ技術を活用し作物を適時収穫する農機の自動化・無人化の実現へ」10 月 10 日. https://ledge. ＡＩ /kubota-nvidia/


第 2 章

・AgreeＢＩＴ株式会社 (2021)「ＡＩが意見集約・議論の合意形成を支援する『D-Agree』を, 愛知県春日井市へ, 行政機関に初導入 - ＡＩシステムを利用し, オンライン上での活発な意見交換と合意形成の有効性を検証 -」PRTimes, 8 月 2 日. https://prtimes.jp/main/html/rd/p/000000005.000059668.html

・髙　巌 (1995)『H. A. サイモン研究：認知科学的意思決定論の構築』文眞堂.

・長尾　真 (2019)『情報学は哲学の最前線』, アカデミック・リソース・ガイド,

27 巻, pp. 10-76.  http://hdl.handle.net/2433/244172

・福田直樹他（2019）「複雑化社会における意思決定・合意形成のためのＡＩ技術」『人工知能』第 34 巻第 6 号, 11 月.

・メラニー・ミッチェル（2021）『教養としてのＡＩ講座』（尼丁千鶴子訳）, 日経BP.

・Gardner, H. (1985), *The Mind's New Societies*, Basic Book.

・Kulkarni, D. and Simon, H. A. (1988), "The processes of scientific discovery: the strategy of experimentation," in H. A. Simon, *Models of Thought* (II), Yale Univ. Press, 1989.

・Newell, A., Shaw, J. C., and Simon, H. A. (1962), "The processes of creative thinking," in H. A. Simon, *Models of Thought*, Yale University Press, 1979.

・Newell, A and Simon, H. A. (1972), *Human Problem Solving*, Prentice-Hall.

・Simon, H. A., Langley, P. W. and Bradshaw, G. L. (1981), "Scientific discovery as problem solving," *Synthese*, 47 (1), pp. 1-27.


第 3 章

・梅田弘之（2018）「畳み込みニューラルネットワーク _CNN（Vol.16）」株式会社システムインテグレータ 5 月 11 日. https://products.sint.co.jp/aisia/blog/vol1 16

・菅由紀子他（2021）『データサイエンティスト検定』技術評論社.

・柏川元希（2020）「オートエンコーダ（自己符号化器）とは｜意味, 仕組み, 種類, 活用事例を解説」Ledge. AI, 10 月 1 日. https://ledge.ai/autoencoder/

・ASUKA KAWANABE（2019）「ＡＩも人間も, ともに学んで進化する：「スタークラフト 2」の歴史的な闘いを読み解く」WIRED, 1 月 26 日. https://wired.jp/2019/01/26/alphastar/

・TOM SIMONITE（2019）「人工知能が『スタークラフト 2』で人間に勝利, その闘いから見えた機械学習の次なる課題」WIRED, 1 月 26 日. http://news.line.me/issue/oa-wired/432317f4a301

・ヤン・ジャクソン＝上野 勉（2021）『ディープラーニング G 検定』SB クリエイティブ株式会社.

・Deep Age（2016）「定番の Convolutional Neural Network をゼロから理解する」株式会社 Spot, 11 月 7 日．https://deepage.net/deep_learning/2016/11/07/convolutional_neural_network.html

・日本サポートシステム株式会社「二値化処理とは？仕組みや流れとしきい値の設定に必要な基礎知識」https://jss1.jp/column/column_246/

・日本ディープラーニング協会監修（2021）『ディープラーニングＧ検定』第 2版，翔永社．

・ノマド・ワークス（2021）『ディープラーニングＧ検定』ナツメ社．

・日比野 新（2020）『文系でも転職・副業で稼げるＡＩプログラミングが最速で学べる』かんき出版．

・メラニー・ミッチェル（2021）『教養としてのＡＩ講座』（尼丁千鶴子訳），日経BP．

・山下長義他（2020）『ディープラーニングＧ検定』秀和システム。

・Dickson, B.（2020），"What are convolutional neural networks（CNN），" *Tech Talk*, January 6. https://bdtechtalks.com/2020/01/06/convolutional-neural-networks-cnn-convnets/

・Nelson, D.（2020），"What is an Autoencoder?" Unite.ai, September 20. https://www.Unite.ai/what-is-an-autoencoder/

・Ray, S.（2017），"Understanding Support Vector Machine（SVM）algorithm from examples（along w I T h code），" *Analytica Vidhya*, September 13. https://www.analyticsvidhya.com/blog/2017/09/understaing-support-vector-machine-example-code/

第 4 章
・阿部真人（2021）『統計学入門』ソシム．

・トーマス・ウォナコット，ロナルド・ウォナコット（1998）『回帰分析とその応用』（田畑吉雄訳）現代数学社．

・ロナルド・ウォナコット，トーマス・ウォナコット（1975）『計量経済学序説』（国府田恒夫訳），培風館．

・斎藤康毅（2016）『ゼロから作る Deep Learning —— Python で学ぶディープ

ラーニングの理論と実装』, オライリー・ジャパン.

・清水千弘 (2016)『市場分析のための統計学入門』朝倉書店.

・清水千弘編 (2020)『不動産テック』朝倉書店.

・清水千弘編 (2022)『スポーツデータサイエンス』朝倉書店.

・清水千弘・唐渡広志 (2007),『不動産市場の計量経済分析』, 朝倉書店.

・ヤン・ジャクソン, 上野 勉 (2021)『ディープラーニングG検定』SBクリエイティブ株式会社.

・鈴木健一 (2016)『定量分析の教科書』東洋経済新報社.

・鈴木達三・高橋宏一 (1998)『標本調査法』朝倉書店.

・田中良久 (1977)『心理学的測定法第2版』東京大学出版会.

・豊田秀樹 (1996)『非線形多変量解析ニューラルネットによるアプローチ』朝倉書店.

・豊田秀樹・前田忠彦・柳井晴夫 (1992)『原因をさぐる統計学』講談社.

・ジョゼフ・ビーガス (1997)『ニューラルネットワークによるデータマイニング』日経BP社.

・クリストファー・ビショップ (2012),『パターン認識と機械学習 上・下：ベイズ理論による統計的予測』, 丸善.

・松本元・大津展之 (1994)『脳・神経系が行う情報処理とそのモデル』培風館.

・メラニー・ミッチェル (2021)『教養としてのAI講座』(尼丁千鶴子訳), 日経BP.

・森下 真一・宮野 悟 編著 (2001)『発見科学とデータマイニング』共立出版.

・森田優三・久次智雄 (1993)『新統計概論改訂版』日本評論社.

・宮川公男 (2022)『基本統計学 (第5版)』有斐閣.

・森下 真一・宮野 悟 編著 (2001)『発見科学とデータマイニング』共立出版.

・矢川元基 (1992)『ニューラルネットワーク：計算力学・応用力学への応用』培風館.

・吉澤康和 (1989)「新しい誤差論」共立出版.

・ゴードン・リノフ, マイケル・ベリー (1999)『データマイニング手法』(上野 勉ほか共訳) 海文堂出版.

・Breiman, L. (2001), "Random forests," *Machine Learning*, 45 (1), 5-32.

・Erwin Diewert, Kiyohiko Nishimura, Chihiro Shimizu, Tsutomu Watanabe (2020), *Property Price Indexes*, Springer.（Advances in Japanese Business and Economics Series）.

・Koenker, R. & Bassett, G. (1978), "Regression Quantiles", *Econometrica*, 46 (1), 33-50.

・Mitchell, T. M. (1997). *Machine Learning*. McGraw-Hill.

・Murphy, K. P. (2012). *Machine Learning: A Probabilistic Perspective*. MIT Press.


第5章
・アジェイ・アグラワル他（2019）『予測マシンの世紀』（小坂恵理訳）早川書房.
・阿部慶喜・柳 剛洋（2020）『ＤＸの真髄』日経BP.
・ハル・アベルソン，ケン・リーディン，ハリー・ルイス，ウェンディ・セルツァー（2021）『教養としてのデジタル講義』（尼丁千鶴子訳），日経BP.
・大城信晃監修・著（2021）『ＡＩ・データ分析プロジェクトのすべて』技術評論社.
・岡田陽介（2018）『ＡＩをビジネスに実装する方法』日本実業出版社.
・ブライアン・カーニハン（2020）『教養としてのコンピューターサイエンス講座』（酒匂 寛訳），日経BP.
・兼安 暁（2019）『イラスト＆図解でわかるＤＸ』彩流社.
・河本 薫（2017）『最強のデータ分析組織』日経BP.
・下田幸祐他（2020）『本当に使えるＤＸプロジェクトの教科書』日経BP.
・曽根勇也（2019）「製造業にとってＡＩは必然（武蔵精密工業）」『Robot Digest』9月9日，https://www.robot-digest.com/contents/?id=1567731076-295329.
・寺嶋正尚編（2021）『ＡＩ経営のリスクマネジメント』日経BP・日本経済新聞出版.
・中西崇文（2019）『稼ぐＡＩ』朝日新聞出版.
・中村 力（2019）『ビジネスで使いこなす「定量・定性分析」大全』日本実業出版社.

・野口浩之・長谷川智紀（2020）『勝ち残る中堅・中小企業になるＤＸの教科書』日本実業出版社.

・日本経済新聞（2021）「改革に失敗 ３つのワナ」３月４日，17頁.

・日本経済新聞（2021）「パナソニック，米社買収」３月９日，１頁.

・牧野武文「4枚の図解でわかる遺伝的アルゴリズム」https://persol-tech-s.co.jp/corporate/secur ＩＴ y/article.html?id=63

・メラニー・ミッチェル（2021）『教養としてのＡＩ講座』（尼丁千鶴子訳），日経BP.

・Mallawaarachchi, V. (2017), "Introduction to Genetic Algorithms — Including Example Code," towards date science, July, https://towardsdatascience.com/introduction-to-genetic-algor ＩＴ hms-including-example-code-e396e98d8bf3

・Reeves, C. R. (2010), "Genetic Algorithms," *Handbook of Metaheuristics*, September, pp.109-139.


第6章

・ＩＴ Leaders 編集部（2019）「トラスコ中山，基幹システムを SAP S/4HANA に刷新，見積回答の自動化などを図る」３月29日．https:// ＩＴ .impress.co.jp/articles/-/17683

IBM SAP コンサルティング + クラウド・アプリケーション開発（2020）「トラスコ中山 + IBM」（お客様事例）.

・ABEJA（2018）「『人工知能の眼』による検品自動化．次世代の製造現場とは」（導入事例：武蔵精密工業株式会社）２月22日．https://abejainc.com/solution/ja/case/musashi/01/

・梅田弘之（2018）「正常データだけを学習する異常検知」（Vol.3），株式会社システムインテグレータ，８月27日．https://products.sint.co.jp/aisia-ad/blog/deep-learning-vol.3

・NRI Solutions（2015）「導入ソリューション：SAP HANA（トラスコ中山株式会社）」野村総合研究所，５月.

・NEC グローバルプロダクト・サービス本部 SAP コンサルテインググループ（2015）「SAP HANA ソリューション 導入事例：トラスコ中山株式会社 様」９月.

・岡田陽介（2018）『ＡＩをビジネスに実装する方法』日本実業出版社.

・柏川元希（2020）「オートエンコーダ（Autoencoder）とは：意味，仕組み，種類，活用事例を解説」Ledge. AI，10 月 1 日．https://ledge.ai/autoencoder/

・斉藤勝司（2021）「キュウリ生産者が開発，人工知能（ＡＩ）を取り入れた自動選別装置」12 月 27 日．https://agri.mynavi.jp/2019_10_01_90831/

・佐伯真也（2018）「開発費 2 万円，ＡＩでキュウリを仕分ける農家：個人農家がＡＩ導入で目指すもの」5 月 16 日．https://business.nikkei.com/atcl/opinion/15/221102/051100577/.

・鈴木慶太（2020）「見積もり回答に在庫管理も，業務の徹底自動化でＤＸグランプリを受賞したトラスコ中山」日経 XTECH，9 月 17 日．https://xtech.nikkei.com/atcl/nxt/column/18/01406/091100004/

・曽根勇也（2019）「製造業にとってＡＩは必然：武蔵精密工業」9 月 9 日．https://www.robot-digest.com/contents/?id=1567731076-295329

・DeepAge（2016）「オートエンコーダ：抽象的な特徴を自己学習するディープラーニングの人気者」株式会社 Spot，10 月 9 日．https://deepage.net/deep_learning/2016/10/09/deeplearning_autoencoder.html

・TRUSCO（2020, 2021）『解体新書（統合報告書）』トラスコ中山株式会社，3 月.

・中谷祐治（2020）『物流（ロジスティックス）の基本教科書』日本能率協会マネジメントセンター.

・中西崇文（2019）『稼ぐＡＩ』朝日新聞出版.

・日立製作所「Cosminexus のラッピング技術により基幹システムとのリアルタイム連携を実現した受注システム『WEB TRUSCO』：トラスコ中山株式会社」Collaborative E Business.

・一橋 ICS ポーター賞運営委員会（2018）「受賞企業・事業レポート：トラスコ中山株式会社」2018 年度第 18 回ポーター賞，12 月 6 日.

・武蔵精密工業（2018）「武蔵精密工業，ABEJA と協業しＡＩを活用した検品自動化を推進：2018 年度より自社工場にて試験的な運用をめざす」2 月 19 日．http://www.musashi.co.jp/newsrelease/news/abejaai.html

・村上均（2018）『図解入門よくわかる最新 SAP の導入と運用』秀和システム.

第7章

・魚谷雅彦（2018）「ＡＩ企業買収は30分で決めた，資生堂社長が明かす520億円投資の深謀」（聞き手：大和田尚孝）日経 xTECH/ 日経コンピュータ，5月31日．https://xtech.nikkei.com/atcl/nxt/column/18/00134/052500052/

・神田啓晴（2019）「資生堂がスキンケアのサブスク開始，化粧品業界に広がるか」『日経ビジネス』7月2日．https://business.nikkei.com/atcl/gen/19/00002/070100499/

・株式会社資生堂（2017）「資生堂，IoT スキンケアシステム『Optune（オプチューン）』を開発」IoT News, 11月28日，https://iotnews.jp/archives/77309

・株式会社資生堂（2018）「資生堂，『新3カ年計画』（2018年〜2020年）を策定」開示資料，3月5日．

・株式会社資生堂（2019）「8割の女性が1回の睡眠で2回以上発生している"無自覚夜ふかし"※！現代女性の不規則生活が"無自覚夜ふかし"を誘発？今日の肌は7日前にできていた？睡眠中の覚醒は，1週間後の肌に悪影響を及ぼすことを確認」PR Times, 6月25日．https://prtimes.jp/main/html/rd/p/000001449.000005794.html

・資生堂ジャパン株式会社（2019）「資生堂の IoT スキンケアサービスブランド『Optune』7月1日（月）より本格展開 一人ひとり，毎日変わる女性の肌と肌環境に合わせる，新たなスキンケアサービス」プレスリリース，7月1日．

・株式会社資生堂（2020）「資生堂，ＡＩを活用した皮膚解析の新技術『デジタル 3D スキン TM』を開発」プレスリリース，4月27日．https://corp.shiseido.com/jp/news/detail.html?n=00000000002897

・株式会社資生堂（2020）「オプチューンは終了させていただきました」6月以降の HP．https://www.shiseido.co.jp/optune/

・永田みゆき（2020）「つくったひとに聞いてみた．この美容機器がスゴい理由」T JAPAN，3月31日．https://www.tjapan.jp/beauty/17352158

・日本経済新聞（2019）「資生堂,IoT スキンケアサービスブランド『Optune（オプチューン）』を本格展開開始」『日本経済新聞電子版』，7月1日．https://www.nikkei.com/article/DGXLRSP513336_R00C19A7000000/

・日本経済新聞（2021）「資生堂，ＤＸで新会社」5月20日，12頁．

第 8 章

・大久保直樹（2019）「アメリカの流通市場変化に対応した新たな法的諸規則」
『紛争事例に見る主要国の流通市場変化と問題点』（ＩＴＩ調査研究シリーズ No.
87），3 月，50 頁.

・スコット・ギャロウェイ（2021）『GAFA ネクストステージ』（渡会圭子訳）東
洋経済新聞社.

・ブラッド・ストーン（2014）『ジェフ・ベゾス果てなき野望』（井口耕二訳），日
経 BP 社.

・谷 敏行（2021）『アマゾン・メカニズム』日経 BP.

・土佐和生（2019）「デジタル PF による単独行為に関する競争政策上の論点整
理：イノベーション競争に対するデータ保存の意義」CPRC ディスカッション・
ペーパー，公正取引委員会競争政策研究センター，CPDP-73-J December.

・東北大学経営学グループ（2019）「プラットフォーム・ビジネス」『ケースに学
ぶ経営学』（第 3 版）有斐閣ブックス.

・内閣府消費者委員会（2019）「プラットフォームが介在する取引の在り方に関
する提言」4 月 18 日.

・日本経済新聞（2020）「『記事ただ乗り』米ＩＴが対応策」『日本経済新聞』12
月 6 日，7 頁.

・日本経済新聞（2020）「SNS 事業者規制 各国の状況は」12 月 7 日，9 頁.

・日本経済新聞（2020）「EU, 巨大ＩＴに包括規制」12 月 16 日，1 頁.

・日本経済新聞（2021）「記事対価 米ＩＴ歩み寄り」2 月 21 日，p. 5,

・日本経済新聞（2021）「記事に対価 世界で圧力」3 月 14 日，3 頁.

・ジェフリー・G・パーカー，マーシャル・W・ヴァン・アルスタイン，サン
ジート・ポール・チョーダリー（2018）『プラットフォーム・レボリューション』
（妹尾堅一郎監訳），ダイヤモンド社.

・ラナ・フォルーハー（2021）『邪悪に堕ちた GAFA』（長谷川圭訳），日経 BP.

・ジェフ・ベゾス（2021）『Invent & Wander』（関美和訳）ダイヤモンド社.

・ロール・クレア・レイエ＝ブノワ・レイエ（2019）『プラットフォーマー勝者
の法則』（根来龍之・門脇弘典訳），日本経済新聞出版社.

・Appel, G., L. Grewal, R. Hadi, and A. T. Stephen (2019), "The future of social medi A I n marketing," *Journal of the Academy of Marketing Science*, October, 48 (1), pp. 79-95.

Kathuria, V. (2019), "Platform competition and market definition in the US Amex case: Lessons for economics and law," *European Competition Journal*, 15 (2-3), pp. 254-280.

・Royakkers, L. (2018), J. Timmer, L. Kool, R. van Est, "Societal and ethical issues of digitization," *Ethics and Information Technology*, June, 20 (2), pp. 127-142.

・Stephen, A. T. and J. Galak (2012), "The effects of traditional and social earned media on sales: A study of a microlending marketplace," *Journal of Marketing Research*, October, 49 (5), pp. 624-639.

・Trusov, M., R. E. Bucklin, and T. Pauwels (2009), "Effects of word-of-mouth versus traditional marketing: Findings from an internet social networking site," *Journal of Marketing*, September, 73 (5), pp. 90-102.

・Zingales, L., G. Rolnik, F. M. Lancieri (2019), *Stigler Committee on Digital Platforms: Final Report*, Stigler Center, the University of Chicago.


第9章

・亀田治伸・山田裕進 (2019)『AWS クラウドの基本と仕組み』翔泳社頁.

・スコット・ギャロウェイ (2021)『GAFA ネクストステージ』(渡会圭子訳) 東洋経済新聞社.

・白石ひおな＝河内真帆 (2021)「ウォルマートＤＸで早変わり」日本経済新聞社, 6月4日, 13頁.

・田中道昭 (2019)『アマゾン銀行が誕生する日』日経 BP.

・谷 敏行 (2021)『アマゾン・メカニズム』日経 BP.

・柘植康文・渡辺直樹 (2021)「もろ刃のクラウド強化」日本経済新聞, 7月8日, 12頁.

・ブラッド・ストーン (2014)『ジェフ・ベゾス果てなき野望』(井口耕二訳), 日経 BP 社.

・ナタリー・バーグ＝ミヤ・ナイツ (2019)『amazon 帝国との共存』(成毛 眞

訳），フォレスト出版.

・ジェフ・ベゾス（2021）『Invent & Wander』（関美和訳）ダイヤモンド社.

・成毛眞（2018）『amazon 世界最先端の戦略がわかる』ダイヤモンド社.

・日本経済新聞（2021）「米『アマゾン離れ』に商機」8 月 31 日，13 頁.

・ロール・クレア・レイエ＝ブノワ・レイエ（2019）『プラットフォーマー勝者の法則』（根来龍之・門脇弘典訳），日本経済新聞出版社.

・Amazon（1999），"Amazon.com Launches Online Auction site," Press Release, March 30. https://press.aboutamazon.com/news-releases/news-release-det A I ls/amazoncom-launches-online-auction-site/

・Bowles, R. (2021), "Organized Chaos: Behind The Scenes of Amazon's Inventory Management System," July 13. https://www.logiwa.com/blog/amazon-inventory-management-system

・Fintech, D. (2020), "Facts & Figures of Amazon lending and the Goldman Sachs X-factor," Feb 11. https://d A I lyfintech.com/2020/02/11/facts-figures-of-amazon-lending-and-the-goldman-sachs-x-factor/

・Lystra, T. (2020), "Amazon, Goldman Sachs partner on lending program for third-party sellers," Jun 12. https://www.bizjournals.com/seattle/news/2020/06/12/amazon-goldman-sachs-partner-on-lending-program.html

・Priest, D. (2020), "How to connect Amazon Echo to Wi-Fi, Bluetooth and more: Step-by-step setup guide," CNET, Sept. 16. https://www.cnet.com/home/smart-home/how-to-connect-amazon-echo-to-wi-fi-bluetooth-and-more-step-by-step-setup-guide/

・Tesfaye, M. (2020), "Goldman and Amazon's lending partnership presents a huge threat to fintechs," Insider, Feb 5. https://www.businessinsider.com/goldman-sachs-amazon-smb-lending-partnership-threatens-fintechs-2020-2?r=US&IR=T.

・Wheatley, M. (2020), "Amazon brings machine learning to industry, developers and contact centers," Silicon Angle, December 1. https://siliconangle.com/2020/12/01/amazon-brings-machine-learning-industry-devops-contact-centers/

・Wingfield, N. and M. J. de la Merced (2017), "Amazon to Buy Whole Foods for $13.4 Billion," June 16. https://www.nytimes.com/2017/06/16/business/dealbook/amazon-whole-foods.html


第 10 章

・リチャード・ウォーターズ (2021)「巨大ＩＴ独占どう崩す」(フィナンシャル・タイムズ) 日本経済新聞社, 6 月 23 日, 7 頁.

・内閣府消費者委員会 (2019)「プラットフォームが介在する取引の在り方に関する提言」4 月 18 日.

・日本経済新聞 (2021)「右派 SNS 煽動の場に」1 月 10 日, 3 頁.

・日本経済新聞 (2021)「米政権, 法廷で徹底抗戦」8 月 21 日, 5 頁.

・ナタリー・バーグ＝ミヤ・ナイツ (2019)『amazon 帝国との共存』(成毛眞監訳), フォレスト出版.

・ラナ・フォルーハー (2020)『邪悪に堕ちた GAFA』(長谷川圭訳), 日経 BP.

・ルチアーノ・フロリディ (2017)『第 4 の革命』(春木良且・犬束敦史監訳), 新曜社.

・山本龍彦編著 (2018)『ＡＩと憲法』日本経済新聞出版社.

・Appel, G., L. Grewal, R. Hadi, and A. T. Stephen (2019), "The future of social medi A I n marketing," *Journal of the Academy of Marketing Science*, October, 48 (1), pp. 79-95.

・Bakshy, E., S. Messing, and L. A. Adamic (2015), "Exposure to ideologically diverse news and opinion on Facebook," *Science*, 348, pp. 1130-1132.

・Berry, J. M. and S. Sobieraj (2013), *The Outrage Industry: Political Opinion Media and the New Incivility*, Oxford Univ. Press.

・Bogost, I. (2018), "All followers are fake followers," *The Atlantic*, January 30. https://www.theatlantic.com/technology/archive/2018/01/all-followers-are-fake-followers/551789/

・Bozdag, E. (2013), "Bias in algorithmic filtering and personalization," *Ethics and Information Technology*, June 23, 15, pp. 209-227.

・Datta, A., M. C. Tschantz, and A. Datta (2015), "Automated Experiments on

Ad Privacy Settings," in *Proceedings on Privacy Enhancing Technologies*, (1), pp. 92-112.

· Hildebrandt, M. (2016), "Law as information in the era of data-driven agency." *The Modern Law Review*, January, 79 (1), pp. 1-30.

· Kelly, H., J. Horowitz, D. O'Sullivan (2018), "Facebook takes down 652 pages after finding disinformation campaigns run from Iran and Russia," CNN, August 21. https://money.cnn.com/2018/08/21/technology/facebook-disinformation-iran-russian/index.html

· Khan, L. M., (2017), "Amazon's Antitrust Paradox," *the Yale Law Journal*, 126 (3), pp. 710-805

· Prior, M. (2013), "Media and political polarization," *Annual Review of Political Science*, May, Vol. 16, pp. 101-127.

· Royakkers, L. (2018), J. Timmer, L. Kool, R. van Est, "Societal and ethical issues of digitization," *Ethics and Information Technology*, June, 20 (2), pp. 127-142.

· Schwarz, N., and E. J. Newman (2017), "How does the gut know truth?" *Psychological Science Agenda*, American Psychology Association, August. https://www.apa.org/science/about/psa/2017/08/gut-truth

· Stewart, D. W. (2017), "A comment on privacy," *Journal of the Academy of Marketing Science*, 45 (2), pp. 156-159.

· Sunstein, C. R. (2001), *Echo Chambers: Bush v. Gore, Impeachment, and Beyond*, Princeton Univ. Press.

· Vosoughi, S., D. Roy, and S. Aral (2018), "The spread of true and false news online," *Science*, March, 359 (6380), pp. 1146-1151.

· Woolley, K., and J. L. Risen (2018), "Closing your eyes to follow your heart: Avoiding information to protect a strong intuitive preference," *Journal of Personality and Social Psychology*, February, 114 (2), pp. 230-245.

· Zuboff, S. (2015), "Big other: surveillance capitalism and the prospects of an information civilization," *Journal of Information Technology*, April, 30, pp. 75-89.

◆著者略歴

**髙 巖**（たか いわお）

1956 年生まれ。現在，明治大学経営学部特任教授，鹿児島大学稲盛アカデミー客員教授，麗澤大学名誉教授。早稲田大学博士（商学）。ペンシルベニア大学ウォートン・スクール・フィッシャー・スミス客員研究員，麗澤大学経済研究科教授，京都大学経営管理大学院客員教授等を歴任。全米企業倫理コンプライアンス協会（SCCE）より国際企業倫理コンプライアンス賞（International Compliance and Ethics Award）受賞。著書に『ビジネスエシックス［企業倫理］』（日本経済新聞社），『日本航空の破綻と再生』（ミネルヴァ書房：共著），『H.A. サイモン研究—認知科学的意思決定論の構築』（文眞堂）等がある。

**清水千弘**（しみず ちひろ）

1967 年生まれ。現在，一橋大学ソーシャルデータサイエンス教育研究推進センター教授，麗澤大学国際総合研究機構副機構長，マサチューセッツ工科大学不動産研究センター研究員。東京大学博士（環境学）。麗澤大学経済学部教授，ブリティッシュコロンビア大学経済学部客員教授，シンガポール国立大学不動産研究センター客員教授，東京大学空間情報科学研究センター特任教授等を歴任。著書に『Property Price Index』(Springer：共著），『市場分析のための統計学入門』（朝倉書店），『スポーツデータサイエンス』（朝倉書店：編著），『不動産市場の計量経済分析』（朝倉書店：共著）等がある。

## AI ビジネスの基礎と倫理的課題

令和 4 年 9 月 20 日　　　　　初版発行

著　者　髙　巖・清水千弘
発　行　公益財団法人モラロジー道徳教育財団
　　　　〒 277-8654　千葉県柏市光ヶ丘 2-1-1
　　　　電話 04-7173-3155
　　　　https://www.moralogy.jp
発　売　学校法人廣池学園事業部
　　　　〒 277-8686　千葉県柏市光ヶ丘 2-1-1
　　　　電話 04-7173-3158
印　刷　横山印刷株式会社

© I. Taka, C. Shimizu 2022　Printed in Japan
ISBN 978-4-89639-284-5
落丁・乱丁はお取り替えいたします。無断転載・複製を禁じます。